Auf seinem täglichen Weg zur Arbeit wird der Amische Aden Karn mit Pfeil und Bogen niedergestreckt und stirbt noch am Ort des Verbrechens. Da einer der Schüsse aus nächster Nähe in den Mund des Opfers abgefeuert wurde, geht Polizeichefin Kate Burkholder davon aus, dass Adens Mörder voller Wut auf den jungen Mann gehandelt hat und ihm bei der Tat in die Augen sehen wollte. Aden befand sich zum Zeitpunkt seines Todes auf *Rumspringa*, eine wichtige Zeit für junge Amische, um sich in der Welt auszuprobieren und das Leben außerhalb der amischen Glaubensgemeinschaft kennenzulernen. Was ist passiert, dass der allseits beliebte Mann sterben musste?

Linda Castillo wuchs in Dayton im US-Bundesstaat Ohio auf, schrieb bereits in ihrer Jugend ihren ersten Roman und arbeitete viele Jahre als Finanzmanagerin, bevor sie sich ganz dem Schreiben widmete. Der internationale Durchbruch gelang ihr mit »Die Zahlen der Toten« (2010), dem ersten Kriminalroman mit Polizeichefin Kate Burkholder. Linda Castillo kennt die Welt der Amischen seit ihrer Kindheit und ist regelmäßig zu Gast bei amischen Gemeinden. Die Autorin lebt heute mit ihrem Mann und zwei Pferden auf einer Ranch in Texas.

Helga Augustin hat in Frankfurt am Main Neue Philologie studiert. Von 1986–1991 studierte sie an der City University of New York und schloss ihr Studium mit einem Magister in Liberal Studies mit dem Schwerpunkt ›Translations‹ ab. Die Übersetzerin lebt in Frankfurt am Main.

Weitere Informationen finden Sie auf www.fischerverlage.de

LINDA CASTILLO

ZORNIGES HERZ

Der neue Fall für Kate Burkholder

Thriller

Aus dem amerikanischen Englisch
von Helga Augustin

FISCHER Taschenbuch

Erschienen bei FISCHER Taschenbuch
Frankfurt am Main, August 2024

Die amerikanische Originalausgabe erschien 2023
unter dem Titel »An Evil Heart« bei Minotaur Books,
ein Imprint von St. Martin's Publishing Group, New York
© Linda Castillo 2023, published by arrangement
with St. Martin's Publishing Group. All rights reserved.
Für die deutschsprachige Ausgabe:
© 2024 S. Fischer Verlag GmbH,
Hedderichstraße 114, D-60596 Frankfurt am Main
Die Nutzung unserer Werke für Text- und Data-Mining
im Sinne von § 44 b UrhG behalten wir uns explizit vor.
Dieses Werk wurde im Auftrag von St. Martin's Publishing Group
durch die Literarische Agentur Thomas Schlück GmbH,
30161 Hannover, vermittelt.
Redaktion: Silke Reutler
Satz: Dörlemann Satz, Lemförde
Druck und Bindung: CPI books GmbH, Leck
ISBN 978-3-596-70985-4

Dieses Buch ist meinen Leserinnen und Lesern gewidmet.
Ich danke Ihnen für Ihre Unterstützung über all die Jahre,
in deren Verlauf ich vierzehn Bücher veröffentlicht habe.
Danke für Ihre E-Mails und Briefe, für die Kommentare
in den sozialen Medien und dass Sie zu meinen Lesungen
(und den manchmal nicht ganz so fesselnden Vorträgen)
gekommen sind. Aber vor allem danke ich Ihnen, dass Sie
mich an das erinnern, was wirklich wichtig ist.
Ich schätze jeden Einzelnen von Ihnen sehr!

DIE BOSHEIT DER FREVLER
FINDE EIN ENDE.

Psalm 7,10

PROLOG

Der Himmel über den Baumkronen leuchtete orange und rosarot, als Aden Karn in den Schuppen ging, die Lunchbox in den Lenkerkorb seines Fahrrads warf und es hinaus auf die Straße schob. Dort schwang er das Bein über den Sattel und trat kräftig in die Pedale. Die Fahrt zum Treffpunkt, wo er von seinem englischen Arbeitskollegen eingesammelt wurde, dauerte normalerweise zwanzig Minuten, und heute war er ausnahmsweise früh dran. Das freute ihn, denn in dieser Gegend von Ohio hatte der Herbst schon sanft Einzug gehalten und die Ahorn- und Walnussbäume entlang der Straße bunt gefärbt. Noch eine Woche, und die Landschaft würde in ein Meer aus Farben getaucht sein. Seine *Mamm* sagte, es wären die Farben Gottes, und heute Morgen musste er ihr recht geben.

Als er an der Hangscheune vorbei mit summenden Reifen um die Kurve flitzte, war sein Hemd schweißnass. Seine englischen Kollegen frotzelten über ihn, weil er mit dem Rad kam, doch es war freundlich gemeint, und Aden nahm es ihnen nicht krumm. Er konnte ein Buggy-Pferd ja nicht den ganzen Tag, während er arbeitete, am Treffpunkt angebunden stehen lassen. Ab und zu war er zwar nass geworden, aber das Problem löste jetzt die Regenjacke, die er für alle Fälle dabeihatte. Hier in Holmes County fuhren einige der Amischen auch mit Motorrollern, aber das war nichts für Aden. Er mochte die Stille auf dem Fahrrad und die körperliche Anstrengung, die Geschwindigkeit und die Freiheit. Irgendwie

7

fühlte er sich so auch der Erde näher – Gott näher –, und der Reichtum, mit dem Er Seine Kinder beschenkte, machte ihn glücklich.

Auf der Fahrt entlang der Landstraße ließ er sich Zeit. Er kam an Mr. Younts Weide mit dem moosgesäumten Teich vorbei, auf dem die Enten über die Wasseroberfläche glitten, ihre Köpfe senkten, um am Laichkraut zu knabbern, und mit ihren Flügeln schlugen. Als er über die Brücke fuhr, kam er an den Schafen vorbei, die das üppige Obstgartengras in der Senke abweideten. Er hatte beobachtet, wie die Lämmer im Laufe des Sommers gewachsen waren. Er passierte Mr. Dunlops Feld, wo der Futtermais zum Trocknen stehengeblieben war und erreichte die County Line Road, die er sich stehend und mit aller Kraft in die Pedale tretend bergauf kämpfte. Bergab fuhr er ein bisschen zu schnell, genoss den Fahrtwind und bog schwungvoll in die Hansbarger Road ab.

Aden war so in Gedanken versunken, dass er die Gestalt im Straßengraben erst registrierte, als er schon an ihr vorbeigefahren war. Überrascht fragte er sich, ob es womöglich ein Problem gab. Er bremste hart ab, setzte einen Fuß auf den Boden und kam so abrupt zum Stehen, dass das Hinterrad seitlich wegrutschte.

Mit beiden Füßen am Boden, drehte er sich um und blickte über die Schulter. Komischerweise war nirgends ein Fahrzeug zu sehen, nur diese Gestalt im Straßengraben, die zu ihm herübersah.

»Ist alles in Ordnung?«, rief er.

In dem Moment sah er die Waffe. Zuerst glaubte er, es sei ein Gewehr, was aber außerhalb der Jagdsaison seltsam wäre. Er sah genauer hin und erkannte an der Form – der Spreizung der Wurfarme, dem Nockpunkt links und dem Spannbügel vorn –, dass es eine Armbrust war. Ungläubig sah er zu, wie die Waffe auf ihn gerichtet wurde, die Gestalt den Kopf neigte und ein Auge ans Visier drückte.

Vor Schreck ließ er den Fahrradlenker los und hob beide Hände. »He! Was machen Sie – «

Zosch!

Eine unsichtbare Faust schlug ihm die Luft aus den Lungen. Ein plötzlicher Schmerz in der Brust, ein Brennen im Rücken. Fassungslos blickte Aden auf den Pfeil in seiner Brust. Seine Knie gaben nach, das Fahrrad fiel zur Seite, und der Lenker knallte auf den Asphalt. Sekunden später schlug er mit der Schulter am Boden auf, dann mit der Schläfe, und die Welt um ihn herum verstummte. Er lag still da, blinzelnd und verwirrt, die Fahrbahn war warm an seiner Wange und der Schmerz pochte von der Brust bis zum Becken.

Um zu begreifen, was gerade passiert war, bewegte er sein Bein und rollte sich auf den Rücken. Ein höllischer Schmerz durchfuhr seine Wirbelsäule, kurz wurde ihm schwarz vor Augen. Dann blickte er stöhnend auf den Pfeil in seiner Brust und stellte fest, dass er glatt durch ihn durchgegangen war und an seinem Rücken wieder herausragte.

Gott im Himmel …

Seine Blase entleerte sich, warmer Urin lief über seine Schenkel, durchnässte seine Hose. Aber der Schmerz war zu schlimm, als dass ihn das kümmerte, und die Angst zu groß, denn plötzlich wurde ihm das ganze Ausmaß seiner Verletzung bewusst. Panik erfasste ihn, er öffnete den Mund, um Luft zu schnappen, und ein grässlicher Laut kam aus ihm heraus.

Dann hörte er Schritte auf Schotter knirschen und blickte auf, versuchte zu sprechen, hob die Hand, die Finger gespreizt. »Hilf mir.«

Aus einem teilnahmslosen Gesicht starrten eiskalte Augen

entschlossen auf ihn herab. Behandschuhte Hände umfassten seine Schultern, kamen – scheinbar ohne persönliches Interesse – einer unangenehmen, aber notwendigen Pflicht nach.

Er wimmerte. »Nein, nicht.«

Schmerzen wie Stromschläge, als er auf den Boden gedrückt wurde, die Pfeilspitze von hinten zurück in den Rücken drang und er wieder auf den Bauch gedreht wurde. Sein Stöhnen war ein Gurgeln, jeder Atemzug eine Höllenqual.

Als der Pfeil dann aus seinem Körper gerissen wurde, zuckten seine Arme und Beine unkontrolliert. Dunkelheit senkte sich auf ihn herab. Aden spürte wieder eine Hand an der Schulter, Finger gruben sich in seinen Arm, drehten ihn zurück auf den Rücken.

Hilflos und gelähmt vor Angst lag er da, atmete stoßweise, mit jedem Schlag seines Herzens pulsierte der Schmerz durch seinen Körper. Vage nahm er wahr, wie die Armbrust auf den Boden gestellt und die Spitze eines Stiefels in den Fußbügel geschoben wurde, er hörte das Quietschen der Bogensehne beim Spannen und das Einrasten der Sehne in den Abzugsmechanismus.

Bitte nicht …

Während sich die gespannte Armbrust auf ihn herabsenkte, grub sich ein emotionsloser Blick in seine Augen. »Ich ertrage nicht, was du tust,« sagte der Schütze.

Aden wusste, was nun folgte, und schon das Wissen rief blankes Entsetzen hervor, durchströmte jeden Muskel seines Körpers. Er versuchte, sich zu bewegen, wollte weglaufen oder auch kriechen, hob das Bein – das gleich wieder nach unten sackte. Beim Griff nach dem Knöchel des Schützen bekam er den Stoff des Hosenbeins zu fassen.

»Bitte nicht«, bettelte er.

Mit quälender Behutsamkeit wurde die Pfeilspitze auf sei-

10

nen Mund gedrückt, schlitzte seine Lippen auf und schob sich zwischen die Zähne. Stahl klackte an Schmelz, der salzige Geschmack von Blut. Dann war die Spitze im Mund, drückte seine Zunge nieder, drang tiefer und tiefer ein. Mit weit aufgerissenen Augen würgte Aden, einmal, zweimal, wollte sprechen, doch er brachte nur ein Krächzen hervor.

Jetzt spürte er einen Stiefel auf seiner Schulter, der ihn niederdrückte, ihn am Boden fixierte. Die Augen weit aufgerissen, sah er zu, wie der Finger sich um den Abzug der Armbrust legte. Der Pfeil drang bis hinten in den Rachen, sein Mund füllte sich mit Blut, Aden hustete, würgte, seine Kehle krampfte. Seine Hand riss am Hosenbein, zuckte.

Bitte.

Zosch!

Aden blickte zum Himmel hinauf, doch die Sonne konnte er nicht mehr sehen.

1. KAPITEL

Meine *Mamm* hatte für die kleinen Unannehmlichkeiten des Lebens immer einen Spruch parat.

Vann es shmatza, hayva da shmatz un bayda es dutt naett letsht zu lang. Wenn es weh tut, akzeptiere den Schmerz und bete, dass er bald vergeht. Heute Morgen denke ich viel an meine Mutter, und zum ersten Mal seit langer Zeit fehlt sie mir.

Ich stehe auf einem alten Holzschemel im Schlafzimmer meiner Schwester. Meine Polizeiuniform hängt über dem Fußende des Bettes, meine Stiefel stehen davor am Boden, mein Ausrüstungsgürtel und meine Dienstwaffe sehen auf dem grau-weißen Hochzeitsquilt obszön fehl am Platz aus.

»Meine Güte, Katie, du zappelst ja schon wieder«, sagt Sarah. »Halt still, damit ich das Kleid fertig abstecken kann, ohne dich zu stechen.«

»'tschuldigung«, murmele ich.

Ich kann mich nicht erinnern, wann ich das letzte Mal ein Kleid getragen habe. Und speziell dieses Kleid hat eine Geschichte. Vor elf Jahren hat es meine Schwester zur Hochzeit angehabt, auch meine *Mamm* hatte es getragen, und meine Großmutter hatte es genäht. Als meine Schwester mich bat, es mir im Hinblick auf meine bevorstehende Hochzeit anzusehen, hatte ich keinerlei Bedenken. Doch wo ich jetzt hier bin und es anprobiere, wird mir klar, dass es keine gute Idee ist.

Ich bin seit achtzehn Jahren nicht mehr amisch. Ein schlichtes Kleid mit dem traditionellen *Halsduch* zu tragen, das mit

Schmucknadeln statt mit Knöpfen oder Druckknöpfen geschlossen wird, kommt mir scheinheilig vor. Als würde ich versuchen, etwas zu sein, das ich nicht bin, um einer Gemeinschaft zu gefallen, deren Wohlwollen ich nicht bekommen werde.

Meine Schwester sieht das natürlich nicht so. Sie ist Traditionalistin, Friedensstifterin und Optimistin in einer Person. Schlimmer noch, sie weiß mit Nadel und Faden umzugehen und ist überzeugt, dieses Kleid trotz meines Widerwillens so anpassen zu können, dass es wie für mich gemacht aussieht und irgendwie allen gefallen wird.

»Dieses Kleid ist ein Stück Familiengeschichte, Katie«, sagt sie. »*Mamm* hätte es sehr gefallen, dich darin zu sehen, auch wenn du nicht mehr amisch bist.«

»Wahrscheinlich wäre sie schon froh gewesen, dass ich überhaupt heirate.«

Sie verzieht den Mund. »Das auch.«

Ich blicke an mir hinunter, fahre mit den Händen über den etwas knittrigen Stoff und gebe mir Mühe, nicht zu stöhnen. Es ist himmelblau, und der wadenlange Rock ist ein bisschen zu ausladend. »Findest du nicht, dass es etwas zu lang ist?«, frage ich.

»Ich kann den Saum umnähen«, sagt sie. »Das ist leicht gemacht.«

»Oben herum passt es auch nicht so richtig.«

Immer diplomatisch, schiebt Sarah sich eine Stecknadel zwischen die Lippen, hebt den Saum und steckt ihn um. »In der Taille mache ich es etwas enger, das betont die Schultern.«

Das eigentliche Problem hat natürlich nichts mit der Länge oder dem Oberteil zu tun. Seit zwanzig Minuten reden wir um den heißen Brei herum, denn Sarah ist zu nett, um das Thema anzusprechen.

»Wenn dir das Kleid nicht gefällt, ist das okay«, murmelt sie. »Ich nähe dir ein anderes, wenn du willst. Oder du kaufst dir eins.«

»Es ist nicht das Kleid … genaugenommen«, sage ich.

Sie legt den Kopf schief, sieht mir in die Augen. »Was dann?«

Ich hole tief Luft, gehe das Risiko ein. »Das Problem ist, dass es ein amisches Kleid ist und ich keine amische Frau bin. Daran lässt sich nichts ändern.«

Meine Schwester senkt die Hände, sieht mich über den Rand ihrer Lesebrille hinweg an und seufzt. So hat sie mich seit meiner Rückkehr nach Painters Mill schon Hunderte Male angesehen, wenn ich sie verärgert oder enttäuscht habe, was beides zu oft geschieht.

»Du bist Anabaptistin. Das zählt.« Sie nickt entschlossen und wendet sich wieder der Arbeit an dem Kleid zu. »Das *Halsduch* können wir weglassen.«

Sie meint das dreieckige Cape oder »Brusttuch«, das mit der Spitze nach hinten über den Kopf gestreift und vorne gerafft und mit Nadeln festgesteckt wird. Es ist eines der symbolträchtigsten weiblichen Kleidungsstücke der Amischen, und es würde als unaufrichtig empfunden werden, wenn ich es trüge.

»Das würde helfen«, sage ich, signalisiere Kompromissbereitschaft. Ich schaue auf das Kleid an mir herunter. »Vielleicht passt eine Schärpe oder ein Gürtel dazu?«

»Hmm«, murmelt sie zurückhaltend, nimmt eine Stecknadel aus dem Mund und nutzt sie für den Saum. »An englischen Hochzeitskleidern habe ich schon Rosetten an den Gürteln gesehen, an mennonitischen auch.«

Zum ersten Mal, seit ich hier angekommen bin, verspüre ich einen Anflug von Enthusiasmus. Als ob das mit dem Kleid doch noch funktionieren könnte. »Mir gefällt die Idee mit dem Rosettengürtel.«

Sie lächelt zwar nicht, aber sie nickt, scheint sich mit der Vorstellung anzufreunden. »Hast du dich schon für eine Kopfbedeckung entschieden?«, fragt sie.

»Ich überlege, einfach einen Schleier zu tragen.«

Sie blickt mich mit hochgezogenen Augenbrauen an. Amische Frauen tragen keinen Schleier, nur eine Kopfbedeckung oder eine *Kapp*.

»Wie die Mennonitinnen«, sage ich, was bedeutet, dass der Schleier damit nur ein kleines, rundes, fünfundzwanzig oder dreißig Zentimeter breites Stück Spitze sein wird, das ich am Hinterkopf festgesteckt tragen werde.

»Das scheint mir ein guter Kompromiss zu sein«, sagt sie schließlich. »Nicht gerade amisch, aber ... «

»Anabaptistisch«, vollende ich den Satz.

Wir grinsen uns an, ein seltener Moment schwesterlicher Solidarität, und mir wird warm ums Herz. Fortschritt, denke ich.

Als Kinder standen Sarah und ich uns sehr nahe. Wir arbeiteten und spielten zusammen, hielten den Stürmen des Erwachsenwerdens stand. Sie war für mich da, als mir im Alter von vierzehn Jahren an einem Sommertag ein Nachbarjunge in unserem Haus Gewalt angetan hat, wodurch sich mein Leben grundlegend veränderte und auch das aller anderen Familienmitglieder auf den Kopf gestellt wurde. Auch die Beziehung zu meiner Schwester blieb davon nicht verschont. Das lag aber nicht an ihr, sondern an mir – an dem, was passiert war und was ich danach getan hatte. Wir entfernten uns voneinander, und die Kluft zwischen uns wurde noch größer, als ich vier Jahre später die Amischgemeinde verließ. Ich lief so weit wie möglich weg von meiner Familie und meinen amischen Wurzeln und wurde – so unwahrscheinlich es damals schien – Polizistin in Columbus. Doch meine Wurzeln konnte ich trotz der Bemühungen, alles hinter mir zu lassen, was mir einmal lieb und teuer war, nicht kappen. Und ebenso wenig gelang es mir, die Liebe zu meiner Familie noch länger zu verleugnen. Etwa zwölf Jahre später, als meine *Mamm* starb, kehrte ich zurück nach Painters Mill. Aber nicht als das rebellische und unbeholfene amische Mädchen, das ich einmal gewesen war, sondern als erwachsene Frau, der die Stelle als Polizeichefin angeboten worden war. Ich ging auf meine beiden Geschwister zu, und nach einer etwas ungelenken Anlaufphase – und einigen Unebenheiten auf dem Weg – machten wir uns daran, unsere Beziehungen wiederzubeleben. Wir sind noch mittendrin, aber wir haben auch schon einiges geschafft: Wir haben uns neu kennengelernt, haben einige Male miteinander gelacht, oft gestritten und ein paar Tränen vergossen.

Die Anprobe heute Morgen ist ein großer Schritt in eine andere Richtung und zu einer neuen Nähe, die sich noch nicht so recht behaglich anfühlt, aber hoffnungsvoll und gut.

Sarah fasst den Stoff an meiner Taille mit einer Stecknadel zusammen. »Falls es dich tröstet, Katie, ich mag deinen Freund. Und William mag ihn auch«, sagt sie und meint ihren Mann. »Das will was heißen.«

»Er heißt übrigens Tomasetti.« Ich lächele sie an. »Und ich mag ihn auch.«

Kichernd schüttelt sie den Kopf.

Das Zwitschern meines Handys unterbricht uns. Sarah hebt den Finger. »Warte, noch eine.« Sie befestigt die letzte Stecknadel am Saum. »Fertig.«

Ich streiche das Kleid glatt, steige vom Hocker und nehme das Telefon, melde mich mit »Burkholder«.

»Chief.« Es ist Lois, die morgens in der Telefonzentrale arbeitet. »Gerade hab ich einen Anruf von einer Autofahrerin entgegengenommen. Sie sagt, mitten auf der Hansbarger Road liegt ein TK.« TK ist Polizeisprech für »toter Körper«; wir benutzen solche Abkürzungen, falls jemand den Polizeifunk abhört.

»Wer ist die MP?«, frage ich und nutze dabei die Abkürzung für »meldende Person«.

»Julie Falknor. Wohnt in Painters Mill. Ich hab sie in der anderen Leitung. Chief, sie ist noch vor Ort und schreit sich die Seele aus dem Leib. Sagt, es gäbe eine Menge Blut und dass sie ihre Kinder dabeihat.«

Lois hat schon in unserem Revier gearbeitet, bevor ich Chief wurde. Sie ist erfahren und bleibt selbst dann cool, wenn alles brennt. Aber heute Morgen spricht sie etwas zu schnell, ihre Stimme überschlägt sich.

»Schicken Sie einen Krankenwagen hin.« Ich streife mir das Kleid von den Schultern, lasse es auf den Boden fallen und greife nach meiner Uniformbluse. »Wer hat Dienst?«

»Glock ist schon auf dem Weg«, sagt sie und meint Rupert »Glock« Maddox, einen meiner erfahrensten Officers. Wenn einer die Situation unter Kontrolle halten kann, dann er.

»Das County soll auch jemanden schicken.« Die Hansbarger Road ist eine ruhige Nebenstraße ein paar Meilen außerhalb von Painters Mill. Sie gehört zwar zu dem Bereich, in dem wir Streife fahren, aber je nach Situation und verfügbaren Arbeitskräften überschneidet sich meine Zuständigkeit mit der des Sheriff's Departments.

»Sagen Sie der MP, sie soll sich nicht von der Stelle rühren. Ich bin unterwegs.«

Ich nehme meine Hose vom Bett, ziehe sie an, schnalle den Ausrüstungsgürtel um, und als ich in die Stiefel steige, sehe ich meine Schwester an. »Tut mir leid, den Kaffee müssen wir auf nächstes Mal verschieben.«

»Natürlich.« Sie legt den Kopf schief. »Ist etwas passiert?«

»Wahrscheinlich ein Verkehrsunfall.« Ich weiß nicht, ob das der Fall ist, aber da ich keine Ahnung habe, was mich erwartet, formuliere ich es vage. »Danke, dass du mein Gezappel ertragen hast.«

»Immer gerne.« Sie grinst. »Ich wette, dein Zukünftiger kommt auch schon ins Schwitzen.«

»Tatsächlich und im übertragenen Sinn.« Lächelnd umarme ich sie kurz, schnappe mir meine Dienstwaffe vom Bett und gehe zur Tür.

* * *

Die wenig befahrene Hansbarger Road führt zwischen einer Weide und einem Maisfeld hindurch und schlängelt sich dann nach Norden in Richtung Millersburg. Ich nehme die Kurve, holpere mit meinem Ford Explorer über welligen Asphalt und Schlaglöcher, Schotter spritzt gegen das Fahrgestell. Weiter vorn sehe ich die blinkenden Lichter von Glocks Streifenwagen, ein silberner SUV parkt schräg, mit der Schnauze nach unten im flachen Straßengraben, die Fahrertür steht weit offen. Der Krankenwagen ist noch nicht eingetroffen, und vom Sheriff's Department ist auch noch niemand da.

Ich schalte mein Blaulicht ein, parke hinter Glocks Wagen und drücke beim Aussteigen aufs Ansteckmikro. »Zehn-dreiundzwanzig«, sage ich, um die Zentrale wissen zu lassen, dass ich am Einsatzort angekommen bin. Neben Abkürzungen benutzen wir in Painters Mill aus Sicherheitsgründen auch das Zehner-Code-System.

Auf dem Weg zur vermeintlichen Unfallstelle fallen mir gleichzeitig mehrere Dinge auf. Glock steht zwischen dem

SUV und seinem Wagen und schreibt etwas in sein Notizbuch. Etwa einen Meter von ihm entfernt liegt eine Person auf der Straße, vermutlich das Opfer, und ein paar Meter weiter weg ein Fahrrad mit verdrehtem Lenker. Eine mir unbekannte Frau steht neben dem Seitenstreifen im Gras, die Hände auf die Knie gestützt. Durch das Fenster des SUV erkenne ich auf dem Rücksitz die Umrisse von Kindern.

»Was ist passiert?«, frage ich Glock, als ich auf ihn zugehe.

Er zeigt auf das Opfer. »Er ist tot«, sagt er und, den Daumen auf die Frau gerichtet: »Sie sagt, dass sie ihn so gefunden hat. Eventuell Fahrerflucht, aber eher unwahrscheinlich.«

Etwas in seiner Stimme macht mich stutzig. Glock mag ein Kleinstadtpolizist sein, aber er besitzt das Urteilsvermögen eines langjährigen Mordermittlers.

»Haben Sie sich das Opfer schon genauer angesehen?«

»Gerade nur so genau, um zu wissen, dass er tot ist.«

Ich nicke ihm zu, gehe weiter, den Blick auf das Opfer gerichtet. Der Mann liegt auf dem Rücken, sein Kopf ist zur Seite gedreht und sein Mund offen. Auf dem Asphalt darunter ist eine Unmenge Blut. Innere Verletzungen, denke ich. Er hat dunkle Hosen mit Hosenträgern an, ein blaues Arbeitshemd, das vorne auch voller Blut ist; unter ihm ragt die Krempe eines Strohhutes hervor. Ein Amischer.

»Hat sie irgendetwas gesehen?«, frage ich mit Blick auf die Frau.

»Nein.«

Ich trete an den Toten heran, betrachte ihn zum ersten Mal aus der Nähe, und ein ungutes Gefühl überkommt mich. Sein Gesicht hat schon die verräterische weiß-blaue Farbe des Todes angenommen. Ein Auge ist offen, noch nicht trüb, sein Blick leer. Das andere Auge ist halb geschlossen. Die blutige Zunge hängt seitlich aus dem Mund.

Mehrere Sekunden stehe ich da, nehme Einzelheiten wahr und versuche zu begreifen, was passiert sein könnte. Sechs Meter entfernt liegt eine offene altmodische Lunchbox aus Blech, daneben ein in Wachspapier gewickeltes Sandwich. So wie es aussieht, ist er von einem Fahrzeug angefahren worden und der Fahrer ist offensichtlich geflüchtet, ohne erste Hilfe zu leisten oder die Polizei zu rufen.

Ich zwinge meinen Blick zurück zum Opfer und auf die teller-große Blutlache unter dem Mund. Der Blutfleck vorn auf dem Shirt ist zu weit unten, um von Nasenbluten oder einer Zahn-verletzung im Mund herzurühren. Etwas stimmt hier nicht.

Ich sehe Glock an. »Haben Sie irgendeine Verletzung am Unterleib bemerkt?«

Er kommt näher, zieht die Augenbrauen zusammen. »Im Stoff ist ein Loch«, sagt er leise.

Mir stellen sich die Nackenhaare auf, und ich merke, wie mein Blick über die hundert Meter entfernten Bäume wan-dert. Glock ist ein ehemaliger Marine mit zwei Einsätzen in Afghanistan. Wir haben beide ein Training als Rettungssani-täter absolviert, und seinem Gesicht nach zu urteilen, hat er genauso ein ungutes Gefühl wie ich.

Ich blicke hinüber zur SUV-Fahrerin, die noch immer vornübergebeugt dasteht, Erbrochenes vor sich im Gras. Sie kommt mir bekannt vor, ich bin ihr sicher schon in der Stadt begegnet, im Supermarkt, Coffeeshop oder an der Tankstelle.

Ich sehe Glock an. »Haben Sie schon mit ihr geredet?«

»Noch nicht tiefergehend. Ihr Name ist Julie Falknor. Sie sagt, sie wäre auf dem Weg, ihre Kinder in die Schule zu brin-gen, und spät dran gewesen. Der Mann hätte schon am Boden gelegen, um ein Haar wäre sie über ihn drübergefahren. Sie ist ziemlich durcheinander, deshalb hab ich erst einmal nicht weiter gefragt.«

Als Polizist sollte man niemals voreilige Schlüsse ziehen, schon gar nicht, wenn man gerade an einem potenziellen Tatort eingetroffen ist und sich Dutzende Szenarien abgespielt haben könnten. Es ist nicht immer alles so, wie es im ersten Moment scheint. Ungewöhnliche Unfälle passieren häufiger, als man denkt.

»Zehn-neunundsiebzig«, gebe ich übers Ansteckmikro an die Zentrale durch, fordere so den Leichenbeschauer an.

Ich lasse den Blick über das Feld wandern, den Wald, und wieder macht sich das seltsame Gefühl breit. »Dieses Loch im Hemd«, sage ich und schaue Glock an. »Eine Schusswunde?«

»Hab ich auch gedacht«, sagt er. »Sieht jedenfalls nicht wie eine Verletzung durch den Zusammenprall mit einem Auto aus.«

Einerseits kann ich keinesfalls riskieren, eventuelle Beweise zu kontaminieren. Andererseits kann ich nicht auf den Leichenbeschauer oder die Spurensicherung warten, wenn hier eine Schießerei stattgefunden hat oder ein Schütze noch frei herumläuft.

»Sehen wir ihn uns genauer an«, sage ich, und beide ziehen wir Latexhandschuhe aus den Taschen unserer Ausrüstungsgürtel heraus.

»Achten Sie auf Beweismaterial.« Das tut er zwar sowieso, ich sage es ihm aber trotzdem.

Gemeinsam beugen wir uns über den Toten. Trotz des leichten Windes rieche ich das Blut, das zusammen mit den anderen Ausdünstungen den einzigartigen, unangenehmen Leichengeruch ausmacht. Das Opfer liegt mit seitlich verdrehtem Kopf auf dem Rücken, das rechte Bein ist im Knie gebeugt, beide Arme sind über den Kopf gestreckt.

Ich gehe in die Hocke, wobei ich die vertraute Abscheu beim Anblick eines gewaltsamen Todes spüre. Dieser Mann hier war jung, höchstens um die zwanzig Jahre alt, sein Mund ist voll dunklem Blut, und wieder frage ich mich, ob er innere Verletzungen hat.

»Abgebrochener Vorderzahn.« Mit zusammengekniffenen Augen zeigt Glock auf den Mund. »Aufgeschlitzte Lippe.«

»Könnte das von einer Schlägerei stammen?«, frage ich.

»Die Verletzungen am Mund könnten vom Sturz vom Fahrrad stammen«, sagt er. »Das Loch im Hemd sieht eher nicht so aus.«

Der Mann hat keinen Bart, was bedeutet, dass er unverheiratet war. Ich muss an seine Familie denken, seine Eltern, und der Knoten in meinem Magen zieht sich noch fester zusammen.

Mit behandschuhten Händen ziehe ich das Hemd des Toten so weit aus dem Hosenbund, dass sein Unterleib zu sehen ist: weißes Fleisch und dunkle Haare, die an der Stelle, wo der Stoff auf der Haut lag, mit einer dünnen Schicht Blut überzogen sind. Mein Blick bleibt an einer seltsam gezackten Wunde ein paar Zentimeter über dem Nabel hängen.

»Die Wunde hier«, höre ich mich sagen. »Komische Form.«

»Messer?«, fragt Glock sich laut.

»Möglich.« Doch selbst das ist weit hergeholt. Bislang ist nur sicher, dass es sich hier nicht um einen einfachen Unfall mit Fahrerflucht handelt. Ich lasse das Hemd los, es fällt zurück auf den Körper.

Nach einem tödlichen Unfall oder Verbrechen gehört es zu den dringendsten Aufgaben der Polizei, das Opfer zu identifizieren, um die Angehörigen benachrichtigen zu können. Normalerweise würde ich auf den Leichenbeschauer warten, aber da ich schon einmal hier bin, beschließe ich, jetzt nachzusehen.

»Lassen Sie uns nach seinem Ausweis suchen.« Ich beuge

mich vor, greife in die linke vordere Hosentasche und ziehe ein Klappmesser und ein paar Münzen heraus; in der rechten ist nur ein Taschentuch.

Ich blicke Glock an. »Helfen Sie mir, ihn auf die Seite zu drehen, damit ich die Gesäßtaschen checken kann.«

»Okay.«

So vorsichtig wie möglich bewegen wir den Toten nur so viel, dass ich an die hinteren Taschen komme. Ich ziehe eine ramponierte lederne Geldbörse heraus, in der hinter dem Plastikfenster ein fotoloser Führerschein steckt, ausgestellt von der Kfz-Behörde in Ohio. Solche Ausweise werden von Amischen benutzt, die sich aus religiösen Gründen nicht fotografieren lassen.

»Aden Karn«, sage ich langsam, denn irgendwie kommt mir der Name bekannt vor. »Einundzwanzig Jahre alt.«

»Verdammt jung.« Glock schüttelt den Kopf, sieht mich an. »Kennen Sie ihn? Oder seine Familie?«

»Ich kenne seine Eltern.« Ich komme aus der Hocke hoch, bin unerwartet erschüttert und hoffe, man sieht es mir nicht an. »Nicht sehr gut, aber als Teenager habe ich für sie gearbeitet.«

»Wohnt er noch zu Hause?«, fragt Glock.

Ich blicke auf den Führerschein und schüttele den Kopf. »Die Karns wohnen in der Stadt nicht weit von ihrem Laden. Dieser junge Mann lebt laut Ausweis ein paar Meilen von hier entfernt.«

Ich brauche einen Moment, um mich zu sammeln, lasse den Blick über das Feld schweifen und den Schwarm Krähen, die in den Bäumen krächzen, spüre Glocks Blick auf mir. Seit ich in Painters Mill Polizeichefin bin, haben wir fast jeden Tag zusammengearbeitet. Wir sind zwar keine Freunde im herkömmlichen Sinn, aber uns verbindet etwas, das tiefer geht als

Freundschaft, ein großes Vertrauen, eine Art Seelenverwandt-schaft, der wir beide verpflichtet sind. Wir sprechen nicht dar-über, aber sie ist trotzdem da, und in diesem Moment bin ich dankbar dafür, denn allein schon Glocks Anwesenheit nimmt etwas von der Last, die ich auf meinen Schultern spüre.

Vorsichtig entfernen wir uns von dem Toten, versuchen, so gut es geht, auf unseren alten Fußstapfen zurückzugehen.

»Rufen Sie das Department an, sie sollen ein paar Deputys schicken«, sage ich und streife die Handschuhe ab. »Das ganze Gebiet hier muss mit Absperrband gesichert und die Straße gesperrt werden.«

»Ich kümmere mich drum.«

In der Ferne ertönen Sirenen. Ich blicke zu dem SUV, die Kinder darin scheinen noch ziemlich klein zu sein und wer-den vermutlich bereits unruhig. Sie können den Toten sehen, aber ich kann ihn nicht zudecken, ohne zu riskieren, mögliche Spuren zu kontaminieren.

»Ich spreche mit der Zeugin«, sage ich.

Glock nickt und geht zum Streifenwagen.

Ich nähere mich der Frau. Inzwischen hat sie sich aufgerich-tet, aber ihr Gesicht ist kreidebleich.

»Ma'am?«, sage ich. »Sind Sie okay?«

»O mein Gott«, sagt sie mit zittriger Stimme. »Tut mir leid, dass ich mich nicht besser im Griff hab. Der arme Kerl, ist er tot?«

»Ich fürchte ja«, sage ich.

Sie ist etwa Mitte dreißig und ungeschminkt, hat das braune Haar zum Pferdeschwanz zusammengebunden und trägt ein rosa Sweatshirt, eine Yogahose und Flip-Flops.

»Können Sie mir sagen, was passiert ist?«, frage ich.

Sie wirft einen Blick zu dem toten Mann, dann sieht sie mich an, hat wieder Tränen in den Augen. »Ich war wie immer mit den Kindern unterwegs zur Schule, ich fahre gern hier entlang, weil die Gegend so schön ist. Die Kids lieben die Enten in dem Teich dort drüben und haben schon allen einen Namen gegeben.« Sie wischt sich mit dem Taschentuch, das sie in der Hand hält, die Tränen von den Wangen. »Wir fahren also die Straße entlang, als meine Siebenjährige ruft: ›Guck mal, Mommy, der Mann hatte einen Fahrradunfall.‹«

»Mein Gott, ich hätte ihn fast überfahren.« Sie schluchzt auf. »Ich konnte gerade noch rechtzeitig bremsen und an den Rand fahren, und … da lag er. Und dann das viele Blut.«

Da sie das Ganze zunehmend aufregt, muss ich mich beeilen. »Haben Sie sonst noch jemanden in der Gegend gesehen? Oder andere Autos, einen Buggy?«

»Nein.« Sie schüttelt den Kopf »Auf dieser Straße fährt so gut wie nie jemand, deshalb nehme ich sie ja. Kein Verkehr.«

Ich sehe an ihr vorbei zu dem Krankenwagen, der jetzt gleichzeitig mit einem Streifenwagen vom Holmes County Sheriff's Department hinter meinem Explorer hält. Am liebsten würde ich sofort hingehen. Doch in der Hoffnung, dass ihr weitere Details einfallen, stelle ich ihr noch ein paar Minuten lang die gleichen Fragen auf unterschiedliche Weise, aber sie sagt immer dasselbe.

Ich ziehe meine Visitenkarte aus der Gürteltasche, schreibe meine private Handynummer auf die Rückseite und reiche sie ihr. »Wenn Ihnen noch irgendetwas einfällt, selbst wenn es Ihnen unwichtig erscheint, rufen Sie mich bitte an.«

»Mache ich«, versichert sie mir.

Ich gehe zu den beiden Sanitätern und dem Deputy, die einige Meter von dem Toten entfernt stehen. Den Deputy kenne ich, wir hatten in den letzten Jahren ein paarmal miteinander zu tun. Für einen Anfänger hat er eine ziemlich große Klappe, ist aber generell zuverlässig. Letzten Sommer haben wir bei einer Benefizveranstaltung der örtlichen Bibliothek einen ganzen Nachmittag lang gemeinsam Bratwürste und Burger für die Kinder gebraten.

»Chief Burkholder.«

»Hi, Matt.« Während wir uns mit Handschlag begrüßen, fährt hinter mir die Frau weg, und Glock nähert sich uns.

»Der Typ ist mausetot«, sagt der Deputy. »Was ist denn passiert? Unfall mit Fahrerflucht? Und wo kommt das ganze Blut her?«

»Vermutlich wurde er erschossen«, sage ich, »oder erstochen. Aber das ist noch nicht bestätigt.«

»Heilige Scheiße.« Er wirft Glock einen Blick zu, als würde er meiner Einschätzung nicht ganz trauen.

Glock starrt ihn mit ausdrucksloser Miene an.

»Sperren Sie bitte die Zufahrtsstraßen ab«, sage ich, an den Deputy gewandt, »niemand darf rein oder raus, außer der Leichenbeschauer und die Polizei.«

»Ähm … klar.« Sichtlich verärgert, dass er zu einer Anfängeraufgabe verdonnert wurde, geht er zu seinem Streifenwagen.

Glock schenkt mir ein Gut-gemacht-Lächeln.

»Hier in der Gegend gibt es nicht viele Häuser, aber wir sollten uns trotzdem umhören. Rufen Sie Pickles an, er soll Ihnen helfen.« Roland »Pickles« Shumaker ist mein einziger Officer in Teilzeit. »Gehen Sie zu jeder Farm, halten Sie sämtliche Fahrzeuge an, auch Fußgänger, reden Sie mit allen, die gerade auf ihren Feldern arbeiten. Finden Sie heraus, ob irgendwer irgendwas gesehen oder gehört hat, lassen Sie sich Namen und Kontaktinfos geben.«

»Mach ich«, sagt Glock und geht zum Streifenwagen.

Ich nehme mein Handy und mache aus einigem Abstand mehrere Fotos von dem Toten aus unterschiedlichen Perspektiven. Zum Schluss gehe ich noch einmal langsam um ihn herum, zoome den Blutfleck vorn im Hemd heran, wobei ich mich besonders auf das Loch im Stoff konzentriere, und entdecke zwei weitere Details, auf die ich vorher nicht geachtet hatte. Aus der Gesäßtasche der typisch amischen Hose hängen lederne Arbeitshandschuhe heraus, er war also vermutlich auf dem Weg zur Arbeit. Unter ihm liegt ein zerknitterter Strohhut, auf den er wohl draufgefallen ist.

Während ich mir die Details am Tatort anschaue, kommen mir folgende Fragen: War Karn ein Zufallsopfer? Oder hatte es jemand auf ihn abgesehen? War er mit dem Fahrrad unterwegs zur Arbeit, und jemand ist vorbeigefahren und hat ihn erschossen? Hat ein Fahrzeug angehalten, und es ist zu einer Auseinandersetzung gekommen? Oder war das einer dieser ungewöhnlichen, absolut merkwürdigen Unfälle? Zum jetzigen Zeitpunkt ist nur eines sicher, nämlich dass die verantwortliche Person eine Gefahr für die Gemeinschaft darstellt und es meine Aufgabe ist, sie zu finden, bevor sie noch mehr Unheil anrichtet.

2. KAPITEL

Während ich auf den Leichenbeschauer warte, mache ich in einem Radius von fünfzehn Metern um den Toten Aufnahmen von der Umgebung – dem Fahrrad, der Lunchbox, dem Strohhut, den Reifenspuren auf dem Schotterstreifen und sogar von der Bierflasche im Straßengraben und dem Papierfetzen im Gras. Als dann der Cadillac Escalade des Leichenbeschauers vor dem Absperrband anhält, bin ich erleichtert.

Ich kenne Doc Coblentz, seit ich Polizeichefin in Painters Mill bin. Als Kinderarzt mit einer gutgehenden Praxis und einem exzellenten Ruf ist er einer von fünf Ärzten im Ort und eine Art Ikone. Er ist eine starke Persönlichkeit, und die Kinder, die er behandelt, lieben ihn ebenso sehr wie deren Eltern. Zudem ist er Stammgast im LaDonna's Diner, und es heißt, dass er an den Wochenenden auf dem Bauernmarkt einen Stand betreibt und Kochunterricht gibt. Er und seine Frau nehmen rege am gesellschaftlichen Leben in der Stadt teil und sind großzügige Unterstützer der örtlichen Bibliothek und des Tierheims. Trotz seiner Arbeit als Leichenbeschauer ist er einer der optimistischsten Menschen, die ich kenne.

»Guten Morgen, Chief.« Mit der Arzttasche in der Hand, duckt er sich unter dem Absperrband hindurch.

»Gut, dass Sie da sind, Doc.«

»Hat mich davor bewahrt, die Pancakes zu essen, die ich gerade im Diner bestellt hatte.« Er streicht sich über den runden Bauch. »Ich wäre Ihnen dankbar, wenn Sie meiner Frau nicht verraten, dass ich dort war.«

»Meine Lippen sind versiegelt.«

Doc Coblentz ist ein korpulenter Mann. Er trägt wie immer Khakis, ein Button-down-Shirt, dessen Knöpfe über seinem stattlichen Bauch spannen, und eine der hässlichsten Krawatten, die ich je gesehen habe.

Er bleibt vor mir stehen. »Fahrerflucht?«, fragt er, während wir uns noch die Hand schütteln und sein Blick zum Opfer wandert, um sich einen ersten Eindruck von der Position der Leiche und der Menge an Blut zu verschaffen. Ich berichte ihm das wenige, was ich weiß. »Am Unterleib ist eine Wunde wie von einer Kugel oder einem Messerstich, nur dass der Rand seltsam ausgefranst ist.«

Er zieht die Augenbrauen hoch, nicht vor Überraschung, sondern aus Neugier. Wir sind beide schon lange genug dabei, um auf Überraschungen aller Art gefasst zu sein. »Dann wollen wir mal sehen, was uns das Opfer zu erzählen hat.«

Er stellt die Arzttasche auf den Boden, nimmt zwei eingeschweißte Packungen Schutzkleidung mit Einweganzug, Haarhaube, Plastiküberzügen für Schuhe und Latexhandschuhen heraus und reicht mir eine davon. Dieser Tatort ist zwar im Freien und den Elementen ausgesetzt, trotzdem sollte er möglichst nicht noch zusätzlich kontaminiert werden. Wir ziehen die Sachen über, er nimmt die Tasche, und wir nähern uns dem Opfer.

»Große Mengen Blut aus dem Mund«, murmelt er.

Ich erzähle ihm von dem abgebrochenen Zahn, den Glock bemerkt hat. »Innere Verletzungen?«

»Möglich, falls er angefahren wurde. Vielleicht hat er sich auch beim Sturz auf die Zunge gebissen. Oder eine gebrochene Rippe hat seine Lunge durchstochen, etwas in der Art.«

Als wir den Toten erreichen, stellt Doc Coblentz die Tasche ab und kniet neben ihm nieder. »Ich muss ja nicht extra betonen, dass alles, was ich jetzt sage, vorläufig und inoffiziell ist.« Er sieht mich über den Rand seiner Brille hinweg streng an. »Ich denke nur deshalb laut, weil es Ihnen möglicherweise hilft, sofort mit den Ermittlungen zu beginnen, falls hier ein Verbrechen vorliegt. Ich werde also nur benennen, was ich sehe. Eine abschließende Beurteilung gibt es nach der Autopsie.«

»Verstanden.«

Er wendet sich dem Toten zu, hebt mit einer behandschuhten Hand den Saum seines Hemdes an und legt die Wunde offen, die ich zuvor schon gesehen habe. Wir beugen uns gleichzeitig vor, und diesmal betrachte ich sie mir genauer. Die Verletzung ist nicht rund wie bei einer Schusswunde, sondern hat die Form eines Kreuzes – zweieinhalb Zentimeter lange Linien, die sich in der Mitte kreuzen – und etwa den Durchmesser eines Vierteldollars.

»Haben Sie eine Idee, was das sein könnte?«, frage ich leise.

Der Doktor beugt sich noch näher heran, kneift die Augen zusammen. »Eine Art Stichwunde.«

Ich starre auf die Verletzung und versuche, mir einen Verkehrsunfall vorzustellen, der so eine Wunde verursacht haben könnte. Ein T-Pfosten, der über die Ladefläche eines Pick-ups hinausragt? Das Opfer rast mit hoher Geschwindigkeit hinein und spießt sich selbst auf? Der Fahrer bekommt Panik und verlässt fluchtartig den Unfallort?

Aber dann fällt mein Blick auf den abgebrochenen Zahn und die aufgeschlitzte Lippe. »Vielleicht hat es einen Streit oder ein Handgemenge gegeben, und er wurde niedergestochen?«, sage ich.

Doc Coblentz verzieht das Gesicht, schaut mich nachdenklich an. »So eine Verletzung habe ich in all meinen Berufsjahren nur ein einziges Mal gesehen, und das war bei einem

Jagdunfall vor acht oder neun Jahren. Da hatte sich ein junger Mann mit einer Armbrust in den Fuß geschossen.« Er zeigt mit dem Kopf in Richtung Wunde. »Das Einschussloch sah genauso aus wie das hier.«

Ich starre ihn fassungslos an. Die Vorstellung lässt mich so sehr frösteln, dass ich eine Gänsehaut an den Armen bekomme. Ich blicke hinab auf den toten Mann, und eine Menge übler Szenarien drängen sich mir auf. »Dann wurde er mit einem Pfeil getötet?«

»Die genaue Bezeichnung lautet Bolzen. Es sieht so aus, als ob dieser Bolzen hier mit einer sogenannten Jagdspitze mit vier Klingen bestückt war.« Er zeigt auf die Wunde. »Die sind scharf wie Rasiermesser und richten einen enormen Schaden an.«

»Kann es trotzdem ein Unfall gewesen sein?«, frage ich.

»Möglich schon.« Er zuckt mit den Schultern, wirkt skeptisch. »Wenn gerade jemand Schießübungen oder Zielschießen gemacht hat. Aber wie groß die Reichweite einer Armbrust ist, weiß ich nicht.«

Ich habe noch nie eine Armbrust benutzt und war auch nur als Zuschauerin dabei, wenn damit geschossen wurde. Doch ich kenne Jäger, die damit jagen, Amische eingeschlossen. Es ist eine enorm leistungsfähige Waffe, leicht zu handhaben, präzise und ausgesprochen tödlich. Mein Kopf tut sich mit der Vorstellung schwer, dass dieser Mann damit getötet worden ist.

Ich blicke mich um. »Wenn er mit einer Armbrust erschossen wurde, wo ist dann der Bolzen?«

»Ich bin kein Experte, Kate, aber ich weiß, dass ein Bolzen, der von einer leistungsstarken Armbrust abgefeuert wird, sich mit so hoher Geschwindigkeit fortbewegt, dass er den Körper durchdringen und weiterfliegen kann.«

Trotz der wärmenden Sonne läuft es mir kalt den Rücken hinunter. Ich ziehe vorsichtig mein Handy aus der Jackentasche und mache vier Nahaufnahmen der Wunde, wobei mein Verstand die Bedeutung dessen zu verarbeiten versucht, was ich gerade erfahren habe.

»Doc«, sage ich langsam, »wenn der Bolzen durchgegangen ist, muss es eine Austrittswunde geben, richtig?«

Er nickt. »Ja.«

»Können wir nachsehen?«

»Wir rollen ihn vorsichtig auf die Seite. Ich packe ihn bei der Schulter, Sie bei der Hüfte. Wenn er stabil liegt, hebe ich den Hemdzipfel hoch, und wir sehen schnell nach.«

Der Doktor umfasst die Schulter des Toten, nickt mir zu. Als ich die Hände unter seine Hüfte schiebe, wird mir leicht mulmig. Der junge Mann ist noch warm, was mich brutal daran erinnert, dass er vor kurzem noch gelebt hat, eine Zukunft voller Hoffnungen und Träume hatte und es Menschen gibt, die ihn lieben. Dann nickt Doc Coblentz wieder, ich verbanne die Gedanken aus meinem Kopf, und wir rollen den Toten auf die Seite. Das Hemd löst sich mit einem schmatzenden Geräusch vom Asphalt. Eine Hand weiter an der Schulter, zieht Coblentz den Hemdzipfel mit der anderen hoch bis zu den Schulterblättern.

Und wirklich, links neben dem Rückgrat kommt eine etwas kleinere kreuzförmige Wunde zum Vorschein.

»Das scheint die Austrittswunde zu sein«, sagt der Doc.

»Wenn der Bolzen also glatt durchging«, sage ich, »müsste er doch hier irgendwo sein.«

»Klingt logisch.«

Was unser erster physischer Beweis einer Verletzung durch eine Armbrust wäre.

Ich drücke aufs Ansteckmikro am Revers und kontaktiere

mein Revier. »Rufen Sie Skid zu Hause an«, sage ich. Chuck »Skid« Skidmore ist der Officer, der die zweite Schicht übernimmt. »Sagen Sie ihm, wir brauchen ihn auf der Hansbarger.«

»Verstanden.«

Ich blicke mich suchend nach dem Deputy um, den ich dazu verdonnert hatte, die Straßensperren einzurichten. »Einen Moment, Doc«, sage ich, als ich ihn entdecke, und gehe zu ihm hin.

»Matt?«

»Yeah, Chief?«

»Doc Coblentz vermutet, dass der Mann mit einer Armbrust umgebracht wurde«, sage ich.

»Ach du Scheiße.«

»Das ist zwar noch unbestätigt, aber da es eine Eintritts- und Austrittswunde gibt, kann der Bolzen glatt durchgegangen sein.«

»Sie wollen, dass ich mich danach umsehe?«, fragt er.

Ich nicke und blicke zum Fahrrad, frage mich, in welche Richtung das Opfer gefahren sein könnte. »Schwer zu sagen, wo er hinwollte, deshalb fangen Sie am besten mit dem Waldstück östlich der Straße an.«

»Ich lege gleich los.«

»Einer meiner Officer ist unterwegs und hilft Ihnen.«

»Alles klar.«

Ich danke ihm und gehe zurück zu Doc Coblentz. »Können Sie schon sagen, wie lange er ungefähr tot ist?«

»Nicht lange«, sagt er. »Es gibt keine Leichenflecke, und die Totenstarre hat auch noch nicht eingesetzt. Beides beginnt etwa zwei Stunden nach Eintritt des Todes.«

»Dann ist es also gerade erst passiert«, murmele ich.

Der Doktor betrachtet sich eingehend die tellergroße Blutlache, zieht dann eines der Augenlider hoch und seufzt. »Schät-

34

zungsweise vor ein oder zwei Stunden, Kate. Natürlich gibt es noch eine Menge Variablen, der Zeitrahmen ist also nicht in Stein gemeißelt. Ich kann Ihnen mehr sagen, sobald ich seine Körpertemperatur gemessen habe.«

Ich blicke hinab auf den Toten und spüre, wie sich eine dumpfe Angst in mir ausbreitet. Die Position der Leiche, das Fahrrad, die Lunchbox, das viele Blut vor seinem Mund. In dem Moment bemerke ich auf dem Asphalt hinter seinem Kopf den münzgroßen Blutfleck.

»Doc?« Ich zeige auf den Fleck. »Ist am Hinterkopf auch eine Wunde?«

Coblentz beugt sich etwas vor und bewegt leicht den Kopf. Tatsächlich ist hinten ein Haarbüschel blutgetränkt. Mit den Fingerspitzen teilt er die Haare, so dass die Kopfhaut zu sehen ist. »Sieht wie eine Platzwunde aus.«

»Kann er sich die beim Sturz zugezogen haben?« Aber noch als ich die Frage stelle, wird mir klar, dass das keine Stelle ist, auf die er gefallen sein kann.

»Wohl kaum, sieht auch aus wie eine Stichwunde«, sagt er.

Ich sehe ihn verwirrt an – und erinnere mich an einen Selbstmord, den ich vor mehreren Jahren untersucht habe. Ein Mann hatte sich die Mündung seines Revolvers in den Mund gesteckt und abgedrückt. Ich habe die schlimme Kopfverletzung vor Augen, die Flugbahn der Patrone, aber am wichtigsten, *die Stelle der Austrittswunde.*

»Doc, kann es sein, dass es noch eine Verletzung gibt … in seinem Mund?«

»Das würde das viele Blut erklären.« Er verzieht das Gesicht, als wüsste er, was ich mir gerade vorstelle, und blickt auf den Toten. »Kate, wenn dieser Mann mit dem Bolzen einer Armbrust getötet wurde, wie wir vermuten, kann man mit einiger Sicherheit sagen, dass er sich das nicht selbst zugefügt hat.«

»Selbst wenn es sich um einen bizarren Unfall handelte, müsste jemand mit einer Armbrust geschossen haben.«

»Das Ganze ist ein echtes Rätsel.« Doc Coblentz setzt sich zurück auf die Fersen, einen perplexen Ausdruck im Gesicht. »Ich kann das alles hier erst erklären, wenn ich ihn auf dem Seziertisch habe.«

»Wir müssen seine Hände in Plastiktüten packen«, sage ich.

»Ja.«

Während der Doktor sich an die Arbeit macht, lasse ich den Blick über die Umgebung des Tatorts schweifen. Inzwischen ist ein zweiter Deputy des Sheriff's Department angekommen und hämmert Stahlstäbe in den Boden, um einen letzten offenen Bereich mit Absperrband sichern zu können. Ich entdecke Skid, der mit einem weiteren Deputy den Wald nach dem Bolzen einer Armbrust zu durchforsten scheint. Mein Blick wandert weiter über das offene Feld, den Teich mit der flügelschlagenden Entenfamilie und über die Silhouette der Bäume, die entlang des Zauns wachsen. Obwohl die Umgebung dieses Straßenabschnitts ausgesprochen idyllisch anmutet, hielt jemand diesen Ort für geeignet, mit einer Armbrust auf einen jungen amischen Mann zu schießen – und das vielleicht sogar zweimal. Jemand, der die Kaltblütigkeit besessen hat, den Bolzen zu entfernen und mitzunehmen.

Ich hole mein Handy hervor und rufe im Revier an.

Lois nimmt nach dem ersten Klingeln ab. »Hey, Chief. Irgendwas Neues über diesen TK?«

»Ich möchte, dass Sie Aden Karn durch LEADS laufen lassen«, sage ich. LEADS ist das Akronym für die Datenbank der Strafverfolgungsbehörden. Ich buchstabiere Vor- und Zuname. »Checken Sie, ob ein Haftbefehl gegen ihn vorliegt, ob er in Schwierigkeiten steckt oder ob die Polizei schon öfter mit ihm zu tun hatte.« Ich nenne ihr die Adresse aus seinem Ausweis. »Finden Sie heraus, wem die Immobilie gehört und ob dort sonst noch jemand wohnt.«

»Wird erledigt.«

Ich lege auf, schiebe das Handy zurück in die Tasche und blicke zu Doc Coblentz. »Können Sie schon sagen, wann Sie die Autopsie machen können?«, frage ich.

»Morgen.« Er erhebt sich langsam aus der Hocke, sieht mich an. »Benachrichtigen Sie die Angehörigen?«

»Ja.«

Wir starren uns etwas zu lange an, kommunizieren stumm das Unbehagen, das diese Pflicht mit sich bringen wird. Doch ich weiß, dass auch er schon in meiner Haut gesteckt hat. Er ist Kinderarzt, und manchmal nützt selbst alles medizinische Wissen dieser Welt nichts, um Eltern diese eine schlimme Nachricht ersparen zu können. Dennoch ist die emotionale Last, die mit dieser Pflicht einhergeht, nichts im Vergleich zu dem Schmerz, den das Schicksal den Empfängern der Nachricht antut.

Dann macht der Doktor einen Schritt auf mich zu, legt mir die Hand auf die Schulter und drückt sie. »Ich melde mich bei Ihnen, sobald ich mehr weiß.«

3. KAPITEL

Angela und Lester Karn wohnen mitten in Painters Mill, zwei Blocks entfernt von ihrem Schuhgeschäft *The Gentle Cobbler*. In meinem letzten Sommer in Painters Mill – ich war siebzehn Jahre alt, unzufrieden und oft in Schwierigkeiten – hatte ich kurz für sie gearbeitet, denn meine Eltern glaubten, eine zusätzliche Aufgabe wäre gut für mich. Immerhin waren die Besitzer von *The Gentle Cobbler* Amische, was jedoch nicht dazu führte, dass ich eine gute Angestellte wurde, sondern die meiste Zeit Mist gebaut habe. Schließlich wurde ich dabei erwischt, dass ich heimlich Riemchensandalen aus dem Laden mitgenommen und bei einer großen Outdoor-Party getragen hatte. Am nächsten Tag wollte ich sie zurück ins Regal stellen, aber einer der hohen Absätze war abgebrochen. Lester warf mich raus, was mich aus meinem Elend erlöste und das Ende meiner Karriere im Einzelhandel bedeutete.

Als Erwachsene habe ich in ihrem Geschäft häufiger etwas gekauft. Erst letzten Winter hatte Tomasetti ein Paar Arbeitsstiefel erstanden, und wir hatten uns eine Weile mit den Karns unterhalten. Lester und Angela sind ein nettes Paar und außer sonntags jeden Tag im Laden. Zufällig weiß ich, dass sie erst um zehn Uhr morgens öffnen, was in zwanzig Minuten ist, also mache ich mich gleich auf den Weg.

Ich bin so in Gedanken bei der vor mir liegenden Aufgabe, dass ich beim Einbiegen in die Main Street die altmodischen Straßenlaternen und Parkuhren kaum wahrnehme. Ich parke auf dem Platz gleich vor dem Laden, bleibe für einen Moment im Auto sitzen und wünsche nichts mehr, als dass Aden Karn noch leben würde und ich nicht gleich das Leben seiner Eltern zerstören müsste. Obwohl in der Tür noch das GESCHLOS-SEN-Schild hängt, brennt schon Licht im Laden, und ich kann die Silhouette von jemandem sehen, der sich bewegt.

Meine Beklemmung wächst, als ich den Bürgersteig über-quere und zum Eingang gehe. Durch das Schaufenster sehe ich Angela Karn, die hinter dem Tresen mit der Kasse zugange ist. Lester steht auf einem Tritthocker und sortiert Schuhkisten ins Regal. Ich klopfe an die Scheibe.

Der amische Mann dreht sich um und macht große Au-gen. Dann lächelt er erfreut, was mich zusätzlich schmerzt. Ich warte, bis er vom Tritthocker steigt und forschen Schritts zur Tür kommt. Lester ist jetzt Mitte fünfzig, hat einen be-trächtlichen Bauch und einen graumelierten Vollbart, so wie es bei verheirateten amischen Männern üblich ist. Er trägt ein weißes Hemd, graue Hosen mit Hosenträgern, und da er in der Öffentlichkeit arbeitet, hat er anstelle des typischen flach-krempigen Strohhuts einen schwarzen Filzhut auf.

Ich atme tief durch, und dann geht auch schon die Tür auf. Ich nehme kaum das Klingeln der Türglocke wahr, kaum den Duft von Leder, Schuhcreme und Eukalyptus, der mir ent-gegenweht.

»Guder mariye, Katie«, sagt er und hält mir die Hand hin. Guten Morgen. »Kumma inseid.« Komm herein.

»Hallo, Lester.« Wir schütteln uns die Hand, und ich folge ihm in den Laden.

»Wir haben die Stiefel noch nicht verkauft, die du anpro-biert hast.« Er geht zurück zum Tritthocker, muss noch einiges erledigen, bevor er den Laden aufschließt. »Der Sale beginnt morgen, falls du interessiert bist. Zwanzig Prozent Rabatt und kostenloses Weiten, wenn es nötig ist.«

Ich antworte nicht, sondern blicke zu seiner Frau, die noch immer hinterm Tresen steht und mich ansieht, als ahne sie, dass ich nicht hier bin, um Schuhe zu kaufen.

»Ich fürchte, ich habe schlimme Nachrichten«, höre ich mich sagen.

Lester bleibt abrupt stehen, dreht sich um und sieht mich an.

»Heute Morgen ist etwas passiert«, sage ich. »Aden ist tot. Es tut mir sehr leid.«

Lester stößt einen Laut aus, halb nach Luft schnappend, halb lachend, als wäre er unsicher, ob ich vielleicht scherze. Er sieht mich zweifelnd an. »Was? Aden? Aber … wie kann das sein?«

Angela kommt hinter dem Tresen hervor, eilt zu ihrem Mann, Misstrauen und Entsetzen im Gesicht. »Was redest du da? Meine Güte, wie kannst du so etwas Verrücktes sagen? Vor ein paar Tagen haben wir ihn erst gesehen. Es ging ihm gut.«

Bevor mir klarwird, was ich tue, nehme ich die Hand der Frau in meine und drücke sie sanft. »Es ist heute Morgen passiert, auf der Hansbarger Road. Ich glaube, er war auf dem Weg zur Arbeit.«

»Die Straße nimmt er für gewöhnlich«, sagt Lester. »Er arbeitet für Buckeye Construction und fährt mit dem Rad zur Eisbude bei der Lutherkirche, da ist der Treffpunkt, wo er abgeholt wird.«

Jetzt steht Verzweiflung und Unglaube in ihren Gesichtern, aber auch die Hoffnung, dass ich mich irre. Lester blickt tatsächlich zur Tür, als erwarte er, dass jemand hereingestürmt kommt und sagt, dass alles ein Missverständnis ist.

»Was ist passiert?«, fragt Angela.

»Wir wissen es noch nicht genau.« Da ich wenig Fakten habe, halte ich es einfach. »Er ist offensichtlich auf seinem Fahrrad gefahren, möglicherweise kam es zu einem Streit oder Unfall,

40

bei dem Aden getötet wurde. Wir versuchen gerade herauszufinden, was genau passiert ist. Es gibt …« Ich finde die richtigen Worte nicht, starre sie an, unfähig, den Satz zu beenden. Kurz fürchte ich, dass meine Stimme versagt – dass ich versage.

Ich wende mich ab, ringe um Fassung. Atme langsam ein und aus, bin wütend auf mich selbst. Hier geht es nicht um mich. Es geht um die Karns, um ihren Sohn.

Als ich sie wieder ansehe, sind ihre Gesichter von Entsetzen gezeichnet. Schwindende Hoffnung steht darin und der brutale Schmerz, der zeigt, dass meine Nachricht in ihr Bewusstsein eingedrungen ist.

»Es tut mir leid«, sage ich noch einmal, eine Untertreibung.

»Jemand hat ihn überfahren?«, fragt Lester, die Stimme hoch und angespannt. »Mit einem Auto? Ein *Englischer*?«

»Lieber Gott.« Angelas Gesicht wird aschfahl.

»Das ist momentan noch eine Vermutung«, sage ich.

Die amische Frau entzieht mir ihre Hand und hält sich den Mund zu, als wolle sie den Schrei ersticken, der zu entweichen droht. »Ich kann es nicht glauben.«

»Wo ist er?«, fragt Lester.

»Doc Coblentz ist am Unfallort«, sage ich. »Sie werden ihn ins Pomerene Hospital bringen.« Natürlich nicht zur Behandlung, sondern weil sich dort im Keller die Leichenhalle befindet.

»Können wir ihn sehen?« Angela Karn sieht ihren Mann an. »Ich will ihn sehen.«

Lester legt die Hand auf die Schulter seiner Frau und schüttelt den Kopf. »Deahra is naett di Zeit.« Jetzt nicht.

Ich suche Lesters Blick. »Kann ich Ihnen jemanden schicken?«, frage ich. »Ein Familienmitglied? Bischof Troyer?«

Der amische Mann schüttelt den Kopf, blickt zu Boden. Ich sehe ihn blinzelnd gegen die Tränen ankämpfen.

In der Regel verhalten sich Amische eher beherrscht, wenn sie trauern. Für sie gehört der Tod zum Kreislauf des Lebens, und der Himmel ist die Belohnung für ein gottgefälliges Leben. Sie glauben, dass die Verstorbenen an einem besseren Ort sind – im Himmel bei Gott. Aber in erster Linie sind sie Menschen, und der Verlust eines Kindes kennt keinen Trost.

»Mr. und Mrs. Karn«, beginne ich. »Ich weiß, das ist jetzt eine schlimme Zeit für Sie. Sie stehen unter Schock, und Ihr Schmerz ist groß. Dennoch muss ich Ihnen ein paar Fragen stellen.«

Sie starren mich an, als spräche ich eine Sprache, die sie nicht verstehen. Noch immer können sie nicht begreifen, was sie gerade erfahren haben, klammern sich an den letzten Rest der Realitätsverleugnung. Ihr Verstand sucht nach einem Weg, sich der Wirklichkeit der Tragödie zu verweigern.

Angela wendet sich ab, vergräbt das Gesicht in den Händen. Sie gibt keinen Laut von sich, doch ihre Schultern beben.

Ich schaue Lester an, ziehe meinen Spiralblock aus der Jackentasche. »Wann haben Sie Aden das letzte Mal gesehen?«, frage ich mit gedämpfter Stimme.

Er senkt den Blick, wobei seine Wangenmuskeln heftig zucken. »Wie ich schon gesagt habe, vor zwei Tagen. Er war zum Abendessen bei uns.«

»Ging es ihm da gut?«, frage ich. »Hat er vielleicht Probleme erwähnt? Gab es irgendwelche Schwierigkeiten in seinem Leben?«

Er schüttelt beharrlich den Kopf. »Nein.«

»Hatte Aden Feinde? Oder Probleme mit jemandem?«

Er sieht auf, schaut mir in die Augen, und zum ersten Mal entdecke ich Fragen in seinem Blick, die aufkeimende Erkenntnis, dass der Tod seines Sohnes womöglich kein Unfall war. »Willst du damit sagen, dass jemand ihn absichtlich überfahren hat?«

»Wir wissen nicht genau, was passiert ist.« Das ist die einzige ehrliche Antwort, die ich ihm geben kann. »Ich weiß, dass das keine befriedigende Information ist, aber zum jetzigen Zeitpunkt kann ich nur versprechen, dass wir alles tun werden, um herauszufinden, was passiert ist.«

Kopfschüttelnd blickt der amische Mann zu Boden.

Ich lasse ihm einen Moment Zeit, bevor ich fortfahre. »Lester, hatte Aden vielleicht eine Auseinandersetzung oder einen Konflikt mit jemandem? Den Nachbarn oder der Freundin? Gab es Probleme auf der Arbeit? Irgendetwas in der Art.«

»Nein«, sagt er schroff.

»Hat er allein gelebt?«

»Er wohnt mit Wayne Graber zusammen.«

»Sind sie Freunde?«, frage ich.

»Eher wie Brüder. Sie kennen sich seit Kindertagen.«

»Haben sie eine gute Beziehung?«

»Sie sind praktisch zusammen aufgewachsen«, erwidert er. »Ich kenne Wayne seit der Zeit, als er noch in die Hose gemacht hat. Ich kenne seine ganze Familie.« Er hebt den Kopf, reißt die Augen auf. »Ist Wayne okay? Ist er – «

»Soviel ich weiß, geht es ihm gut«, sage ich schnell. »Ich spreche mit ihm so bald wie möglich.« Ich blicke auf meinen Notizblock. »Wissen Sie, wo Wayne arbeitet?«

Das Paar blickt sich kurz an, dann antwortet Lester: »Zuletzt hieß es, er arbeite bei *Mast Tiny Homes*.«

Ich notiere es. »Hatte Aden eine Freundin?«, frage ich. »Ist er mit jemandem ausgegangen?«

Lester sieht mich an, als hätte ich eine unanständige Frage gestellt. Angela wendet sich uns langsam zu, das Gesicht fleckig und rot, die Wangen tränennass. »Er hat Emily Byler den Hof gemacht«, sagt sie.

Den Nachnamen kenne ich. »Andys und Claras Tochter?«

»Ja.«

Ich schreibe die Namen auf. »Standen Emily und Aden sich nahe? War es eine ernste Sache?«

»Ernst genug«, murmelt die amische Frau. »Ich bin davon ausgegangen, dass sie in ein, zwei Jahren heiraten. Em ist ein nettes Mädchen, wir mögen sie sehr.«

»Allerdings ist Aden gerade in seiner *Rumspringa*«, wirft Lester ein, meint damit die Zeit vor der Erwachsenentaufe, in der amische Teenager sich nicht an die Einschränkungen des schlichten Lebens halten müssen und sich austoben können. »Er war viel unterwegs, es ist schwierig bei den jungen Leuten auf dem Laufenden zu bleiben, wenn sie nicht mehr zu Hause wohnen.«

»Die arme Em wird am Boden zerstört sein, wenn sie das erfährt.« Wieder verzieht die amische Frau schmerzlich das Gesicht, wischt sich die Tränen mit den Fingerspitzen ab.

Es ist wichtig, dass ich Angelas Leid nicht zu nah an mich herankommen lasse, und so hole ich eine Visitenkarte aus der Tasche, schreibe meine Handynummer auf die Rückseite und reiche sie Lester. »Wenn Ihnen noch etwas einfällt, was wichtig scheint, rufen Sie mich bitte an«, sage ich.

Ohne zu antworten, blickt Lester auf die Karte, aber es ist, als sähe er sie gar nicht.

Der Kummer, der den Raum erfüllt, ist erdrückend, und wieder habe ich dieses beklemmende Gefühl in der Brust. Ich berühre Angelas Hand, aber sie zieht sie weg, sieht mich nicht an.

Ich gehe, lasse sie schweigend vor sich hinstarrend zurück, ihre Leben zerstört und ihre Herzen gebrochen.

* * *

Die Hände ums Lenkrad geklammert, sitze ich eine Weile einfach nur da, bevor ich den Wagen schließlich anlasse. Es gehört zum Dilemma von Polizisten in einer kleinen Stadt, dass die Polizeiarbeit zwangsläufig sehr viel persönlicher ist. Man kennt die Menschen, denen zu dienen und die zu schützen man geschworen hat. Egal, ob es darum geht, einen Strafzettel für zu schnelles Fahren auszustellen, ausgebüxtes Weidevieh zusammenzutreiben, einen Hund aus einem zugefrorenen Teich zu ziehen, oder den Eltern eines Teenagers mitzuteilen, dass ihr Sohn mit seinem Mustang gegen einen Baum geknallt ist und nicht überlebt hat – man kennt sie. Man kennt ihre Familie, ihre Stärken und Schwächen, ihre Geheimnisse. Und diese persönlichen Verbindungen machen es in Situationen wie diesen, wenn man eine traurige Pflicht zu erfüllen hat, immens schwer.

Mir bleibt aber nichts anderes übrig, als innerlich umzuschalten, ihren Kummer, der auch an mir haftet, abzuschütteln und darüber nachzudenken, was jetzt zu tun ist. Im Prinzip muss ich an diesem Punkt der Untersuchung an Dutzenden Orten gleichzeitig sein, denn worauf es jetzt ankommt, sind Informationen, und ich brauche sie alle gestern. Tötungsdelikte sind selten zufällig, meistens kennt das Opfer seinen Mörder. Ich denke an Aden Karn, sein Leben und seine Beziehungen, die Familiendynamik, die Menschen, die er liebte. Mit wem verbrachte er seine Zeit? Wer sind seine Kollegen, seine Nachbarn, mit wem hat er Geschäfte gemacht?

Irgendjemand weiß immer etwas, flüstert eine kleine Stimme in meinem Ohr.

Ich fahre aus der Parklücke raus, greife nach meinem Handy und rufe die Zentrale an. Lois nimmt sofort ab. »Gab es irgendwelche Treffer zu Aden Karn?«, frage ich.

»Absolut nichts, nicht mal einen Strafzettel für zu schnelles Fahren.«

»Checken Sie bitte noch Angela und Lester Karn.« Ich glaube zwar, dass die beiden eine weiße Weste haben, trotzdem ist es immer klug, auf Nummer sicher zu gehen. »Und auch Wayne Graber und Emily Byler und ihre Eltern.«

»Ich rufe Sie an, sobald ich die Ergebnisse habe.«

Ich danke ihr, lege das Handy in die Mittelkonsole und gebe Gas.

* * *

Andy und Clara Byler wohnen nahe der Grenze zu Coshocton County, direkt an der County Road 19. Ihre Farm mit dem weißen Farmhaus macht einen gepflegten Eindruck, neben einem Getreidesilo befinden sich noch zwei niedrige Schweineställe auf dem hinteren Teil des Grundstücks. Ich folge der Einfahrt zur Rückseite des Hauses und parke neben einem Leiterwagen aus Holz, der randvoll mit Heu beladen ist. Als ich aussteige, schlägt mir der Gestank von Schweinemist entgegen.

Auf halbem Weg zum Haus bemerke ich eine amische Frau, die nahe der Veranda in einem Blumenbeet kniet und Unkraut jätet. Sie trägt ein malvenfarbenes Kleid, eine weiße *Kapp* und Sneakers, die schon viele Kilometer hinter sich haben. Neben ihr auf dem Boden hat sich ein ansehnlicher Haufen Unkraut angesammelt.

»Die Chrysanthemen sind wirklich schön«, sage ich von weitem.

Sie blickt mich über die Schulter hinweg düster an. »Das finden die Hühner auch, die dummen Viecher. Lassen sich jeden Morgen vom Hahn herführen und scharren jeden Zentimeter auf. Wenn es so weitergeht, brutzelt er bald in der Pfanne.«

Ich lächele. »Clara Byler?«

»Ja, richtig.« Sie wirft eine Handvoll Unkraut auf den Haufen, erhebt sich und wischt die Hände am Rock ihres Kleides ab, betrachtet mit seitlich geneigtem Kopf meine Uniform. »Von Painters Mill hierher ist es ein ganzes Stück.«

Ich rüste mich für ihre Reaktion. »Leider komme ich mit einer schlimmen Nachricht.«

Sie steht still da, und ich sehe, wie sie sich innerlich wappnet – und dass dies nicht die erste Tragödie in ihrem Leben ist.

»Aden Karn ist heute Morgen tödlich verletzt worden«, sage ich. »Es tut mir leid.«

Als hätte eine unsichtbare Macht sie gestupst, macht Clara Byler einen Schritt zurück. »Aden tot? Lieber Gott. Er ist noch so jung. Wie?«

Ohne ins Detail zu gehen, berichte ich ihr das Wesentliche.

»War es ein Unfall?«, fragt die Frau.

»Das ist noch unklar. Momentan ermitteln wir in mehrere Richtungen.« Wie zuvor, bleibe ich mit der Antwort vage. »Soweit ich weiß, hat er sich mit Ihrer Tochter Emily getroffen.«

Sie schüttelt den Kopf, blickt zu Boden. »Meine Güte, das wird ein Schock für sie sein.«

»Die beiden waren ein Paar?«, frage ich.

Sie nickt. »Sie ist zwar erst siebzehn, aber wir sind davon ausgegangen, dass sie heiraten werden. Vielleicht nächstes Jahr.«

»Dann haben sie sich gut verstanden?«

»Natürlich«, erwidert sie leicht gereizt. »Er ist der erste Junge, der ihr Beachtung geschenkt hat. Sie ist richtig aufgeblüht. Ich glaube, er hat sie aus ihrem Schneckenhaus geholt, sie ist nämlich sehr scheu. Sie sind schon seit sechs Monaten zusammen, das mit den beiden ist vom Himmel gewollt. Er behandelt sie gut, ist nett und aufmerksam. Sie ist ein völlig neuer Mensch.«

»Wie gut haben Sie Aden gekannt?«

»Ich kenne den Jungen, seit er ungefähr so groß war.« Mit der Hand zeigt sie eine Höhe von etwa einem Meter an. »Er war schon immer ein Charmeur, und witzig. Er konnte einen zum Lachen bringen, selbst wenn man einen schlechten Tag hatte. Schenkte allen ein Lächeln. Man brauchte ihn nie um Hilfe bitten, der Junge tauchte einfach auf und erledigte die schwersten Arbeiten, die gerade anfielen. Er hatte nichts dagegen, sich die Hände schmutzig zu machen, hat sich nie beklagt und ist immer erst gegangen, wenn alles erledigt war.«

»Er war der erste Beau Ihrer Tochter?«, frage ich und benutze dabei das amische Wort für festen Freund.

»Davor war sie vielleicht ein- oder zweimal bei einem Singen gewesen. Oder auf einer Party in Coshocton.« Sie senkt lange genug den Blick, um mich stutzig zu machen.

»Und keiner der Jungen dort hatte ein Auge auf sie geworfen?«, frage ich.

»Vielleicht schon, aber es war ihr egal. Sie hatte nur Augen für Aden.«

Ich nehme mir vor, das später zu notieren. »Wann haben Sie ihn das letzte Mal gesehen?«

»Vor drei Tagen. Er war zum Abendessen hier, wie jedes Wochenende, seit er mit Emily zusammen ist. Hat gegessen wie ein Scheunendrescher, das Huhn und die Klöße haben ihm offensichtlich gut geschmeckt.« Sie senkt den Kopf und presst die Fingerspitzen auf die Augen, als wolle sie die Tränen daran hindern herauszutropfen. »Du liebe Güte, ich kann nicht glauben, dass er tot ist.«

»Mein Beileid, Ma'am.«

»Gott hat ihn sicher für etwas Wichtiges haben wollen. Das ist manchmal so, wenn der Herr einen jungen Mann zu sich holt. Diesmal hat Er wirklich einen Guten gekriegt, das steht fest.«

»Mrs. Byler, ich weiß, das ist jetzt kein guter Moment, aber es würde mir helfen, wenn ich kurz mit Emily sprechen könnte. Ist sie zu Hause?«

»Oje, das wird sie hart treffen.« Die Tränen, die sie die ganze Zeit zurückgehalten hat, fließen jetzt ungehemmt. Sie wischt sie weg, kann sie nicht zulassen – als Mutter stellt sie den eigenen Kummer zurück, weil sie stark für ihre Tochter sein muss. »Em ist in der Küche und schält Äpfel für den Kuchen.« Sie verzieht das Gesicht. »Kommen Sie herein.«

Ich folge ihr ins Haus, durch einen kleinen Vorraum und weiter in die Küche, in der es nach Zimt duftet, aber unangenehm warm ist. Die Fenster sind geöffnet, die Gardinen bauschen sich im Wind, aber der Luftzug reicht nicht aus, um die Hitze zu vertreiben. Eine junge amische Frau steht an der Arbeitsplatte neben der Spüle und rollt mit einem Nudelholz Teig aus, die Hände voller Mehl. Emily ist etwa ein Meter siebzig groß, hat ein hübsches Gesicht mit einem Porzellan-Teint und volle Pfirsichlippen; über das weinrote Kleid hat sie eine Schürze gebunden. Sie ist ganz in ihre Arbeit vertieft, Schweiß perlt von ihren Wangen. Das viele Mehl auf der Arbeitsfläche lässt vermuten, dass sie eine chaotische Bäckerin ist.

»Hier riecht es wirklich gut«, sage ich zur Begrüßung.

»Ein bisschen zu gut«, antwortet sie und blickt sich lächelnd zu uns um.

Ihre Augen sind leuchtend blau, ihre Nase ist voller Sommersprossen, ihre Wangen, mit kleinen Grübchen, wenn sie lächelt, haben noch die Rundlichkeit der Jugend – und für ihre vollen Lippen würden Models alles geben. Ihr Lächeln verschwindet, als sie meine Uniform registriert. Ihr Blick huscht zu ihrer Mutter und wieder zurück zu mir. »*Mamm*?«

Emily hat ihr blondes Haar nachlässig unter die hauch-

49

dünne *Kapp* gesteckt, wobei eine Haarsträhne noch seitlich heraushängt.

»Das ist Kate Burkholder«, sagt ihre Mutter. »Sie ist von der Polizei in Painters Mill.«

»Polizei?« Das Mädchen lässt den Teig Teig sein, nimmt einen Küchenlappen und wischt sich die Hände ab. »Was ist passiert? Warum kommt die Polizei her?«, fragt sie ihre *Mamm*. »Warum sieht sie mich so komisch an?«, fügt sie auf *Deitsch* hinzu.

»Sie hat schlimme Nachrichten, Schatz«, sagt ihre Mutter.

»Schlimme Nachrichten?« Ein Lachen entfährt dem Mädchen, das jedoch klingt wie eine ungute Mischung aus Verärgerung und Angst. »Was meinst du damit?«

»Aden ist heute Morgen umgekommen«, sagt die Frau. »Er hatte einen Unfall auf dem Weg zur Arbeit.«

»*Umgekommen?* Aden?« Sie stößt einen Laut aus, in dem Unglaube und Abwehr mitschwingen.

»Nein, das kann nicht stimmen. Er ist bei der Arbeit, wir treffen uns nachher.«

Ihre Mutter presst die Lippen zusammen, blickt zu Boden. »Gott hat ihn zu sich geholt, Schatz«, flüstert sie. »Er ist nach Hause gegangen.«

»Es tut mir sehr leid«, sage ich.

Das Mädchen wirft mir einen spöttischen Blick zu, wendet sich ab, greift sich das Nudelholz und bearbeitet weiter den Teig. Aber jetzt zittert sie am ganzen Körper und rollt so heftig, dass der Teig am Nudelholz kleben bleibt. Sie ignoriert es und rollt kraftvoll weiter.

Ich sehe ihre Mutter an.

Clara geht zu ihrer Tochter. »Lass den Teig einen Moment ruhen.« Behutsam nimmt sie ihr das Nudelholz aus der Hand. »Setz dich erst mal hin, ich mache dir einen Tee. Chief Burkholder muss dir ein paar Fragen stellen.«

»Er ist nicht tot!« Das Mädchen wirbelt herum, zeigt auf mich, einen wilden Blick in den Augen und Wut in der Stimme, alles gepaart mit der Verzweiflung eines gefangenen, verletzten Tieres. Ihr Verstand verkraftet die Nachricht nicht. »Sie hat sich das ausgedacht!«

Sie versucht, ihrer Mutter das Nudelholz wieder wegzunehmen. Ich weiß nicht, ob sie den Teig weiter ausrollen oder mich damit schlagen will. Die beiden Frauen ringen so lange um das Nudelholz, bis es zu Boden fällt.

»Sitz dich anne«, sagt die ältere Frau bestimmt. Setz dich da hin.

Emily blickt sie an, gibt sich einen sichtbaren Ruck und geht zum Küchentisch, zieht einen Stuhl hervor und lässt sich drauf sinken. Ohne etwas zu sagen oder mich anzusehen, kreuzt sie die Arme vor sich auf dem Tisch und beginnt mit gesenktem Kopf zu schluchzen.

»Ich glaube es nicht«, sagt sie schließlich weinend. »Jemand hat da einfach etwas durcheinandergebracht.«

Ich bleibe an der Tür stehen, bis Clara den Tee einschenkt. Sie wirft mir einen Blick zu und stellt den Plastikbecher vor ihre Tochter. »Trink einen Schluck, das beruhigt.«

Einen Moment später richtet sich das Mädchen im Stuhl auf und nimmt weinend den Becher. »Was ist mit ihm passiert?«, fragt sie, an mich gewendet.

Ich setze mich auf den Stuhl ihr gegenüber und überlege, wie viel ich sagen kann. Eines der obersten Gebote von Polizisten und Polizistinnen ist, bei laufenden Untersuchungen niemals unbestätigte Informationen weiterzugeben – schon gar nicht, wenn es sich um einen Mordfall handelt. Zu diesem Zeitpunkt kenne ich weder die offizielle Todesursache noch Todesart, außerdem weiß ich nicht mit Sicherheit, welche Art von Waffe benutzt wurde. Andererseits ist die Wahrscheinlichkeit höher, nützliche Antworten zu bekommen, je spezifischer meine Fragen sind.

»Im Moment weiß ich nur, dass eine Autofahrerin ihn heute Morgen auf der Hansbarger Road gefunden hat«, sage ich. »Offensichtlich nimmt er die Straße immer auf dem Weg zur Arbeit. Alles andere ist noch unklar, wir sind gerade dabei herauszufinden, was genau passiert ist.«

»Ein Auto hat ihn überfahren?«, fragt Clara.

Ich sehe von Emily zu ihrer Mutter. »Es sieht danach aus, als wäre Aden von einer Art Geschoss getroffen worden. Ich weiß nicht, was für eine Waffe benutzt wurde – «

»Von einem Geschoss?« Das Mädchen stellt den Becher so heftig ab, dass der Tee überschwappt. »Heißt das, jemand hat ihn ... *erschossen*? Mit einem Gewehr?« Das Gesicht tränenüberströmt, wirft sie ihrer Mutter einen hilflosen Blick zu. »Ich verstehe nicht, wie so was passieren kann. Warum würde jemand das machen?«

»War es ein Unfall?«, fragt Clara.

»Das glaube ich nicht«, antworte ich.

»Mein Gott.« Das Gesicht des Mädchens ist schmerzverzerrt. »Ich ertrage die Vorstellung nicht.«

»Ich weiß, dass das jetzt nicht leicht ist«, sage ich, »aber ich muss ein paar Fragen stellen – «

»Ich kann nicht ... Aden. *Aden*.« Das Mädchen bedeckt das Gesicht mit den Händen, ihre Schultern beben. Sie versucht, die Fassung zu bewahren, doch es gelingt ihr kaum. »Wenn ich doch nur mit ihm reden könnte.«

Da ich sehe, dass sie einem Zusammenbruch nahe ist und mir vielleicht nicht mehr viel Zeit bleibt, dränge ich weiter auf Antworten. »Wann hast du ihn zuletzt gesehen?«

Sie antwortet lange nicht, und ich überlege schon, die Frage zu wiederholen, als sie dann doch die Hände vom Gesicht nimmt. »Samstag.« Ihr Gesichtsausdruck wird weicher. »Er ist den ganzen Weg mit dem Buggy hergekommen, um *Datt* zu helfen, auf den Hühnerstall ein neues Dach zu bauen, und ist dann zum Abendessen geblieben.«

»Ging es ihm gut?«, frage ich. »Oder hattest du das Gefühl, ihn bedrückt etwas?«

»Es ging ihm gut. Er war wie immer.«

»Hatte er in letzter Zeit mit jemandem eine Meinungsverschiedenheit oder einen Streit?«, frage ich.

Emily schüttelt den Kopf, blinzelt die Tränen zurück. »Aden hat sich nie gestritten. Er hat allen recht gegeben, nur um des lieben Friedens willen. In der Beziehung war er wirklich nett.«

Die ältere Frau zieht ein Taschentuch aus der Schürzentasche und hält es ihrer Tochter hin. »Und die Sache mit dem alten Pick-up?«

Sofort werde ich hellhörig.

»Oh.« Emily nimmt das Taschentuch und wischt sich über die Augen. »Das hätte ich fast vergessen. So eine dumme Sache.«

»Was für ein Pick-up?«, frage ich.

»Aden und Wayne hatten so einen ramponierten Pick-up gekauft.«

»Wayne Graber«, fügt Clara hinzu.

Sein Mitbewohner, erinnere ich mich.

Emily nickt. »Sie hatten ihn von einem *Englischen* in Millersburg gekauft«, sagt sie. »Aden und Wayne sind gute Schrauber und können so ziemlich alles reparieren. Sie hatten vor, ihn herzurichten und weiterzuverkaufen, um sich ein bisschen was dazuzuverdienen. Also haben sie sich an die Arbeit gemacht, wie Jungs das eben so machen, und am Ende sah der Wagen echt klasse aus. Dann haben sie ihn für zweitausend Dollar an Vernon Fisher verkauft.« Sie zieht die Augenbrauen zusammen. »Aber nach ein paar Wochen sprang der Motor nicht mehr an, Vern wurde sauer und hörte auf, die Raten zu bezahlen. Und da sind Wayne und Aden mitten in der Nacht zu seinem Haus gefahren und haben sich den Pick-up zurückgeholt.«

Ich hole meinen Notizblock heraus. »Vernon Fisher?«

»Er wohnt in Painters Mill«, sagt Clara.

Der Name kommt mir bekannt vor, ich bin mir ziemlich sicher, Fisher mindestens einmal wegen überhöhter Geschwindigkeit angehalten zu haben. Wenn mich mein Gedächtnis nicht trügt, kommt er aus einer angesehenen amischen Familie und hat kürzlich eine stillgelegte Tankstelle in der Nähe des Highways gekauft.

»Vernon ist in schlechte Gesellschaft geraten«, wirft Clara ärgerlich ein. »Seine *Rumspringa* geht schon über ein Jahr, er trinkt und raucht wie der Teufel und wohnt in der heruntergekommenen alten Tankstelle. Hängt mit einem Haufen Nichtsnutzen rum. Ich kann mir nicht vorstellen, dass seine Eltern ihn jemals dazu bringen, sich taufen zu lassen oder zu heiraten.«

»Um wie viel Geld geht es denn?«, frage ich Emily.

»Ich glaube, Vernon hat sechshundert Dollar bezahlt und schuldet noch vierzehnhundert. Aden hat erzählt, dass Vernon die sechshundert zurückhaben will.«

Das ist genau die Art von Auseinandersetzung, die in etwas wirklich Hässlichem eskalieren kann.

Ich notiere mir alles. »Emily, gab es wegen des Pick-ups eine verbale Auseinandersetzung zwischen Vernon und Aden?«

»Das weiß ich nicht.«

»Hat Vernon Aden gedroht?«, frage ich. »Vielleicht auch Wayne?«

Emily starrt mich an, als versuche sie herauszufinden, warum ich solche Fragen stelle – was sie bedeuten. Plötzlich vergräbt sie das Gesicht in den Händen und fängt bitterlich an zu weinen.

Ich warte einen Moment, muss aber einsehen, dass sie nicht zu trösten ist und weitere Fragen sinnlos sind. Also lasse ich sie schluchzend zurück, das Gesicht in den Armen auf dem Tisch vergraben.

4. KAPITEL

Während ich von den Bylers auf die Landstraße abbiege und Richtung Norden fahre, rufe ich im Revier an. »Zehn-neunundzwanzig«, gebe ich durch, den Code für Vorstrafenregister-Checks. »Vernon Fisher.« Ich buchstabiere den Namen.

»Einen Moment«, erwidert Lois.

Ich höre das Klappern ihrer Tastatur, kurz darauf meldet sie sich zurück. »Vor zwei Jahren Strafzettel für zu schnelles Fahren, Trunkenheit am Steuer in Holmes County.«

»Gibt es eine Adresse?«

»Habe ich direkt vor mir auf dem Bildschirm, Chief.« Sie nennt eine Straße in Painters Mill.

»Zehn-sechsundsiebzig«, erwidere ich, so dass sie weiß, dass ich auf dem Weg dorthin bin. »Wer hat heute Nachmittag Dienst?«

»Pickles.«

Pickles ist inzwischen über achtzig Jahre alt, arbeitet aber immer noch Teilzeit, meistens als Lotse beim Zebrastreifen an der Schule; nebenbei konfisziert er gelegentlich Zigaretten von Schülern, die glauben, dass Menschen in seinem Alter schlecht sehen. Alle, die ihn kennen – einschließlich der Kollegen im Revier –, wissen, dass man ihn nicht unterschätzen sollte. Zwar ist er betagt, auch langsamer geworden und lügt, was sein Alter angeht, aber hinter dem runzligen Äußeren verbergen sich fünfzig Jahre Polizeierfahrung, eine Auszeichnung als verdeckter Drogenfahnder und die Einstellung eines Mannes, der bereit ist, sein Leben für die Rettung anderer aufs Spiel zu setzen.

»Sagen Sie Pickles, dass wir uns dort treffen.«

»Zehn-vier.« Okay.

Ich schalte das Funkgerät aus, nehme mein Handy und drücke die Kurzwahltaste für Glock. Er hebt sofort ab. »Hat jemand einen Bolzen oder Pfeil gefunden?«, frage ich.

»Negativ«, sagt er. »Wir haben bei der Rastersuche im Umkreis von zweihundert Metern jeden Baum, jedes Feld und jeden Straßengraben abgesucht, Chief. Aber gefunden haben wir nichts.«

Ich erzähle ihm von meinem Gespräch mit Doc Coblentz. »Wenn es Eintritts- und Austrittswunden gibt, müsste man den Bolzen doch finden.«

»Und wenn der Killer ihn mitgenommen hat?«, sagt er.

»Nach allem, was ich über Bolzen weiß, sind sie schwer rauszuziehen.«

»Stimmt«, sagt er. »Vor ein paar Jahren war ich mit einem Freund auf der Jagd. Er hatte mit einer Armbrust einen großen Rehbock geschossen und den Bolzen dann nicht rausgezogen, sondern *durchgestoßen*. Was auch nicht einfach war.«

Ich unterdrücke ein Schaudern, bevor es sich meiner bemächtigen kann. »Ist Doc Coblentz noch vor Ort?«

»Nicht mehr, ist vor zehn Minuten weggefahren und hat den Tatort für uns freigegeben. Die Kriminaltechniker sind zwar noch zugange, ich glaube aber nicht, dass sie viel gefunden haben.«

»Karn wurde laut Doc Coblentz mindestens zweimal getroffen«, sage ich laut denkend. »Kannte der Mörder Karn und hatte es auf ihn abgesehen, oder war Karn nur zur falschen Zeit am falschen Ort?«

»Auf dieser einsamen Straße sind nicht viele Leute unterwegs«, sagt Glock. »Wer natürlich Böses im Schilde führt und einfach nur jemanden umbringen will, kann nicht wissen,

57

wann die nächste Person vorbeikommt, und muss sich auf eine lange Wartezeit gefasst machen.«

Ich denke kurz darüber nach. »Was wiederum vermuten lässt, dass Karn kein Zufallsopfer war, sondern die Zielperson. Der Mörder kannte Karns Tagesablauf, er wusste, welchen Weg er zur Arbeit nimmt, und hat auf ihn gewartet.«

»Und ihn aus dem Hinterhalt erschossen.«

Für mehrere Sekunden schweigen wir beide, während wir in Gedanken die Bedeutung dessen verarbeiten.

»Karn hat für Buckeye Construction gearbeitet, ein Bauunternehmen«, sage ich. »Fahren Sie hin, sobald Sie am Tatort fertig sind. Finden Sie heraus, wo er normalerweise abgeholt wird, wer ihn heute Morgen abholen sollte und wer sonst üblicherweise noch mitfährt.«

»Mach ich.«

»Und dann noch, wo der Trupp gearbeitet hat, ob es irgendwelche Probleme gab. Mit Kollegen oder dem Auftraggeber.«

Ich erzähle ihm noch die Geschichte mit dem Pick-up. »Ich bin gerade auf dem Weg zu Vernon Fisher.«

»Seien Sie vorsichtig.«

»Nur damit Sie's wissen, ich habe große Angst vor Geschossen, die für neunzig Meter eine Sekunde brauchen.«

Er lacht. »Das haben wir gemeinsam.«

* * *

Solange ich denken kann, ist Red's Gas Station ein Schandfleck in der Landschaft. In meiner Kindheit hatte meine *Mamm* mich einmal zu der Tankstelle mitgenommen und mir eine Dose Red-Pop-Limonade gekauft. Ich weiß nicht mehr, warum wir dort waren, aber schon damals war es ein heruntergekommener Laden, der nach Gummi, Öl und Benzin gerochen hat. Über die Jahre hing immer mal wieder ein ZU-VERKAU-

FEN-Schild an der Tür, aber niemand wollte die Bruchbude haben. Bis Vernon Fisher auftauchte.

Die Tankstelle liegt einen Steinwurf entfernt vom State Highway 83 an einer wenig befahrenen Landstraße. Es ist einer von diesen Ziegelsteinbauten, die in den 1960er Jahren beliebt waren, mit leicht abfallendem Flachdach und Fensterfront. Das uralte, an einem Pfahl befestigte SOHIO-Schild – Standard Oil of Ohio – ist von Kugeln durchlöchert. Die Fenster, in denen früher einmal Glasscheiben waren, sind jetzt größtenteils mit Sperrholzplatten zugenagelt, auf denen *Suche Gebrauchtwagen* und eine Telefonnummer steht. Auf der linken Seite des Gebäudes ist eine Werkstatt mit zwei Rolltoren. Eins davon steht offen, und man sieht auf einer Hebebühne ein sogenanntes Muscle-Car mit zwei abmontierten Reifen sowie einer herunterhängenden rostigen Kette. Als ich auf das von Unkraut überwucherte Grundstück einbiege, erkenne ich unter dem Auto die Umrisse von zwei Männern; zwei weitere sitzen auf Gartenstühlen an der Wand.

Ich parke neben der Betoninsel, auf der früher drei Zapfsäulen standen, von denen zwei verschwunden sind. Die rostige dritte liegt mit zerbrochenem Glassichtfenster auf der Seite.

Pickles' Fahrzeug ist nirgends zu sehen. Ich greife nach meinem Ansteckmikro. »Zehn-dreiundzwanzig«, sage ich, melde der Zentrale meine Ankunft am Zielort.

»Verstanden.«

Ich hefte mir das Mikro an und laufe auf die Werkstatt zu. Die vier Männer im Raum sind alle jung, Anfang zwanzig, und mindestens zwei von ihnen sind Amische. Sie tragen zwar nicht die typisch amische Kleidung, aber ihr Topfschnitt verrät sie. Auf der Werkbank im hinteren Teil dröhnt aus einem Lautsprecher ein alter Pink-Floyd-Song. Die beiden Männer, die unter dem hochgebockten Muscle-Car stehen, tragen ölverschmierte Overalls. Der eine zieht mit einem Ratschenschlüssel etwas fest, was der andere mit einer behandschuhten Hand hält.

Als einer der Männer mich kommen sieht, drehen sich auch die Gesichter der anderen in meine Richtung. Mir entgeht nicht, dass einige von ihnen zweimal hinsehen müssen, offenbar haben sie mit dem Erscheinen der Polizeichefin nicht gerechnet. Vernon Fisher erkenne ich sofort. Er sitzt auf einem der Klappstühle und raucht eine Zigarette. Mein Auftauchen scheint ihn zu amüsieren. Der vierte Mann ist aufgestanden und neben den großen fahrbaren Werkzeugkasten getreten, lässt mich nicht aus den Augen. Auf dem Sims des Fensters zum Büro steht eine offene Flasche Tequila.

Als ich die Werkstatt betrete, starren mich alle unverwandt an. Doch der Ausdruck in ihren Gesichtern ist eher neugierig als erschrocken. Woraus ich schließe, dass sie sich langweilen und offen sind für ein wenig anstößiges Gepänkel, möglichst auf meine Kosten. Der Wagen auf der Hebebühne ist ein Mustang in Blaumetallic mit breiten Reifen.

»Vernon Fisher?«, frage ich und sehe ihn an.

»Ja, Ma'am.« Er wirft seinen Kumpels ein Jetzt-könnt-ihr-was-erleben-Grinsen zu, erhebt sich und kommt auf mich zu. Fisher ist groß und schlaksig mit kräftigen Gliedmaßen und ausgeprägten Muskeln. In den Jeans und dem ziemlich zerlumpten Arbeitshemd wirkt er wie jemand, der sich im englischen Lebensstil eingerichtet hat und wohlfühlt.

»Wie kann ich Ihnen helfen?«, fragt er.

Obwohl er natürlich weiß, wer ich bin, zeige ich ihm meine Dienstmarke. »Können wir hier irgendwo unter vier Augen sprechen? Ich möchte Ihnen ein paar Fragen stellen.«

»Was hat er denn jetzt schon wieder angestellt?«, murmelt einer, gefolgt von allgemeinem Gelächter.

»Oha … also ein Büro habe ich leider noch nicht«, sagt er. »Wie wär's, wenn wir einfach hier reden?«

»Ich habe gehört, Sie hätten von Aden Karn einen Pick-up gekauft«, beginne ich.

»Und ich hab mich schon gefragt, wann er wohl die Polizei auf mich hetzen wird.« Seufzend schüttelt er den Kopf. »Hören Sie, ich hab dem Mann sechshundert Dollar Anzahlung gegeben, bin mit dem Wagen nach Hause gefahren, und zwei Wochen später hat er den Geist aufgegeben. Ich wollte ihm das Auto zurückgeben und meine Anzahlung wiederhaben, was er dreist abgelehnt hat. Da hab ich ihm klargemacht, dass er das restliche Geld nicht kriegt, ich bin ja nicht blöd, und zwei Tage später haben er und sein Kumpel sich mitten in der Nacht hergeschlichen und meinen Wagen geklaut. Er schuldet mir sechshundert Mäuse. Ich bin derjenige, der die Polizei einschalten sollte.«

»Haben Sie ihm das deutlich gesagt?«, frage ich.

»Klar, ich hab ihm die Hölle heiß gemacht. Der Typ hat mich abgezockt.«

»Haben Sie ihn angezeigt?«

Er zuckt mit den Schultern. »Hätte sowieso keinen Zweck.«

»Gibt es eine Rechnung oder einen Kaufvertrag?«

»Wir haben das per Handschlag gemacht.« Er schüttelt bedauernd den Kopf. »Das sollte mir vermutlich eine Lehre sein.«

Hinter ihm an der Wand hängt ein Pornokalender – nackte Frau, die Beine gespreizt, alles entblößend. Ich unterdrücke einen Anflug von Abscheu und ziehe meinen Notizblock aus der Tasche.

»Wann haben Sie Karn das letzte Mal gesehen?«, frage ich.

»Vor drei oder vier Tagen. Ich bin zu ihm nach Hause gegangen und hab mein Geld zurückverlangt und gesagt, dann

wären wir quitt. Er hat mir gesagt, dass ich abhauen soll.«
Fisher blickt zu seinen Kumpels und seufzt. »Was ist aus der
Welt geworden, wenn man nicht mal mehr einem Amischen
trauen kann?«

Die anderen brechen in schallendes Gelächter aus.

»Wo waren Sie heute Morgen zwischen drei und acht Uhr?«,
frage ich.

Er legt den Kopf schief, und zum ersten Mal sieht er mich
an, als würde er das Gespräch ernst nehmen. »Was für eine
Frage ist das denn?«

»Eine, die Sie beantworten müssen«, erwidere ich ruhig.
»Das können Sie hier tun, oder Sie kommen mit aufs Revier,
Ihre Entscheidung.«

Er scheint eine freche Antwort parat zu haben, schluckt sie
aber runter. »Um drei Uhr nachts lag ich im Bett und hab geschlafen.« Er grinst hämisch. »Und um acht … hatte ich Sex
mit meiner Freundin.«

»Wie ist ihr Name?«, frage ich.

Erneut schallendes Gelächter. Ich sehe zu den Männern,
von denen einer auf das verdreckte Fenster zu dem kleinen
Büro zeigt. Ich schaue hin, und auf den ersten Blick glaube ich,
dort eine nackte Frau am Schreibtisch sitzen zu sehen. Aber
dann wird mir schnell klar, dass es eine lebensgroße Sexpuppe
mit Riesenbrüsten und hellrosa Genitalien ist.

Die Männer schütteln sich vor Lachen.

»Ihr Name ist Leandra«, platzt einer heraus und wischt sich
über die Augen.

»Er ist in sie verliebt!«, sagt ein anderer.

»Ich glaube, er macht ihr bald einen Antrag!«

Ich blicke Fisher an, halte meine Verärgerung im Zaum.
»Haben Sie eine gültige Jagdlizenz?«

Er wird wieder ernst, sieht mich verwundert an. Fragt sich

wahrscheinlich, was dieser Themenwechsel soll. »Ob ich jagen gehe? Klar, in der Jagdsaison. Hauptsächlich Hirsche und Coyoten.«

»Meistens jagt er Muschis«, murmelt einer.

Mehr Gelächter, das ich aber ignoriere. »Ist Ihre Jagdlizenz gültig?«

»Ja.«

»Besitzen Sie eine Armbrust oder einen Kompositbogen?«

»Vielleicht ist mir ja etwas entgangen, Chief Burkholder, aber was hat das jetzt mit dem Pick-up zu tun?«

»Können Sie bitte einfach die Frage beantworten?«

Aus dem Augenwinkel sehe ich, dass der Mann neben dem fahrbaren Werkzeugkasten nach der Flasche Tequila greift und einen großen Schluck nimmt. Er verzieht das Gesicht, dann reicht er sie einem der Männer unter der Hebebühne, der ebenfalls daraus trinkt. Eine eingeschworene Gemeinschaft. Gleichgesinnte, Unruhestifter und Aufrührer auf der Suche nach einem bisschen Spaß und Unterhaltung.

»Ich benutze keine Armbrust und auch keinen Komposit«, sagt Fisher. »Hab ich noch nie gemacht. Mir ist ein Gewehr lieber, ich mag die Genauigkeit und das Gefühl beim Schießen.«

Knirschende Reifen auf Schotter lassen mich aufhorchen. Ich blicke über die Schulter zurück und sehe Pickles neben meinem Explorer halten und aussteigen. Die anderen Männer haben es auch mitbekommen und wundern sich bestimmt, warum noch ein zweiter Officer gekommen ist.

»Warum stellen Sie mir all diese Fragen?«, will Fisher wissen. »Was zum Teufel ist los?«

»Klingt ganz so, als will sie dir was anhängen.« Der Mann neben dem Werkzeugkasten starrt mich an, der Gesichtsausdruck eiskalt und emotionslos.

Ich konzentriere mich weiter auf Fisher. »Haben Sie sich jemals eine Armbrust ausgeliehen?«

»Nein, Ma'am.«

Der Mann unter dem Wagen sieht mich mit unverhohlener Verachtung an, nimmt einen weiteren kräftigen Schluck Tequila und hält die Flasche in meine Richtung. Ich ignoriere ihn, was er mit einem Lächeln quittiert und sie dem Mann neben ihm reicht.

»Verdammte Bullen«, murmelt einer der anderen.

Pickles bleibt neben mir stehen, wie immer in tadelloser Uniform, das Hemd frisch gestärkt, die Hose mit akkurater Bügelfalte, und nicht zu übersehen sein Markenzeichen, die auf Hochglanz polierten Cowboystiefel von Lucchese. Er riecht nach seinem Old-Spice-Aftershave und der Zigarette, die er auf der Herfahrt heimlich geraucht hat. Ich sehe ihm an, dass er genau weiß, was hier vor sich geht – und dass es ihn kein bisschen aus der Ruhe bringt.

»Guten Tag, Gentlemen.« Er lässt seinen Blick wandern, nimmt die Umgebung in Augenschein und taxiert die Männer. »Netter Mustang. Baujahr 66?«

»68«, erwidert Fisher.

»Gutes Jahr. 5,0 Liter?« Jetzt entdeckt Pickles den Kalender.

»6,4«, sagt Fisher. »Vierfachkrümmer.«

»Wow«, stößt Pickles anerkennend aus, geht an den Männern und dabei so dicht an Fisher vorbei, dass dieser einen Schritt zurück machen muss. An der Werkbank bleibt er stehen, nimmt den Kalender von der Wand und reißt ihn mitten durch.

»Hey, alter Mann, das geht Sie einen Dreck an«, sagt der Mann neben dem Werkzeugkasten.

Pickles geht gelassen zum Mülleimer, wirft den Kalender hinein, dreht sich herum und sieht den Mann an. »Hab Ihnen nur Ärger erspart.«

»Echt? Wie das?«

»Ein zehnjähriges Kind kommt hier rein, um seinen Fahrradreifen aufzupumpen, sieht den schicken Kalender, und schon seid ihr in Teufels Küche.«

»So ein Schwachsinn«, sagt einer der anderen.

»Du kannst glauben, was du willst, Einstein«, erwidert Pickles. »Wer in Ohio ein minderjähriges Kind pornographischen Bildern aussetzt, selbst wenn es unabsichtlich geschieht, sollte sich schnellstens einen verdammt guten Anwalt besorgen.« Er lächelt, der Blick eiskalt. »Danken können Sie mir später.«

Diesmal klingt das Gelächter verhalten, und dann fragt mich Fisher: »Also, was ist mit Karn? Was sollen all die Fragen?«

»Karn ist heute Morgen auf dem Weg zur Arbeit umgebracht worden«, sage ich.

Fisher sieht mich ungläubig an, beginnt zu lachen, besinnt sich aber eines Besseren. »Heilige Scheiße, echt?« Er schüttelt den Kopf. »Und Sie denken, ich hab was damit zu tun?«

»Ich denke, dass Sie eine Auseinandersetzung wegen des Autos hatten«, sage ich.

»Das heißt aber doch nicht, dass ich ihn *umgebracht* habe. Was für ein Scheiß ist das denn? Sie kommen hier in meinen Laden und beschuldigen mich, einen Kerl getötet zu haben, den ich kaum kenne? Vor meinen Angestellten?«

Ich erspare mir, ihn daran zu erinnern, ihm ein Gespräch unter vier Augen vorgeschlagen zu haben. »Wir reden mit allen, die Mr. Karn kannten, die eine Beziehung oder Kontakt zu ihm hatten.«

»Ich war's nicht.«

»Behaupten Sie.« Das kommt von Pickles.

Fisher ignoriert ihn, ist schon einen Schritt weiter. »Jemand hat ihn mit 'ner beschissenen *Armbrust* kaltgemacht?«

»Vorsicht, was Sie sagen«, knurrt Pickles.

Ich schreibe meine Handynummer auf die Rückseite meiner Visitenkarte und reiche sie Fisher. »Wenn Ihnen noch etwas Wichtiges einfällt, rufen Sie mich an.«

Er nimmt die Karte und steckt sie ein, ohne einen Blick drauf zu werfen.

Als ich mich zum Gehen umwende, sehe ich, dass einer der Männer den Kalender aus dem Mülleimer gezogen hat. Den Blick auf mich gerichtet, fährt er mit der Zungenspitze über den anstößigsten Teil der Abbildung und hängt die abgerissene Hälfte zurück an die Wand.

* * *

Pickles begleitet mich zum Explorer.

»Das war eine krasse Nummer«, sage ich und öffne die Fahrertür.

Sein Mund zuckt, aber er schafft es, in seiner Bullen-Rolle zu bleiben. »Ich mag solche aufgeblasenen kleinen Arschlöcher nicht, Chief. Die haben zu viel Zeit und sind jeden Tag hier, um Ärger zu machen.«

»Ich weiß«, sage ich, schiebe mich hinters Lenkrad. »Sind Sie und Glock bei der Suche am Tatort fündig geworden?«

Er schüttelt den Kopf. »Ich hab mit dem amischen Ehepaar gesprochen, denen die Farm eine halbe Meile entfernt vom Fundort der Leiche gehört. Er ist da so ziemlich jeden Morgen mit dem Rad vorbeigefahren. Aber sie erinnern sich nicht, sonst noch jemanden gesehen zu haben.«

Ich nicke, blicke zur Autowerkstatt, wo Fisher rauchend unter dem Rolltor steht und uns beobachtet.

»Doc Coblentz meint, die Bolzen sind entweder glatt durchgegangen oder sie wurden wieder rausgezogen«, sage ich.

»Verdammt brutal.«

»Wäre gut, die Bolzen zu finden.«

»Wenn sie da sind.« Er kneift die Augen zusammen. »Soll ich noch mal hinfahren und mich umsehen?«

»Skid hat sich auch schon umgesehen, aber ein weiterer Blick kann nicht schaden.« Ich seufze, bin frustriert, weil ich weiß, dass alle Officer meines kleinen Reviers so lange rund um die Uhr arbeiten werden, bis der Fall gelöst ist.

»Aber bevor Sie damit anfangen«, sage ich, »checken Sie in der Gegend die Läden für Sportgeräte. Nehmen Sie T. J. mit. Lois kann Ihnen Adressen und Kontaktdaten raussuchen. Ich will die Namen von allen Personen haben, die in den letzten sechs Monaten eine Armbrust oder einen Kompositbogen gekauft haben.«

»Wird gemacht.«

»Ich fahre zu Karns Mitbewohner, mal sehen, was er zu sagen hat.«

Pickles tippt an den Schirm seiner Dienstmütze und geht zum Streifenwagen.

Ich werfe einen letzten Blick in Richtung Werkstatt, aber Vernon Fisher ist nicht mehr zu sehen.

5. KAPITEL

Am Anfang einer Mordermittlung müssen hundert Dinge gleichzeitig getan werden. Jeder potenzielle Zeuge muss befragt, Dutzenden Spuren muss nachgegangen, Beweise müssen gesammelt, gesichert und bewertet werden. Schnelligkeit ist das A und O, und es gibt keine Abkürzung. Besonders dann nicht, wenn der Mörder noch auf freiem Fuß ist.

Laut seines Führerscheins wohnte Aden Karn in der Rockridge Road im Süden von Painters Mill. Ich bin gerade auf den Highway eingebogen, als mein Bluetooth einen Anruf signalisiert. Ich blicke aufs Display des Handys und lese HOLMES COUNTY CORONER.

»Hi, Doc.«

»Ich weiß, dass Sie so schnell wie möglich Informationen brauchen«, beginnt der Leichenbeschauer, »deshalb wollte ich Sie wissen lassen, dass das Opfer gesäubert auf meinem Obduktionstisch liegt.« Er hält inne, stößt einen Seufzer aus. »Im Übrigen habe ich einen forensischen Pathologen vom BCI um Hilfe gebeten, Kate. Dadurch verlangsamt sich zwar alles, aber der Fall könnte sich als kompliziert entpuppen.«

»Doc, hat Ihnen schon einmal jemand gesagt, dass Sie die Gabe haben, sich äußerst kryptisch auszudrücken?«

Der Laut, den er von sich gibt, klingt nicht nach Lachen. »Wenn Sie ein paar vorläufige Infos wollen und gerade Zeit haben, kommen Sie her und sehen es sich selbst an.«

Das Ticken der Uhr in meinem Kopf sagt mir, dass ich meine Zeit effektiver nutzen sollte, als vor der Autopsie einen

Trip ins Leichenschauhaus zu machen. Andererseits hätte Coblentz mich nicht angerufen, wenn er keinen Sinn darin sehen würde.

»In zehn Minuten bin ich da«, sage ich.

* * *

Das Pomerene Hospital befindet sich im Norden von Millersburg. Ich parke seitlich des Säulenvorbaus neben der Notaufnahme und betrete es durch die Glastüren. Der ältere Herr am Empfang hebt zur Begrüßung die Hand, ich nicke ihm zu, gehe zum Aufzug und drücke auf den Knopf nach unten.

Um mich mental vorzubereiten, atme ich auf der Fahrt ins Kellergeschoss zweimal tief ein und langsam aus. Aber die Gelassenheit für das, was mich erwartet, will sich nicht einstellen. Du bist keine Anfängerin, sage ich mir, du siehst nicht das erste Mal ein Mordopfer und solltest wissen, dass man sich an den Anblick nie gewöhnen wird, auch wenn man ihm noch so oft ausgesetzt ist.

Stell dich nicht so an, Kate.

Als sich die Aufzugtüren zischend öffnen, schlägt mir eine Mischung aus Gerüchen entgegen, die das bevorstehende Grauen ankündigen – recycelte Luft, ein paar Grad zu kühl, medizinischer Mief, bei dem ich am liebsten die Luft anhalten würde, der Geruch der getrockneten Eukalyptuszweige in der Vase. Irgendetwas Unangenehmes gleich unter der Oberfläche …

»Hi, Chief Burkholder!«

Ich blicke nach rechts, wo Doc Coblentz' Assistentin, Carmen Anderson, an einem Schreibtisch vollgepackt mit Akten sitzt. Wie immer ist sie elegant gekleidet, heute in schwarzweißen Nadelstreifen, Bleistiftrock, Pumps mit flachen Absätzen und silbernen Creolen an den Ohren.

Ich gehe zu ihr hin, und wir schütteln uns die Hand. »Sie sind heute aber lange hier.«

»Ich versuche, unsere Ablage ins einundzwanzigste Jahrhundert zu überführen.« Sie zeigt auf den Aktenstapel. »Der Doc hält Technologie für überbewertet.«

»Womit er vielleicht nicht ganz unrecht hat.«

»Ob Sie es glauben oder nicht, aber er benutzt wirklich noch eine Rollkartei.«

»Gab's die nicht schon bei den alten Römern?«

Sie grinst mich verschwörerisch an. »Es wird ihm nicht gefallen, wenn das Ding verschwindet.«

»Wobei Sie es hier unten nicht einmal Ihren Mitarbeitern in die Schuhe schieben können.«

Sie wirft lachend den Kopf zurück, und ich frage mich, wie sie sich ihr sonniges Gemüt bewahren kann, wo sie doch in unmittelbarer Nähe der ganzen Toten arbeitet.

»Er erwartet Sie.« Sie zeigt zu dem Korridor, der zu Doc Coblentz' Büro führt. »Gehen Sie einfach rein.«

Ich passiere das schwarzgelbe Symbol für Biogefährdung sowie ein Schild mit der Aufschrift: ZUTRITT NUR FÜR MITARBEITER DES LEICHENSCHAUHAUSES. Am Ende des Korridors komme ich durch eine Doppeltür in den medizinischen Bereich. Der Autopsieraum befindet sich geradeaus, rechts ist die Nische, wo die Schutzkleidung aufbewahrt wird, und links das verglaste Büro des Arztes. Aus der offenen Tür dringt ein alter Van-Morrison-Song.

Im Stillen sage ich mir noch ein paar aufmunternde Worte, dann betrete ich sein Büro und klopfe leise an den Türrahmen. »Ich habe gehört, Ihre Rollkartei ist ernstlich in Gefahr«, sage ich zur Begrüßung.

Doc Coblentz trägt seinen üblichen weißen Laborkittel über blauer OP-Kleidung. Unter dem Schreibtisch sehen seine bunt gemusterten Crocs hervor. Er blickt an mir vorbei, als erwarte er, dort die Bedrohung in all ihrer nadelgestreiften Herrlichkeit stehen zu sehen. »Seit einem Jahr ist sie hinter der Kartei her, in der ich seit zwanzig Jahren alle meine Kontakte sammle.«

Seine gutmütig gemurmelten Worte werden begleitet von einem prüfenden Blick in meine Richtung – er fragt sich, ob ich der bevorstehenden Aufgabe gewachsen bin.

Um ihm das zu beweisen, komme ich gleich zur Sache. »Können Sie mir den Todeszeitpunkt sagen?«

»Kann ich.« Er nimmt das Klemmbrett vom Schreibtisch, schlägt eine Seite um und überfliegt seine Notizen. »Das Opfer wurde hier um zwölf Uhr dreizehn eingebucht, rektale Körpertemperatur, gemessen um zwölf Uhr siebenundzwanzig, war zweiunddreißig Komma acht.« Er sieht mich über den Rand seiner Brille hinweg an. »Ein Körper verliert etwa null Komma acht Grad pro Stunde, wobei diese Zahl von der Umgebungstemperatur beeinflusst werden kann. In diesem Fall waren die Temperaturen in keine Richtung extrem, weshalb ich diesen Wert genommen habe.«

Ich fange an, den Todeszeitpunkt im Kopf auszurechnen, doch er ist schneller. »Nach meiner Einschätzung ist dieser junge Mann heute Morgen gegen sieben Uhr dreißig gestorben. Das ist aber nicht sehr genau und kann sich noch ändern, wenn die Autopsie abgeschlossen ist und die Ergebnisse der toxikologischen Untersuchung vorliegen. Was Ihre Ermittlungen betrifft, gehen Sie am besten von plusminus einer Stunde aus, Todeszeitpunkt also zwischen sechs Uhr dreißig und acht Uhr dreißig.«

Ich notiere es mir. »Der Notruf ging um acht Uhr neun ein, das Zeitfenster kann also auf sechs Uhr dreißig bis acht Uhr neun eingegrenzt werden.«

»Haben Sie schon einen Verdacht, wer das getan haben könnte?«, fragt er.

»Noch nicht«, sage ich. »Bis jetzt tappe ich noch im Dunkeln.«

»Dann will ich Sie nicht lange aufhalten.« Coblentz steht auf und kommt um den Schreibtisch herum. »Ich hätte Sie nicht angerufen, wenn es nicht wichtig wäre, Kate. Ich glaube, Sie wollen das sehen.«

Als wir durch die Tür gehen, habe ich ein komisches Gefühl im Bauch. Im Korridor zeigt der Arzt auf die Nische, wo Carmen bereits einzeln verpackte Schutzkleidung für uns bereitgelegt hat. Gedankenverloren reiße ich die Plastikverpackung auf, schlüpfe in Kittel und Schuhüberzüge, ziehe die Plastikhaube auf und schiebe die Haare darunter, lege die Schutzmaske an und streife zum Schluss die Latexhandschuhe über.

Ich trete hinaus in den Flur, wo Doc Coblentz bereits wartet und mich unbehaglich lange ansieht. »Ich bringe das, so schnell ich kann, hinter uns«, sagt er.

Ich stelle ihm eine Frage, damit er aufhört, so besorgt zu klingen. »Und Sie sind noch immer sicher, dass es sich um Mord handelt?«

»Nachdem ich ihn mir genauer angesehen habe, schließe ich alles andere aus.« Er stößt die Schwingtüren auf. »Den Grund dafür können Sie gleich selbst sehen.«

Der große Autopsieraum ist bis zur Decke grau gefliest und in gleißendes Licht getaucht. Die Luft ist ungemütlich kühl und riecht trotz des hochmodernen Belüftungssystems nach Formalin und dem süßlichen Gestank verwesenden Fleisches. Ein junger Mann in OP-Kittel und Haube steht mit dem Rücken zu uns an einer Arbeitsplatte und ist mit etwas beschäftigt, das ich nicht sehen kann.

Die Leiche von Aden Karn liegt auf dem stählernen Seziertisch, bis zur Brust mit einem Laken bedeckt, über Kopf und Schultern ist ein papiernes Einwegtuch gebreitet. Doc Coblentz geht schnurstracks zum Seziertisch, zieht die Arbeitslampe herunter und knipst sie an.

Ich stehe in der Mitte zwischen Tür und Tisch, muss mich kurz sammeln und daran erinnern, dass ich Polizistin bin und das hier zu meinem Job gehört. In dem Bewusstsein, dass die Uhr tickt und der Täter noch auf freiem Fuß ist, gehe ich zum Seziertisch.

Doc Coblentz wartet geduldig, rückt währenddessen schweigend die Position der Lampe und des Papiertuchs zurecht, checkt die unaussprechlichen Instrumente auf dem Tablett. Als ich neben ihn trete, sieht er mich eindringlich an. »Vergessen Sie nicht, dass alles, worüber wir vor der Autopsie sprechen, nur vorläufig ist, Kate. Aber ich vermute, dass das, was ich Ihnen jetzt zeige, wichtig für Ihre Ermittlungen sein wird.«

»Das weiß ich zu schätzen«, höre ich mich sagen, überrascht, wie normal meine Stimme klingt.

Der junge Mann an der Arbeitsplatte dreht sich zu uns um. Seinen Mund kann ich wegen der Maske nicht sehen, doch in seinen Augen ist ein Lächeln. »Hi, Chief Burkholder.«

»Das ist Jared«, stellt der Doktor ihn vor. »Er arbeitet beim BCI und steht mir heute zur Seite.«

Jared sieht aus, als käme er frisch vom College und als würde die Leiche ihn völlig unberührt lassen – im krassen Gegensatz zu mir.

Ich nicke ihm zu, froh, selbst einen Mundschutz zu tragen, denn ein Lächeln bringe ich nicht zustande.

»Fangen wir an.« Doc Coblentz zieht das Papiertuch weg, und ein Schauder überläuft mich beim Anblick von Aden Karns Kopf und Schultern – wächsernes Fleisch. Das dunkle

Haar bildet einen scharfen Kontrast zur Totenblässe der Haut; ein Auge ist geschlossen, ein Lid halb geöffnet, der Mund wird von einer Edelstahlkonstruktion offen gehalten, die Lippen sind straff gespannt, die Zähne entblößt, die Zunge geschwollen und bleich.

»Ich zeige Ihnen jetzt die Eintritts- und Austrittswunden von zwei Verletzungen, also insgesamt vier Wunden.« Der Doktor klappt das Laken bis zu den Hüften des Opfers auf, entblößt einen mageren weißen Brustkorb mit ein paar Haaren, einen flachen Bauch und vorstehende Hüftknochen.

Es ist mein erster ungehinderter Blick auf die vom Blut gereinigte und drumherum rasierte Wunde. Sie hat die Form eines X oder Kreuzes, der Schnitt klafft auseinander, das Gewebe darunter ist tiefrot und feucht.

»Ich bleibe bei meiner ersten Einschätzung, dass diese Schnittwunden wahrscheinlich vom Bolzen einer Armbrust oder von einem Pfeil stammen«, sagt Coblentz. »Aber noch interessanter sind die Austrittswunden.«

Er nickt seinem Assistenten zu. Als die beiden Männer die Leiche auf die Seite drehen, widerstehe ich dem Drang, einen Schritt zurückzutreten. Die Austrittswunde in der Mitte des Rückens befindet sich direkt links neben der Wirbelsäule und hat die gleiche Form, ist aber etwas kleiner als die Eintrittswunde.

»Sieht aus, als hätte der Bolzen den Körper glatt durchdrungen«, sage ich. »Wir haben die Umgebung danach abgesucht, konnten aber nichts finden.«

»Das überrascht mich nicht.« Der Doc sieht mich an. »Ich bezweifle allerdings, dass er glatt durchgegangen ist, Kate. Ich glaube, der Bolzen ist stecken geblieben und wurde dann durch den Körper durchgestoßen, um ihn rauszubekommen.«

Glocks Worte klingen in meinen Ohren … *Vor ein paar*

Jahren war ich mit einem Freund auf der Jagd. Er hatte mit einer Armbrust einen großen Rehbock geschossen und den Bolzen dann nicht rausgezogen, sondern durchgestoßen. Was auch nicht einfach war.

Ich starre den Doktor an, habe Mühe zu sprechen. »Woran sehen Sie das?«

»Im Moment ist es nur eine Theorie, die sich während der Autopsie bestätigt oder auch nicht. Aber sie basiert auf zwei Hinweisen: Erstens lassen sich die Kreuzmarkierungen im Rücken und im Bauch nicht in eine Linie bringen. Wobei nicht vergessen werden sollte, dass es nicht leicht ist, einen Bolzen durch einen menschlichen Körper zu stoßen, und es einer gewissen Kraft bedarf. In diesem Fall – und vorläufig – sieht es so aus, als wurde der Bolzen beim Durchstoßen etwas gedreht. Das tut jemand, der ihn rauskriegen will. Und zweitens weist das Fleisch um die Austrittswunde leichte Risse auf, als hätte die Bolzenspitze nicht genug Stoßkraft gehabt, um glatt durchzugehen. Deshalb ist das Fleisch geweitet und gerissen.«

»Als hätte jemand ihn durchgestoßen«, murmele ich.

»Richtig.«

»War das Opfer da bereits tot?«

»Das weiß ich nicht. Eventuell kann ich die Frage nach der Autopsie beantworten, jedenfalls werde ich es versuchen.«

Ich denke kurz nach. »Sie haben gesagt, es gibt eine weitere Wunde.«

Der Doc verzieht das Gesicht, dann nickt er seinem Assistenten zu. Gemeinsam rollen sie die Leiche vorsichtig zurück auf den Rücken, woraufhin Coblentz zum Kopf des Toten tritt. »Bringen wir ihn in die richtige Lage«, sagt er zu Jared.

Ich sehe zu, wie die beiden Männer einen Block unter den Nacken des Opfers schieben, so dass der Kopf nach hinten geneigt ist. Als sie fertig sind, sieht der Doc mich an. »Ich hatte mich ja über das viele Blut gewundert, das am Tatort aus dem Mund gelaufen war.«

»Stimmt«, sage ich. »Ich bin davon ausgegangen, dass es von inneren Verletzungen stammt, Bauch oder Lungen.«

»Das hatte ich anfangs auch gedacht.« Wieder nickt er seinem Assistenten zu.

Jared legt eine Hand auf die Stirn des Toten und kurbelt mit der anderen an dem medizinischen Gerät, das den Kiefer weit öffnet. In der Stille des Raums kommt mir das Rattern ausgesprochen unangebracht vor. Er nimmt eine Zange, greift damit die Zunge und zieht sie vorsichtig ein Stück heraus, schiebt sie in den Mundwinkel.

Doc Coblentz richtet die Lampe so aus, dass sie in die Mundhöhle leuchtet, entfernt die Schutzhülle von einem langen Wattestab und zeigt damit auf einen Punkt im Mund.

»Hier an der Rückseite des Rachens ist eine Wunde, gleich hinter dem Gaumenzäpfchen«, sagt er. »Die war mir bei der ersten Inaugenscheinnahme beinahe entgangen.«

Ich will es mir nicht ansehen, doch ich trete ein Stück nach rechts und beuge mich vor. Mein Blick fällt auf das weißrosa Gaumenfleisch des toten Mannes, die bleiche Wölbung der Zunge, gesunde Zähne mit nur einem Loch im oberen Backenzahn …

Jesus.

Als Coblentz das Gaumenzäpfchen mit dem Wattestab zur Seite schiebt, wird hinten im Rachen die dunkelrote Wunde sichtbar. Der gleiche x-förmige Einschnitt wie im Bauch.

Verwirrt sehe ich den Doktor an. »Dann wurde er auch in den Mund geschossen?«, frage ich. »Mit dem Bolzen oder dem Pfeil einer Armbrust?«

»Das ist meine Vermutung.«

Unzählige entsetzliche Bilder gehen mir durch den Kopf,

aber keines davon taugt als Erklärung für so eine Wunde. »Wie kann ein Bolzen in den hinteren Rachenraum gelangen, ohne zuerst das Gesicht zu treffen, die Zähne oder die Lippen?«

»Das war zunächst auch meine Frage.« Der Blick des Arztes wandert zu seinem Assistenten, der den Block entfernt und den Kopf des Opfers wieder so positioniert, dass der Hinterkopf sichtbar ist.

Die Haare sind wegrasiert. Ich erkenne sofort das blutrote Kreuzzeichen.

»Der Bolzen ist also in den Mund eingedrungen und am Hinterkopf wieder ausgetreten«, murmle ich.

»Ja, ich glaube, so war es.«

Ich wende meinen Blick wieder dem Doc zu. »Es sei denn, es handelt sich um eine Art ungewöhnliches Vorkommnis und der Bolzen wurde abgefeuert, als der Mund des Opfers offenstand. Er kann unmöglich in den Mund gelangt sein, ohne die Lippen oder die Zähne zu treffen.«

»Das ist sicherlich ein logischer Gedankengang.« Er nickt wieder seinem Assistenten zu. »Der mir auch gekommen ist, und deshalb habe ich eine Röntgenaufnahme gemacht, bevor Sie gekommen sind.«

Jared geht zur Wand mit dem Röntgenbildbetrachter und knipst das Licht an, woraufhin die Schwarzweißaufnahme eines Schädels erscheint.

Doc Coblentz tritt dazu, benutzt den Wattestab wie einen Zeigestab. »Die Gewebeverletzung kann man nicht sehen«, sagt er. »Nur die Knochen. Aber aus dieser Perspektive erkennt man hier die Zähne und den Kiefer.« Er zeigt auf beides, dann fährt er mit dem Wattestab zum hinteren Teil des Schädels. »Hier können Sie die sekundäre Verletzung sehen, an der der Bolzen das Hinterhauptbein durchschlagen hat, nahe der Stelle, wo es mit dem Scheitelbein verbunden ist. Wobei die

Geschossbahn des Bolzens und der Winkel der Verletzung wichtig sind.«

»Für mich sieht es aus, als verliefe die Richtung des Bolzens aufwärts«, sage ich.

»Aber nur ein bisschen«, sagt er. »Wie Sie allzu gut wissen, haben die Verletzungen bei Morden meistens einen horizontalen Verlauf.«

»Aber das kann er sich doch nicht selbst zugefügt haben.« Ich höre selbst die Zweifel in meiner Stimme. »Beihilfe zum Selbstmord?«

»Das hier ist kein Selbstmord, nicht mit den beiden Wunden, von denen jede tödlich gewesen sein kann. Ich weiß mehr, wenn ich ihn geöffnet habe, Kate. Aber ich gehe davon aus, dass ihn der erste Schuss im Unterleib traf. Als das Opfer dann am Boden lag und sich vermutlich nicht mehr fortbewegen konnte, ist der Mörder zu ihm gegangen, hat ihm die Bolzenspitze in den Mund geschoben und die Armbrust ein zweites Mal abgefeuert.«

Er geht zurück zum Seziertisch und zeigt mit dem Wattestäbchen auf die Eintritts- und Austrittswunden, die die Geschossbahn des Bolzens beschreiben. »Der Bolzen durchdrang das weiche Gewebe im Mundrachenraum, was die Fleischwunden am Gaumensegel und der linken Mandel belegen. Dort ist auch Erbrochenes. Alles zusammen deutet auf Gewalt hin. Als die Waffe abgefeuert wurde, drang das Geschoss in das Gehirn und trat durchs Hinterhauptbein an der Rückseite des Schädels wieder aus.«

Ich habe Schwierigkeiten, mir die Brutalität eines solchen eiskalten Mordes auch nur vorzustellen – und dann noch begangen aus unmittelbarer Nähe. »Ob aus einem persönlichen Motiv oder aus purer Mordlust«, sage ich, »wer immer das getan hat, wollte sein Opfer töten.«

Der Doktor nickt. »Wie gesagt, habe ich einen forensischen Pathologen um Hilfe gebeten, Kate, weil das hier wahrscheinlich ein außergewöhnlich komplexer Fall ist.«

»Wie schnell können Sie – «

»Sobald er eintrifft«, unterbricht er mich. »Ich warte auf seinen Rückruf.«

Wir schweigen, und als würde Jared die Anspannung spüren, räuspert er sich und geht zurück zur Arbeitsplatte, wo er einige Instrumente auf dem Tablett neu ordnet.

»Es gibt noch etwas, was Sie wissen sollten.« Mit dem Wattestab zeigt er auf die Wunde im Unterleib. »Bei der Vorbereitung der Leiche für die Autopsie, als wir Röntgenaufnahmen und Fotos gemacht haben, ist Jared an der Eintrittswunde im Unterleib eine kleine Menge einer … fremdartigen Substanz aufgefallen.«

»Was für eine Art Substanz?«

Er zuckt mit den Schultern. »Keine biologische, mehr kann ich momentan nicht sagen.«

»Gift?«, frage ich.

»Keine Ahnung.«

»Eine Flüssigkeit? Pulver?«

»Flüssig und leicht ölig.« Er zeigt auf den Kopf des Toten. »Ich war neugierig geworden und habe die Wunde im Mund nach einer solchen Substanz gecheckt – und auch wirklich da die gleiche gefunden.«

»Und die Substanz stammt vom Bolzen?«, frage ich.

»Davon gehe ich aus.« Wieder zuckt er mit den Schultern. »Wir haben von beiden Stellen Proben genommen und zur Analyse ins Labor in London, Ohio, geschickt.«

Ich nehme mir vor, Tomasetti zu bitten, die Auswertung zu beschleunigen.

Doc Coblentz sieht mich über die Brille hinweg an, sein

Blick ist von Natur aus freundlich und geübt darin, all die Gefühle wahrzunehmen, die man vor anderen eifrig zu verbergen versucht.

»Eines ist gewiss, der Mörder hat sich Zeit gelassen«, sagt er.
»Er ist ruhig geblieben und hatte die nötige Körperkraft, um
die Bolzen durch einen menschlichen Körper zu stoßen. Und
mit dem zweiten Schuss hat er sichergestellt, dass Aden Karn
bei seinem Abgang tot sein würde.«

6. KAPITEL

Ein paar Minuten lang sitze ich bei offenem Fenster im Explorer und versuche, den Sinn all dessen zu erfassen, was ich vom Leichenbeschauer soeben erfahren habe. Anfangs hatte ich gehofft, der Tod von Aden Karn wäre einem Zusammentreffen unglücklicher Umstände geschuldet – dass jemand einfach blind in der Gegend herumgeschossen oder seine Waffe falsch gehandhabt hätte. Oder sogar, dass jemand einen Streich spielen wollte, der schiefgegangen war, der Schütze Panik bekommen hatte und weggelaufen war. Jetzt ist offensichtlich, dass keines dieser Szenarien zutrifft. Aden Karn wurde erschossen, als er mit dem Rad auf einer einsamen Landstraße fuhr. Als er verletzt am Boden lag, ging der Mörder zu ihm hin, steckte ihm einen Bolzen in den Mund und feuerte die Waffe ein zweites Mal ab. Eine Exekution aus nächster Nähe, kaltblütig und grausam. Was für ein Mensch begeht eine so abscheuliche Tat, und warum?

Jemand, der töten will. Ein Psychopath. Ein Sadist.

All das zusammen …

Auf dem Highway in Richtung Painters Mill wehrt sich mein Verstand gegen all diese Möglichkeiten.

Angela und Lester Karn haben gesagt, ihr Sohn wohne mit Wayne Graber, einem langjährigen Freund, zusammen, und laut Emily Byler war Wayne auch in den Verkauf des Pick-ups involviert.

Als ich durch Millersburg komme, rufe ich im Revier an. »Ist bei der Datenbanksuche etwas herausgekommen?«, frage ich.

»Graber ist sauber, Chief«, vermeldet Jodie, die die Abendschicht in der Zentrale übernimmt.

»Ich bin auf dem Weg zu seinem Haus, Jodie. Wer hat Dienst?«

»Skid.«

»Sagen Sie ihm zehn-fünfundzwanzig.« Er soll mich dort treffen.

»Verstanden.«

Ich gehe zwar nicht davon aus, dass es Probleme mit Graber gibt, da ich ihn aber nicht kenne – und Karns Mörder nicht identifiziert und noch auf freiem Fuß ist –, lasse ich lieber Vorsicht walten.

Aden Karn wohnt in einem Mietshaus in der Rockridge Road, ein paar Meilen entfernt von der Stelle, an der seine Leiche gefunden wurde. Es ist eine ruhige Schotterstraße, die zwischen zwei großen Maisfeldern verläuft und an der südlichen Gabelung des Painters Creek endet. Ich passiere ein Sackgassen-Schild, das von Schrotkugeln durchlöchert ist, und entdecke kurz darauf den Briefkasten. Die an der Seite draufgepinselte Nummer stimmt mit der Adresse überein, die Lois mir durchgegeben hat. Ich biege in die leicht ansteigende Zufahrt, die durch ein Kiefernwäldchen führt und wenig später den Blick freigibt auf ein Haus mit versetzten Ebenen, dessen unterer Teil gemauert ist, der obere eine Holzverschalung hat. Eine große Terrasse über einer Garage mit Vordach verbindet die versetzten Ebenen.

Rechts führt ein Schotterweg zu einer Werkstatt mit zwei Rolltoren, die beide geschlossen sind. Dahinter erstreckt sich eine Wiese entlang des Flusses. Näher zum Haus befinden sich eine viel benutzte Feuerstelle, mehrere Gartenstühle und ein Fünfzig-Gallonen-Fass voller Einschusslöcher. Fahrzeuge sehe ich nicht.

Es ist nach achtzehn Uhr und Graber ist wahrscheinlich noch bei der Arbeit oder auf dem Nachhauseweg. Ich hatte kurz überlegt, ihn anzurufen, wollte ihn aber lieber unvorbereitet antreffen. Ich parke vor dem Haus und steige aus, werde von Vogelgezwitscher begrüßt sowie dem Krächzen der Krähen im Maisfeld hinter dem Haus. Aber sowie die Vogelstimmen verstummen, ist es so still hier, dass ich beim leisesten Windhauch die Halme rascheln höre.

Auf dem Weg zum Haus drücke ich auf mein Ansteckmikro. »Zehn-dreiundzwanzig«, sage ich, melde meine Ankunft vor Ort.

»Verstanden.«

Ich gehe auf dem schlampig gepflasterten Pfad zur Eingangstür neben der Garage. Zu meiner Rechten liegt ein umgefallener Holzkohlengrill und vor der Tür eine vollkommen verdreckte Fußmatte. Die Tür ist im oberen Teil verglast und bietet einen ungehinderten Blick in ein kleines Wohnzimmer mit Secondhandmöbeln, einem verschmutzten Teppichboden und einem großen Fernsehbildschirm an der Wand.

Ich stelle mich ein Stück neben die Tür und klopfe, lausche dabei auf Ankunftsgeräusche von Skid und registriere so viele Details, wie ich kann. Im Inneren schleicht eine schwarze Katze an der Tür vorbei, unter dem Fenster auf der anderen Seite des Raums stehen ein paar dürre Pflanzen. Durch eine Innentür erkenne ich eine Art Einbauküche mit cremefarbenem Fußboden und Kiefernholzschränken.

Ich nehme mein Handy und rufe die Zentrale an.

»Hey, Chief.«

»Hier vor Ort ist niemand. Können Sie mir Nummer und Adresse von *Mast Tiny Homes* raussuchen?«, frage ich, weil ich denke, dass er vielleicht noch bei der Arbeit ist.

»Ich rufe gleich zurück.«

Ich stecke das Telefon in die Jackentasche und gehe zurück zum Plattenweg, bemerke erst jetzt den aufgemotzten Chevrolet Nova, der hinter meinem Wagen gehalten hat. Unangenehm überrascht beobachte ich, wie die Fahrertür auffliegt, ein junger Mann herausspringt und den Explorer in Augenschein nimmt. Er ist hochgewachsen, hat eine athletische Statur und trägt dunkle Hosen und ein Arbeitshemd. Die ganze Zeit über hat er sein Handy ans Ohr gedrückt und telefoniert wild gestikulierend.

»Hallo«, rufe ich ihm zu.

Als er meine Stimme hört, schreckt er zusammen, wirbelt herum und sieht mich an. »Was ist los?«, ruft er zurück. »Was ist passiert?« Er schiebt das Handy in die Tasche und kommt in schnellem Tempo auf mich zugelaufen.

Vorsicht, flüstert eine Stimme in mein Ohr, der Killer ist noch immer auf freiem Fuß. Ich kenne den Mann nicht, weiß weder, was er vorhat, noch, in welcher Gemütsverfassung er ist.

Im Bewusstsein, jederzeit das Ansteckmikro aktivieren zu können und die .38er griffbereit zu haben, hebe ich warnend die Hand. »Stop! Bleiben Sie, wo Sie sind«, sage ich. »Kommen Sie nicht näher, okay?«

Er verlangsamt den Schritt und bleibt stehen, sieht mich fragend an. »Ich hab gerade erfahren …« Seine Stimme bricht, als bekäme er keine Luft mehr. »Ich hab gerade gehört, dass Aden umgebracht worden ist.«

Waffen sehe ich nicht an ihm, aber es gefällt mir nicht, wie er mich ansieht – zu intensiv, zu aufgewühlt, zu verstört.

Ich stelle mich vor. »Und wie ist Ihr Name?«

»Wayne Graber«, sagt er. »Ich wohne hier.«

Die Beschreibung, die ich von Graber habe, passt. Zweiundzwanzig Jahre alt, blond, blaue Augen, Körperbau eines Läufers – ein gutaussehender Mann. Er trägt eine Basecap mit

Caterpillar-Logo, im Nacken hängt zu langes, gelocktes Haar heraus. Seine Kleidung ist schmutzig, wie nach einem Tag körperlicher Arbeit.

»Sie sind gerade von der Arbeit gekommen?« Ich hole meine Polizeimarke hervor und nähere mich ihm vorsichtig, bleibe aber mit etwas Abstand vor ihm stehen.

»Was zum Teufel ist mit Aden passiert?«, will er wissen. »Stimmt das?«

»Von wem wissen Sie das?«, frage ich.

Er unterdrückt einen frustrierten Laut. »Sein Vater hat angerufen. Er konnte kaum sprechen, hat gesagt, Aden sei heute Morgen umgebracht worden. Stimmt das?«

Die meisten Amischen haben kein privates Telefon. Die *Ordnung* – die ungeschriebenen Gesetze der Kirchengemeinde – verbietet das, eine Ausnahme wird nur für geschäftliche Zwecke gemacht. Zufällig weiß ich, dass Lester Karn in seinem Laden ein Handy unter der Verkaufstheke hat.

»Ich fürchte ja«, sage ich. »Heute Morgen ist es passiert.«

»O mein Gott.« Er hebt die Hand und presst die Finger auf den Nasenrücken. »Um Himmels willen, er ist *tot*? Wie ist das passiert?«

»Wir sind noch dabei, das herauszufinden.« Ich halte inne. »In welcher Beziehung standen Sie zu Aden?« Mir wurde zwar gesagt, die beiden Männer wären sehr gute Freunde und würden zusammenwohnen, aber ich frage ihn trotzdem, fühle ihm auf den Zahn. Es ist sowieso immer gut, sich Hörensagen bestätigen zu lassen.

»Er ist mein bester Freund.« Er zeigt zum Haus, wirkt hilflos, und seine Hand sinkt zur Seite. »Wir leben hier, ich hab ihn heute Morgen noch gesehen.«

»Es tut mir leid für Sie«, sage ich.

»Ja, Scheiße.« Er sieht an mir vorbei zum Haus, als erwarte

er, dass sein Freund herauskommt und sich alles als perverser Scherz entpuppt.

Ich gebe ihm einen Moment Zeit, um sich zu fassen, und zeige dann auf den Nova. »Woher kommen Sie gerade?«

Er blickt zu Boden und schüttelt den Kopf, als versuche er noch immer, mit der Neuigkeit klarzukommen. »Arbeit. Schluss ist um siebzehn Uhr, danach war ich noch auf ein Bier im Brass Rail. Aber dann hab ich den verfluchten Anruf von Lester gekriegt und bin hergerast und hab gehofft, es wäre ein Irrtum.«

In dem Moment kommt Skid mit dem Streifenwagen und bleibt hinter dem Nova stehen.

»Wann haben Sie Aden das letzte Mal gesehen?«, frage ich.

Er blickt kurz zum Streifenwagen, dann sieht er wieder mich an. »Das hab ich doch schon gesagt, heute Morgen vor der Arbeit.« Seine Stimme versagt, und er verstummt.

Ich ziehe meinen Notizblock hervor. »Um wie viel Uhr war das?«

»Gegen sechs Uhr dreißig. Wir hatten es beide eilig.« Er schließt die Augen, stößt ein Lachen aus. »Hatten beide einen Kater.«

»Wo hat Aden gearbeitet?«

»Bei Buckeye Construction«, sagt er. »Arbeitet da seit etwa einem Jahr. Er ist handwerklich geschickt, baut gerne Sachen.«

»Fährt er auch Auto?«

»Schon, aber er nimmt so ziemlich überallhin das Fahrrad. Ein Arbeitskollege holt ihn jeden Morgen am Treffpunkt ab.« Er verzieht das Gesicht, als kämpfe er wieder gegen hochkommende Gefühle an, und zeigt zur Werkstatt. »Aden hat vor ein paar Wochen sein erstes Auto gekauft. Eine echte Schrottkarre, aber mit starkem Motor. Er war ganz aufgeregt. Wir arbeiten schon dran, ist ein krasses Teil, wenn's fertig ist.«

Jetzt schließt er die Augen, als müsse er Tränen zurückhalten. »Scheiße.«

»Kennen Sie den Namen des Mannes, der ihn immer im Auto mitnimmt?«, frage ich.

»O Mann, Aden hat ihn ein paarmal erwähnt. Arbeitet auch für Buckeye, Kevin ... irgendwas.« Er zieht die Augenbrauen zusammen. »Waddell. Kevin Waddell, ja, so heißt er.«

Ich notiere den Namen. »Und wo genau holt er ihn ab?«

»Jesus.« Er wendet sich ab, geht zum Nova, legt beide Hände auf die Kühlerhaube und schüttelt den Kopf, als versuche er, aus einem bösen Traum zu erwachen. »Ein paar Meilen nördlich von hier. Treffpunkt ist der Parkplatz der alten Lutherkirche an der Township Road 34.«

Ich kenne die Gegend und die Kirche. Ist nicht besonders weit entfernt von Vernon Fishers Grundstück ...

Ich sehe Graber an, der aufrichtig erschüttert wirkt. Ich habe eine ziemlich gute Menschenkenntnis und erkenne in der Regel, wenn jemand lügt. Ein Schock ist besonders schwer zu simulieren, Kummer sogar noch schwerer. Andererseits habe ich schon Mörder aufrichtig um den Menschen trauern sehen, den sie umgebracht haben.

»Wie ist es denn passiert?«, fragt Graber, ohne mich anzusehen. »Hat ihn jemand überfahren oder was?«

»Es ist zwar noch nicht offiziell bestätigt, aber allem Anschein nach wurde er erschossen.«

»*Erschossen?* Mit einem Gewehr?« Er richtet sich gerade auf, sieht mich wieder an. »Sie meinen, aus Versehen?«

»Wir vermuten, dass er vom Bolzen einer Armbrust oder eines Kompositbogens getroffen wurde. Der genaue Hergang und die Details sind allerdings noch unklar, aber es war wohl absichtlich.«

»O mein Gott. Das ist ... verrückt. Warum sollte jemand –«

Den Mund zur Grimasse verzogen, schlägt er mit der Hand auf die Kühlerhaube, wütend und fassungslos. Als er mich wieder ansieht, hat er Tränen in den Augen. »Wer zum Teufel war das?«

Ich weiche seinem Blick nicht aus, und auch er hält meinem stand, blinzelt nicht. »Das wissen wir noch nicht.«

Skid ist inzwischen ausgestiegen und ein paar Meter entfernt stehen geblieben, beobachtet unser Gespräch.

»Mr. Graber, wissen Sie, ob Aden irgendwelche Feinde hatte?«, frage ich. »Gab es Streitigkeiten oder Probleme, die Sie mitbekommen haben?«

»Nein, Ma'am, er war ein echt entspannter Typ, hatte Humor. Alle mochten ihn, und das ist nicht gelogen. Sie –« Er hält inne. »Moment … Vernon Fisher und seine Loser-Kumpels. Aden und ich … wir hatten ihm einen Pick-up verkauft. Fisher ist wie ein Irrer damit rumgebrettert und hat den Motor gefetzt. Und dann hat er uns beschuldigt, wir hätten ihm eine Schrottkarre verkauft, und hat die Raten nicht gezahlt. Da sind Aden und ich eines Nachts zu ihm gefahren und haben uns den Wagen wiedergeholt.« Das ist die gleiche Geschichte, die Vernon Fisher mir erzählt hat, nur aus einer anderen Perspektive.

»Wenn der Pick-up kaputt war, wie haben Sie ihn dann hierhergebracht?«, frage ich.

»Abschleppseil und ein starker V-8-Motor.«

»Hatte Fisher Aden gedroht?«

»Prügel hat er ihm angedroht. Na ja, Fisher war ziemlich angepisst wegen dem Wagen … nachdem wir ihn uns geholt hatten. Er wollte seine Anzahlung zurück.«

Ich warte, aber es kommt nichts mehr. »Sonst noch etwas?«, dränge ich.

Er blickt weg, schüttelt den Kopf. »Hören Sie, ich werde nichts Schlechtes über Aden sagen, er war ein guter Kerl, Chief

Burkholder, Punkt. Aber ehrlich gesagt, finde ich, er hätte in Betracht ziehen sollen, Fisher seine Anzahlung zurückzugeben. Wir hatten den Wagen ja wieder, haben den Motor erneuert und ihn zum Laufen gebracht. Und nach einer Woche haben wir ihn schon weiterverkauft.«

»Und Fisher war sauer?«

»Stinksauer, würde ich sagen.«

»Glauben Sie, er ist zu einer Gewalttat fähig?«

Graber presst die Lippen zusammen, als zögere er mit der Antwort. »Fisher ist ein Arschloch, ein fieser Säufer. Hab ihn über die Jahre bei ein paar Schlägereien erlebt.«

»Mit wem?«

»Nur mit den Clowns, mit denen er abhängt. Und einmal hab ich gesehen, wie er sich mit 'nem Typ im Brass Rail geprügelt hat, und zwar ziemlich mies.«

Ich notiere alles. »Können Sie mir sagen, wie Sie den heutigen Morgen verbracht haben?«

»Ich?« Sein Gesichtsausdruck verdüstert sich. »Sie glauben, dass ich …« Er bricht den Satz ab, blickt kopfschüttelnd zu Boden. »Vielleicht sollten Sie das Vernon Fisher fragen«, sagt er gereizt.

»Alle werden befragt«, sage ich. »Auch Sie.«

Er hebt den Kopf, sieht von mir zu Skid und wieder zu mir. »Ich bin wie immer zur Arbeit gefahren. Sie können alle meine Kollegen fragen. Bin gegen sechs Uhr dreißig hier weg und laut Stechuhr um sieben Uhr am Arbeitsplatz gewesen.«

»Besaß Aden ein Mobiltelefon?«, frage ich.

»Nein, aber er hatte vor, sich eins anzuschaffen«, sagt er.

»Wie lange war er schon in der *Rumspringa*?«, frage ich.

Meine Aussprache des amischen Begriffes lässt ihn aufhorchen, und er betrachtet mich etwas genauer. »Sie sind die Polizistin, die mal amisch war.«

Ich nicke.

Er zuckt mit den Schultern. »Aden fing vor drei oder vier Monaten an, die Freiheiten der *Rumspringa* auszukosten. Immerhin war er einundzwanzig, also höchste Zeit ein bisschen Spaß zu haben. Er kam mir vor wie ein Fisch auf dem Trockenen, anfangs wusste er nicht mal, wie man sich betrinkt. Sie kennen ja die Amischen. Er ist quasi vom gottgefälligen Leben schnurstracks zur Party mit dem Teufel gegangen. Wahrscheinlich hab ich ihn verdorben.« Er lacht zwar, aber seine Stimme ist brüchig, als hätte er seine Gefühle nicht ganz unter Kontrolle. »Er mochte die Freiheiten und alles, aber ich bin davon ausgegangen, dass er sich ziemlich bald taufen lässt. Er war ja mit dem Mädchen der Bylers zusammen.«

»Emily Byler?«

Er nickt. »Aden war ziemlich verknallt in sie.«

»Haben die beiden sich gut verstanden?«, frage ich.

»Sie waren echt eng. Alle waren sicher, dass sie mal heiraten.«

»Hatte Aden sich noch mit anderen Frauen getroffen?«

Er blickt weg, schiebt die Hände in die Taschen und zuckt mit den Schultern.

»Wayne?«

Er seufzt. »Kann sein, dass er in den letzten Monaten … na ja, ein oder zwei englische Mädchen kennengelernt hat …« Er wird rot. »Hören Sie, er ist ein Mann und hatte gerade seine Freiheit entdeckt. Er mochte Frauen.«

»Gab es wütende Partner?«, frage ich. »Oder Ehemänner?«

»Nein, Ma'am, nichts in der Richtung. Ich meine, er war ziemlich diskret in diesen Dingen, als Amischer sowieso, und dann war er ja auch … mit Emily zusammen.«

»Kennen Sie die Namen der Frauen, mit denen er sich getroffen hatte?«, frage ich.

»Nein, Ma'am.«

Ich stecke den Notizblock zurück in die Tasche. »Haben Sie etwas dagegen, wenn wir uns kurz hier umsehen?«

Wieder huscht sein Blick zu Skid und zurück zu mir. »Wenn Sie glauben, dass es hilft ...«

Da meine Bitte ihn zu überraschen scheint, füge ich hinzu: »Mit Ihrer Erlaubnis kann ich darauf verzichten, einen Durchsuchungsbeschluss zu besorgen, was uns Zeit spart. Je früher wir den Mörder finden und wegsperren, desto besser für alle Beteiligten.«

»Sicher, dann ... tun Sie, was Sie für richtig halten, ich schließe Ihnen auf.«

Ich werfe Skid einen Blick zu, zeige zur Werkstatt, er nickt und macht sich in die Richtung auf.

Ich folge Graber zum Haus und warte unter dem Garagenvordach, während er aufschließt. »Sorry wegen dem Chaos hier«, murmelt er beim Hineingehen. »Ordnung ist nicht so unser Ding.«

Die Wohnung ist der Inbegriff einer Junggesellenbude. Es gibt ein schäbiges Sofa, dessen Armlehne von der Katze malträtiert wurde, auf dem aus den 1980ern stammenden Couchtisch ist eine dünne Staubschicht, und auf dem Boden liegen Sneakers herum.

»Hatte Aden einen Schreibtisch oder ein Büro?«, frage ich.

»Nee ... nur ein Zimmer.« Graber zeigt zum Ende des Flurs. »Dahinten ist es.«

Als ich hingehe, schießt eine weitere Katze aus dem Bad zu meiner Linken. Die Tür rechts von mir ist geschlossen. Ich stoße die Tür am Ende des Flurs auf und blicke in ein kleines, dunkles Zimmer, in dem es nach schmutzigen Socken riecht. Vor dem einzigen Fenster ist ein blaues Bettlaken mit Nägeln befestigt. Ich knipse den Lichtschalter an, aber es wird nicht hell, so dass ich meine kleine Taschenlampe hervorhole und damit durchs Zimmer leuchte. Links ist ein Wandschrank, dessen Tür einen Spalt offen steht. Ein ungemachtes Einzelbett, daneben ein Nachtschränkchen mit drei Schubladen, an der Wand steht eine klapprige Truhe.

Ich beginne mit dem Nachtschränkchen, durchsuche systematisch jede Schublade, finde nichts Ungewöhnliches: Ein Wegwerffeuerzeug, eine Rolle Klebeband, ein Kartenspiel, ein mit Gummiband zusammengehaltener Stapel bezahlter Strom- und Kabelanschluss-Rechnungen, eine Quittung von Walmart in Millersburg, eine Maiskolbenpfeife, die vage nach Marihuana riecht, und eine alte Polaroid-Kamera. Jedenfalls nichts, was mein Interesse weckt.

Als Nächstes sehe ich unter dem Bett nach, wo ein verknäueltes T-Shirt liegt und eine Box mit Kosmetiktüchern. Ich hebe die Matratze hoch und entdecke einen braunen Briefumschlag, ziehe ihn hervor. Es steht nichts drauf, doch innen drin sind Fotos. Ich hole sie heraus – und blicke einigermaßen schockiert auf krude Nahaufnahmen weiblicher Genitalien. Aber keines der sechs Fotos ist hinten beschriftet, und nirgendwo ist ein Gesicht mit drauf, so dass weder die fotografierte Frau noch der Fotograf identifiziert werden können.

Im Staate Ohio gibt es kein Gesetz gegen den Besitz von Pornographie, solange keine Minderjährigen involviert sind und die fotografierte Person zugestimmt hat. Erwachsene können tun, was sie wollen. Doch in Anbetracht der Tatsache, dass ein junger Mann ermordet wurde, sind diese Fotos vielleicht relevant. Ich kann nicht ausschließen, dass Karn aus Rache getötet worden ist, weil er Pornofotos ins Netz gestellt hat. Zwar habe ich keinen offiziellen Durchsuchungsbeschluss, dafür aber die Erlaubnis, mich hier umzusehen. Ich kann also ein Beweisstück mitnehmen, das für den Fall relevant sein könnte, und später einen offiziellen Durchsuchungsbeschluss beantragen.

Ich kontaktiere Skid via Ansteckmikro. »Wo sind Sie?«

»Bin gerade mit der Werkstatt fertig.«

»Irgendwas gefunden?«

»Nur einen Haufen beschissene Wespen.«

»Ich bin im Haus, im hinteren Schlafzimmer. Und bringen Sie Ihr Spurensicherungsset mit, ja?« Alle meine Officer haben so ein Set in ihren Fahrzeugen.

»Verstanden.«

Ich stecke die Fotos zurück in den Umschlag, lege ihn aufs Bett und gehe zum Wandschrank, öffne die Tür und leuchte mit der Taschenlampe hinein. Für einen einundzwanzigjährigen Junggesellen war Karn ausgesprochen ordentlich: Arbeitskleidung auf einer Seite, einige schöne Shirts und Hosen auf der anderen, ein paar Sneakers ordentlich nebeneinander aufgestellt, mit der Spitze nach vorne. Es gibt auch ein Regal, das aber dreißig Zentimeter über meinem Kopf hängt, so dass ich nicht erkennen kann, ob sich etwas darauf befindet. Also strecke ich den Arm aus und fahre ich mit der Hand über die Oberfläche und stoße mit den Fingerspitzen an etwas, das sich wie eine Pappschachtel anfühlt und von unten nicht zu sehen war.

»Chief?«

Ich blicke zurück über die Schulter und sehe Skid ins Zimmer kommen. »Gutes Timing«, sage ich. »Da oben steht etwas, an das ich nicht drankomme.«

»Ich hol's runter.« Er tritt näher, stellt sich auf die Zehenspitzen und zieht einen Schuhkarton vom Regal. »Bitte schön.« Er reicht ihn mir.

Ich hebe den Deckel an und spüre, wie meine Wangen beim Anblick eines lilafarbenen Dildos heiß werden. »Tja …«

»Oha«, stößt Skid lachend aus, klingt jedoch verlegen.

Froh, meine Latexhandschuhe anzuhaben, leuchte ich mit

der Taschenlampe in die Box, sehe mehrere Kondompackungen, eine Gleitmitteltube und einen Vibrator.

Skid räuspert sich. »Nun gut.«

»Jap.« Ich zeige zum Briefumschlag auf dem Bett. »Da drin sind einige … pornographische Fotos.«

»Polaroid?«

Ich nicke. »Keine Ahnung, ob das irgendwie wichtig oder relevant ist.«

»Scheint mir ein bisschen viel für einen amischen jungen Mann.«

»Finde ich auch.«

Er nickt, sieht mich jedoch nicht an. »Nehmen wir die Sachen mit?«

Ich kann nicht sagen, ob er das ernst meint, also lächele ich nicht. »Ein paar Fotos nehme ich mit, falls sich herausstellt, dass es sich um eine Art Rache für die Pornos handelt. Wir können ja immer hierher zurückkommen, wenn es sinnvoll erscheint.«

In den nächsten zwanzig Minuten sehen wir uns weiter im Haus um, checken die Küchenschubladen, den Schreibtisch beim Wohnzimmer und selbst das Badezimmer und die Garage, finden aber nichts, was im Zusammenhang mit dem Mord an Aden Karn auch nur annähernd interessant wäre. Das Einzige, was bislang aus allem hervorsticht, ist der Streit wegen des Pick-ups. Sechshundert Dollar sind zwar nicht gerade ein Grund zum Töten, die traurige Wahrheit ist jedoch, dass Menschen schon wegen weniger umgebracht wurden.

7. KAPITEL

Die ersten Phasen einer Mordermittlung sind eine wilde Mischung aus Zeugenbefragungen, falschen Annahmen, abrupten Unterbrechungen und Schlafentzug. Fast zwölf Stunden sind vergangen, seit Aden Karns Leiche gefunden wurde, und ich kann nichts weiter vorweisen als eine halbgare Theorie und Kopfschmerzen so mächtig wie der Eriesee.

Ich habe mehrmals telefonisch versucht, Mike Rasmussen zu erreichen, den Sheriff von Holmes County, sowie John Tomasetti. Er ist Agent beim Ohio Bureau of Criminal Investigation – und außerdem der Mann, den ich in ein paar Tagen heiraten werde. Leider hat mich keiner der beiden Herren zurückgerufen.

Jetzt sitze ich in meinem winzigen Büro im Revier und versuche, meinen koffeinbetriebenen und frustrierten Denkapparat auf Trab zu bringen. Als Jodie von der Abendschicht in der Telefonzentrale den Kopf zur Tür reinsteckt, hat sich der erwünschte Erfolg noch nicht eingestellt.

»Es sind alle da, Chief«, sagt sie und meint mein kleines Team aus Officern. »Einschließlich der Pizza.«

In meiner Verzweiflung lächele ich. »Sie haben ja keine Ahnung, wie froh ich bin, das zu hören.«

Ausgerüstet mit Schreibblock und der Akte, die ich in den letzten Stunden zusammengestellt habe, folge ich ihr ins Besprechungszimmer. In den winzigen Raum passen mit Müh und Not der ramponierte Tisch, sechs zusammengewürfelte Stühle und alle meine fünf Officer. Der Duft von Pizzateig und

Peperoni steigt mir in die Nase, als ich zum Kopfende des Tisches gehe.

»Tut mir leid, dass ich Sie noch so spät herbemühen musste, aber vermutlich haben Sie alle von dem Mord heute Morgen gehört.« Ich blicke auf den Pappteller mit den zwei Stücken Pizza, die mir jemand hingestellt hat. »Ich denke, wir können reden und dabei essen.«

»Wird sich zeigen«, murmelt Pickles von seinem Platz mir gegenüber.

Da wir alle schon einen ganzen Arbeitstag hinter uns haben, komme ich gleich zur Sache und fasse kurz zusammen, was ich im Leichenschauhaus erfahren habe.

»Ich neige zu der Annahme, dass Karn gezielt ins Visier genommen wurde«, sage ich. »Der Killer wusste, wann und wo er zur Arbeit fährt, und war sich offensichtlich sicher, ungesehen verschwinden zu können.«

»Die Stelle hat er gut ausgesucht.« Mona Kurtz ist Berufsanfängerin und die einzige Frau unter meinen Officern. Beim Brainstorming zögert sie nie, ihre Gedanken einzubringen, was ich sehr zu schätzen weiß. »Die Hansbarger Road ist sehr abgelegen.«

»Und es gibt eine Menge Bäume«, fügt Skid hinzu.

Ich sehe Pickles an. »Was haben Sie und T. J. über den Verkauf von Armbrüsten und Bolzen in der Gegend herausgefunden?«

Er richtet sich im Stuhl auf und öffnet sein Notizbuch. »Als Erstes hab ich mit Larry Peterson von *Nussbaum Sports* gesprochen. Sie verkaufen weder Armbrüste noch Kompositbögen. Dann war ich bei Pat Donlevy von *Donlevy Sporting Goods*.« Er blickt auf seine Notizen. »In den vergangenen sechs Monaten haben sie drei Armbrüste, einen Kompositbogen und ein halbes Dutzend Schachteln mit Bolzen verkauft.«

Er rasselt die Namen von vier Personen herunter, von denen

ich zwei vom Grüßen auf der Straße flüchtig kenne. »Ist einer der vier vorbestraft?«, frage ich.

»Sind alle sauber«, wirft T. J. ein.

Was sie nicht automatisch ausschließt, aber es ist immer gut zu wissen. »Gehen Sie zu ihnen, finden Sie heraus, ob es irgendeine Verbindung zu Karn gibt. Und checken Sie ihre Alibis. Fragen Sie, ob sie ihre Waffen verliehen haben.«

»Ja, Ma'am.«

»Wenn dabei nichts herauskommt, weiten wir den Zeitrahmen von sechs Monaten auf ein Jahr aus und schließen die Sportgeschäfte in Millersburg mit ein.« Ich sehe Pickles an. »Apropos, ich möchte, dass Sie dort zu Walmart gehen, vielleicht kommt dabei ja was raus.«

»Mach ich«, sagt er.

Ich blicke auf meine Notizen. »Glock, was ist bei der Befragung herausgekommen?«

»Ich war auf sämtlichen Farmen in der Umgebung, Chief.« Er zählt die Straßen auf, die die Hansbarger Road kreuzen. »Und auf zwei weiteren nahe der Landstraße. Ein paar Leute sagten, sie hätten Karn morgens und abends auf seinem Fahrrad gesehen, aber nicht heute Morgen. Und irgendwelche andere Personen, zu Fuß, mit dem Auto, dem Buggy oder mit dem Rad, hat auch keiner gesehen. Was nicht weiter ungewöhnlich ist.«

»Hat einer von ihnen oder ein Nachbar eine Überwachungs- oder Wildkamera?«

»Eine Wildkamera.« Er verzieht das Gesicht. »Die Batterie war leer.«

»Haben Sie Buckeye Construction kontaktiert?«, frage ich.

»Hab mit Karns Chef geredet, Herb Schollenberger. Er meinte, Karn sei ausgesprochen beliebt gewesen, alle wären gut mit ihm ausgekommen. Und er war zuverlässig, hat keinen einzigen Tag gefehlt. Weder mit Kollegen noch mit Kunden hat es jemals Probleme gegeben.«

»Aber irgendjemand mochte ihn definitiv nicht«, murmelt Pickles.

»Wayne Graber, mit dem er zusammenwohnt, hat mir erzählt, dass ein Mann namens Kevin Waddell ihn am Treffpunkt abholt«, sage ich.

»Waddell wohnt in Painters Mill.« Glock blickt auf sein Smartphone, scrollt durch seine Notizen und liest dessen Adresse vor, die ich notiere.

»Fährt sonst noch jemand im Auto mit?«, frage ich.

»Noch zwei Amische.« Er liest die Namen der Männer vor, die ich beide kenne. »Sie treffen sich alle an der Lutherkirche.«

»Fahren Sie zu ihnen hin und reden Sie mit ihnen.«

»Ja, Ma'am.«

Ich blicke zu Jodie, die in der Tür steht, um gegebenenfalls das Telefon hören zu können. »Lassen Sie Waddell durch LEADS laufen. Und richten Sie eine Hotline für Hinweise ein, fünfhundert Dollar Belohnung für Tipps, die zur Verhaftung führen. Anrufer können anonym bleiben. Posten Sie die Infos in den sozialen Medien, und rufen Sie Steve Ressler von *The Advocate* an. Es gibt immer noch einige Leute, die Zeitung lesen. Wenn Sie Unterstützung brauchen, wenden Sie sich an Lois und Margaret.«

Den Daumen nach oben gestreckt, geht sie zurück an ihren Arbeitsplatz.

Ich sehe meine Officer an. »Ich muss Ihnen sicher nicht sagen, dass Überstunden ein Muss sind, solange wir nicht wissen, wer das getan hat. Bleiben Sie dran. Ich bin rund um die Uhr erreichbar.«

* * *

Auf dem Weg zu dem Mobilheimpark, wo Kevin Waddell lebt, werden meine Gedanken von der Brutalität beherrscht, mit der Aden Karn getötet wurde. Ich habe noch nie eine Armbrust besessen oder abgeschossen, aber schon mal gesehen, wie sie jemand benutzt hat. Sie kommt mir schwer und unhandlich vor, ist nur langsam zu laden und kann nicht verdeckt getragen werden. Nur jemand, der mit so einer Waffe gut vertraut ist, geht das hohe Risiko ein, damit einen Mord zu begehen. Die Hansbarger Road ist eine wenig befahrene Straße mit nur einer Handvoll Farmen in der Umgebung. Wer immer Karn aus dem Hinterhalt überfallen hat, ist nicht zufällig auf ihn gestoßen und hat ihn nicht aus einem bloßen Impuls heraus getötet. Nein, der Mord war geplant. Der Killer wusste, dass Karn dort vorbeikam, er kennt die Gegend und vertraute seiner Fähigkeit als Armbrustschütze, ihn töten und ungesehen verschwinden zu können.

Kevin Waddell lebt in einem neueren, sehr großen Mobilhaus auf einem schönen Grundstück mit schattenspendenden alten Ulmen und Eichen. In diesem Bereich stehen ein Dutzend weitere Mobilhäuser mit großzügigem Abstand zueinander, alle mit befestigten Einfahrten und gepflegten Vorgärten. Ich parke am Straßenrand und gehe auf dem Fußweg zur Veranda, brauche gar nicht zu klopfen, um zu wissen, dass niemand zu Hause ist. In der Einfahrt steht kein Wagen, und aus dem Haus dringen weder Geräusche eines Fernsehers noch die eines Radios.

»Das war ein Schuss in den Ofen, Burkholder«, murmele ich.

Ich gehe zurück zum Explorer, schiebe mich hinters Lenkrad und bleibe einen Moment lang einfach sitzen. Es ist schon spät, ich bin müde und schlecht gelaunt. Für Polizisten, weibliche wie männliche, die in einem Mordfall ermitteln, ist es extrem schwer, nach Hause zu gehen, wenn ein Mörder noch auf freiem Fuß ist. Denn wie kann man Feierabend machen, wenn die Menschen, für deren Sicherheit man zu sorgen hat, in Gefahr sind? Zwar schaffen es einige Polizisten, die quälende, drängende innere Stimme zum Schweigen zu bringen und dem Drang, immer weiterzumachen, Einhalt zu gebieten, doch ich kann das nicht. Ich muss auch dann weitermachen, wenn ich mit meinen Kräften am Ende bin, manchmal zu meinem eigenen Schaden. Ob gut oder schlecht oder irgendetwas dazwischen, so bin ich nun mal.

Ich stoße einen Seufzer aus, nehme mein Handy und öffne eine Karte der Gegend. Buckeye Construction ist unweit südlich von Millersburg. Ich verkleinere die Karte, so dass der Tatort und der Treffpunktbei der Lutherkirche mit drauf sind, und schätze die Entfernung zu meinem Standort. Wenn ich die einzelnen Punkt miteinander verbinde, schließt das Dreieck den einen Ort mit ein, der einen Mann nach einem langen Arbeitstag anlocken könnte: den Brass Rail Saloon.

Ich rufe im Revier an. »Ist bei der Überprüfung von Waddell etwas herausgekommen?«, frage ich.

»Ein Haftbefehl liegt nicht vor, vor sechs Jahren eine Verurteilung wegen Körperverletzung, es war ein Vorfall in Wooster; sechzig Tage Gefängnis und eine Geldstrafe. Außerdem zwei Strafen wegen Trunkenheit am Steuer, die erste vor vier Jahren, die zweite vor drei. Ein Jahr Führerscheinentzug, dreißig Tage im Gefängnis plus Geldstrafe.«

»Ich stehe mit dem Auto vor seinem Mobilhaus«, sage ich. »Er ist nicht da, und ich fahre noch kurz im Brass Rail vorbei, bevor ich zurück ins Revier komme.«

»Seien Sie vorsichtig, Chief. Donnerstagabends soll es da ziemlich wild zugehen.«

»Das wissen Sie aber nicht aus eigener Erfahrung, oder?«

Sie kichert. »Ich berufe mich auf mein Recht, die Aussage zu verweigern.«

* * *

Als ich auf den Parkplatz des Brass Rail Saloon biege, hängen noch die letzten Reste des Tageslichts am Horizont. Der Schotterplatz ist so rappelvoll mit Autos, dass ein paar schon auf dem angrenzenden Gras parken. In der Hoffnung, Waddells weißen Van zu sehen, fahre ich langsam über den Platz und entdecke ihn tatsächlich in einer der vorderen Reihen, was heißt, dass er schon eine Weile hier ist. Wobei ich nicht sicher bin, ob das gut oder schlecht ist.

Ich entdecke einen Parkplatz neben einem Ford mit angehängtem leeren Viehtransporter und gehe zum Eingang, vor dem eine Gruppe rauchender junger Frauen mit Bierflaschen in der Hand auf der Treppe Spalier steht.

»Guten Abend«, sage ich.

Die Frau, die auf dem Treppengeländer sitzt, sieht mich augenrollend an. Als ich dann die Tür aufstoße, dringt mir ein geflüstertes »Bullenschlampe« ins Ohr, was ich ignoriere. Hier ist die Polizei nicht gern gesehen.

Beim Betreten des Brass Rail dringt der kreischende Akkord einer Steelguitar in meine Ohren. Es wimmelt von Donnerstagabend-Partygängern, Männern wie Frauen, die sich schon mal aufs Wochenende einstimmen. Die Band auf der Bühne hämmert eine Kettensägenvariante des Lou-Reed-Songs »Sweet Jane«, wobei aufsteigender Nebel aus einer Trockeneismaschine die Lightshow effektvoll untermalt. Vor fünfzehn Jahren wäre ich sicher gebührend beeindruckt gewesen, doch heute Abend lässt mich das pompöse Theater nur kurz aufseufzen.

Auf dem Weg zur Bar erregt meine Uniform viel Aufmerksamkeit. Mit einigen Leuten, die ich kenne, nehme ich Blickkontakt auf, aber keiner grüßt mich. Nur der Barmann nickt mir zu, als er mich kommen sieht. Seit ich Chief in Painters Mill bin, serviert Jimmie seinen Gästen Bier und Klugscheißerkommentare. Er ist Anfang vierzig, benimmt sich aber wie ein Zwanzigjähriger und sieht todschick aus in dem weißen Button-down-Hemd, dem Goldkettchen und den Jeans. Sein Spitzbart verdeckt größtenteils die Narbe, die sein Kinn zweiteilt. Er hat mir erzählt, sie stamme von einem Autounfall, aber einem Gerücht zufolge verdankt er sie dem Baseballschläger eines Bikers. Jimmie hat zwar nicht den besten Ruf, weiß aber immer, wenn etwas im Busch ist. Es ist mir wichtig, ihn nicht zu verärgern, denn mürrisch oder nicht, ist er doch meistens eine zuverlässige Quelle.

»Hey, Jimmie«, sage ich und trete an die Bar. »Läuft's gut?«

Er sieht mich über den Zapfhahn hinweg düster an, füllt weiter die zwei Biergläser in seiner Hand. Sein harter Blick hat etwas Geringschätziges, aber ich weiß, dass es nicht persönlich gemeint ist. »Wollen Sie etwas trinken?«

»Eiswasser.«

Er holt ein Glas unter dem Tresen hervor, schaufelt Eiswürfel aus dem Eisbehälter hinein, füllt es mit Leitungswasser auf und schiebt es mir profimäßig hin. »Hab vom Mord in der Hansbarger Road gehört. Wisst ihr schon, wer das war?«

»Wir arbeiten dran.« Da der Mann neben mir unser Gespräch belauscht, dämpfe ich meine Stimme. »Ich bin auf der Suche nach Kevin Waddell.«

»Der ist hier.« Jimmie nimmt die beiden gefüllten Gläser und bringt sie den zwei Männern weiter unten an der Bar.

Die Musik ist zu laut, um ein Gespräch zu führen, besonders eines, das unter uns bleiben soll. Also stütze ich mich mit dem Ellbogen auf die Bar und beobachte ein Paar, das auf die Tanzfläche stolpert und einen wilden, hüftschwingenden Lambada hinlegt.

»Was wollen Sie denn von Waddell?« Jimmie reiht vier Shot-Gläser auf und füllt jedes mit einem großzügigen Schuss Patron-Tequila.

»Nur mit ihm reden.«

Er sieht mich scharf an. »Er gibt heute gutes Trinkgeld.«

Ich trinke einen Schluck. »Dann werde ich mich bemühen, ihm die Lust daran nicht zu verderben.«

Er schenkt mir ein müdes Lächeln. »Zuletzt hab ich ihn hinten in der Nische bei der Männertoilette gesehen.«

Ich lege einen Zehndollarschein auf den Tresen und schlängele mich zwischen den Leuten hindurch Richtung WC, wo Waddell mit drei weiteren Männern in einer Nische sitzt und sich angeregt unterhält. Vor ihm auf dem Tisch stehen ein Bierkrug und vier Gläser. Laut Führerschein ist er zweiunddreißig Jahre alt, sieht aber älter aus. Lange blonde Haare, ungepflegter Bart, hellblaue Augen. Er hat den drahtigen Körper und die sehnigen Muskeln eines Mannes, der mit den Händen arbeitet.

Vor dem Tisch bleibe ich stehen. »Kevin Waddell?«, sage ich und sehe ihn an.

Vier Augenpaare richten sich auf mich, in denen ich unterschiedliche Grade von Überraschung, Trunkenheit und Unbehagen vermischt mit Neugier erkenne. Und ein bisschen Verachtung als Zugabe.

Waddell setzt sein Bier ab. »Kann ich Ihnen helfen?«

Seine lallende Aussprache und die glasigen Augen verraten mir, dass das nicht sein erstes Bier ist und wohl kaum sein zweites. Nicht gerade eine ideale Situation, um Informationen zu bekommen, aber bis morgen will ich auch nicht warten.

»Tut mir leid, dass ich Sie hier stören muss«, sage ich.

»Wenn Sie einen Moment haben, würde ich Ihnen gern ein paar Fragen stellen.«

Die vier Männer werfen sich Blicke zu, die besagen, dass sie vermutlich von dem Mord gehört haben. Der Mann neben Waddell grinst, stößt ihn mit dem Ellbogen an. »Ich hab dir ja gesagt, dass sie dich holen.«

»Wenigstens ist sie dabei nett«, sagt einer der anderen Männer.

»Übel sieht sie auch nicht aus.« Er kichert. »Und es ist noch nicht mal Mitternacht.«

Ich lasse alles an mir abgleiten.

Waddell überwindet sich nicht mal zu einem Lächeln. »Geht's um Karn?«

Ich nicke. »Hier drin ist es ein bisschen laut«, sage ich. »Wären Sie so nett und kommen mit mir nach draußen?«

Die Blicke, die uns auf dem Weg zum Hinterausgang folgen, entgehen mir nicht. Ich stoße die Tür auf, hinter der rechts von mir zwei Männer stehen und rauchen, weshalb ich nach links gehe und neben dem Müllcontainer anhalte.

»Worum geht's?«, fragt Waddell, der mir langsam nachkommt und versucht, nüchtern zu wirken. Mit kerzengeradem Rücken setzt er akribisch einen Fuß vor den anderen, wie jemand, der einen Alkoholtest macht.

»Sie sind nicht in Schwierigkeiten«, sage ich als Erstes, hoffe, ihn damit zu beruhigen.

»Das ist gut, ich hab nämlich nichts angestellt.«

»Ich hab gehört, Sie hätten Aden Karn jeden Tag zur Arbeit mitgenommen.«

»Das ist nicht verboten, oder?«

Ich teile ihm die wichtigsten Fakten des heutigen Morgens mit. »Er wurde gegen acht Uhr in der Hansbarger Road gefunden.«

»Verdammt. Ich hab's schon gehört, echt schlimm. Er war ein netter Kerl.« Er schüttelt den Kopf. »Hansbarger ist nur ein paar Meilen von unserem Treffpunkt an der Eisbude bei der alten Lutherkirche entfernt.«

Ich nicke. »Wie gut kannten Sie Karn?«

»Wir haben ein paar Monate zusammengearbeitet. Er war ja amisch, und ich hatte ihm angeboten, ihn mitzunehmen, weil ich praktisch jeden Tag ganz in seiner Nähe vorbeikomme.«

»Waren Sie befreundet?«

»Na ja, wir verkehrten nicht in denselben Kreisen oder so, aber ich hab nach der Arbeit hin und wieder ein oder zwei Bier mit ihm getrunken, hier im Brass Rail.« Er lacht, als erinnere er sich gerade daran. »Gutaussehender Junge, war ein echter Mädchenschwarm.«

Ich stelle ihm die gleichen Fragen wie zuvor Wayne Graber und den anderen, aber ich erfahre nichts, was ich nicht schon weiß.

»Aden war bei allen beliebt«, sagt er. »Er war immer pünktlich, man hat gemerkt, dass er amisch ist, zum Beispiel an der guten Arbeitsmoral und so. Glauben Sie mir, heutzutage kann man das von vielen jungen Leuten nicht mehr behaupten.«

»Hatte Aden vielleicht mit jemandem Probleme?«

Waddell kratzt sich am Kopf. »Wo Sie mich das jetzt fragen … irgendwie gab es wohl Stress mit seinem Kumpel.«

»Welchen Kumpel meinen Sie?«

»Der ihm den Pick-up abgekauft hat.«

»Vernon Fisher?«

Er schnippt mit den Fingern. »Genau der.«

Keiner hatte bislang erwähnt, dass Fisher und Karn befreundet waren. Ich bin davon ausgegangen, dass der Autoverkauf die einzige Verbindung war. »Dann waren die beiden befreundet?«

105

»Gute Freunde sogar. Ein paarmal hab ich hier mit ihnen ein Bier getrunken. Aber meistens haben sie in der alten Tankstelle rumgehangen und an Autos geschraubt. Getrunken und Musik gehört und so. Dann ist die Sache mit dem Pick-up passiert, und die ganze Freundschaft ging den Bach runter.« Er erzählt mir die gleiche Geschichte wie schon Vernon und Wayne.

»Hat Vernon Fisher oder vielleicht sonst jemand Aden bedroht?«, frage ich.

»Ich weiß nur, dass Fisher ziemlich sauer auf Aden und Graber war, weil sie den Wagen wieder einkassiert haben. Er wollte sein Geld zurück. Das Ganze hat ihre Freundschaft kaputtgemacht, dabei kannten sie sich von klein auf. Mehr weiß ich auch nicht.«

8. KAPITEL

Wenn ich zu Hause eintreffe, empfinde ich jedes Mal eine stille Freude. Es ist ein Moment, in dem der Rest der Welt verschwindet, und für kurze Zeit bin ich genau dort, wo ich sein will. Als ich jetzt den Explorer neben Tomasettis Chevrolet Tahoe parke, ist es fast zweiundzwanzig Uhr. Ich habe ihn tagsüber zweimal angerufen, und normalerweise meldet er sich zumindest per SMS, auch wenn er Stress hat oder in einem Meeting ist. Heute allerdings nicht. Dabei hat er sicher vom Mord an Karn gehört. Ich nehme mir vor, meine Irritation darüber nicht zu zeigen, und gehe mit der Laptoptasche in der Hand zur Tür.

In der Küche riecht es nach Pasta und Knoblauch. In dem geschlossenen Topf auf dem Herd köchelt es leise vor sich hin. Der Tisch ist für zwei Personen gedeckt, auf der Ablage neben der Spüle sehe ich eine Weinflasche und einen Flaschenöffner. Ich durchquere Küche und Wohnzimmer und steuere schnurstracks auf das kleine Schlafzimmer zu. Wir haben es zum Homeoffice umfunktioniert, und heute Abend muss ich noch weiter an dem Fall arbeiten – hauptsächlich um Dinge zu erledigen, zu denen ich tagsüber nicht gekommen bin. Aber zuerst will ich Tomasetti sehen, mich bei einem Glas Wein mit ihm unterhalten und schnell etwas gemeinsam essen.

Die Bürotür steht offen, aber Licht brennt keins. Ich gehe ins Zimmer und will die Schreibtischlampe anmachen, als ich Tomasetti bemerke, der am Schreibtisch sitzt und auf seinen Laptop blickt, neben sich auf der Schreibunterlage ein Glas mit zwei Fingerbreit Whiskey. Das blaue Licht des Bildschirms ist hell genug, um den Verdruss in seinem Gesicht zu erkennen – die angespannten Kinnmuskeln, die schmalen Lippen; die Augen, die ich so gut kenne und die mir so viel verraten, auch wenn ich etwas nicht wissen soll. Er blickt verwundert auf, versucht, seinen finsteren Gesichtsausdruck vor mir zu verbergen.

»Ich hab dich gar nicht kommen hören«, sagt er mit rauer Stimme.

»Tut mir leid, wenn ich dich überrascht habe.« Ich lege meine Laptoptasche neben dem Schreibtisch auf den Boden. »Nachtarbeit?«, frage ich.

»Hauptsächlich nachdenken«, sagt er.

»Ist alles in Ordnung?«

Er bedenkt mich mit einem demonstrativen Stirnrunzeln, weiß, dass er es trotz seines halbherzigen Versuchs, mich zu täuschen, vermasselt hat. »Alles bestens.«

»Aha, bestens?« Ich trete zu ihm. »Dann ist es ja gut!«

Er verzieht das Gesicht, steht auf, und ich schlinge die Arme um seinen Hals.

»Ich bin froh, dass du zu Hause bist«, sagt er nach einer Weile.

»Ich auch«, erwidere ich und schließe die Augen, als er mich an sich drückt. Ein paar Sekunden lang schweigen wir, öffnen uns füreinander, geben, was wir können, nehmen, was wir brauchen.

Als er mich freigibt, knipse ich die Schreibtischlampe an. Er blinzelt wegen der plötzlichen Helligkeit. »Tut mir leid, dass ich dich nicht zurückgerufen habe«, sagt er. »Ich hab von dem Mord gehört.«

»Und dann noch mit einer Armbrust«, sage ich. »Er war amisch und erst einundzwanzig Jahre alt.«

»Kennst du ihn?«, fragt er. »Seine Familie?«

»Die Familie, aber nicht gut.«

Doch ich sehe, dass er mit den Gedanken nicht bei dem Mord an Aden Karn ist, und zum ersten Mal, seit ich den jungen amischen Mann tot auf der Straße habe liegen sehen, kreisen meine Gedanken nicht um den Fall, sondern um Tomasetti.

»Sagst du mir jetzt, was bei dir los ist?«, frage ich.

»Vermutlich wirst du mich nicht in meiner Höhle schmollen lassen.«

»Sehr richtig.«

Seine Mundwinkel heben sich, aber das Lächeln, das er mir schenkt, ist müde und resigniert. »Wir sind beide schon lange bei der Polizei«, sagt er. »Es ist unser Beruf, es ist das, was wir tun, wer wir sind, wo wir uns auskennen. Manchmal denke ich, es ist *alles*, was wir kennen.«

»Einige Menschen würden sogar sagen, dass wir unseren Job gut machen«, sage ich.

Er hält inne, denkt nach, sieht mich forschend an. Ich halte seinem Blick stand, sage nichts, weil ich will, dass er weiterredet. Denn auch, wenn es ihm selbst vielleicht nicht bewusst ist, muss er reden.

»Als wir bei der Polizei angefangen haben«, sagt er, »war Erfahrung alles. Training on the Job war das höchste Ziel und Wissen der Schlüssel zum Universum. Obwohl das noch immer zutrifft, kommt man mit zunehmendem Alter zu der Erkenntnis, dass man manchmal *zu viel* weiß. Dass diese Fähigkeiten, diese Erfahrung und das Wissen, die wir uns erworben haben, zur Last werden. Und manchmal wissen wir sogar, wie etwas ausgehen wird, bevor es dann tatsächlich so eintritt.«

John Tomasetti ist der stärkste Mensch, den ich kenne. Ich habe miterlebt, wie er einen wahrhaft furchtbaren Schicksals-

109

schlag, an dem die meisten von uns zugrunde gegangen wären, überwunden hat. Aber die Ermordung seiner Frau und seiner beiden Kinder hat eine Wunde in seinem Herzen und entstellende Narben auf seiner Seele hinterlassen – und hätte ihn um ein Haar selbst getötet. Danach war er in ein so tiefes schwarzes Loch gefallen, dass niemand dachte, er würde je wieder herausfinden, am wenigsten er selbst. Und doch hat er es geschafft.

»Geht es um einen neuen Fall?«, frage ich.

Er nickt. »Ich arbeite mit an der Johnson-Entführung.«

Ich kenne die Geschichte. Selbst für Außenstehende ist es ein herzzerreißender Fall. Ich habe die Ermittlungen nicht intensiv verfolgt, dazu fehlt mir die Zeit. Aber die Entführung hat sämtliche Medien dominiert. Zwei kleine Mädchen, ungefähr im gleichen Alter, in dem Tomasettis Töchter waren, als sie starben, werden in Cleveland seit vier Tagen vermisst.

»Zwei Kinder«, sagt er. »Auf dem Weg von der Schule nach Hause, wo sie nie angekommen sind. Die Eltern haben die Polizei in Cleveland angerufen, da waren sie noch keine Stunde überfällig. Die Polizei fand ihre Bücher, die kleinen rosa Ranzen mit den Hausaufgaben drin. Aber nicht die Kinder.« Er seufzt. »Ich hab beim Auslosen das kürzere Streichholz gezogen.«

Ich versuche, seinen Gesichtsausdruck zu deuten, doch er kann seine Gefühle gut kontrollieren, sie verstecken. »Das sind die schwersten Fälle«, sage ich.

»Besonders für die Eltern.«

»Irgendwelche Hinweise?«, frage ich.

»Null.« Er schüttelt den Kopf. »Nach allem, was wir bislang wissen, hat ein Fremder sie entführt.« Entführungen durch unbekannte Personen sind die gefährlichsten. Er weiß das. Ich weiß das.

... dass man manchmal zu viel weiß ...

Tomasetti gehört zu den Polizisten, die immer alles geben. Er ist besessen und intensiv, und manchmal ist er nicht sehr nett. Als Ermittler ist er engagiert, lässt sich aber nicht in die jeweilige Tragödie verwickeln, jedenfalls nicht emotional. Damit hatten wir beide zu Beginn unserer Berufslaufbahn zu kämpfen und schaffen es erst seit kurzem, auch gefühlsmäßig die notwendige Distanz zu wahren. Dessen ungeachtet gibt es Fälle, die einem mehr zu schaffen machen als andere. Parallelen, denke ich und kann den Schmerz in meiner Brust spüren, den die Erinnerung an seine eigene Erfahrung weckt.

»Dieser Fall wird nicht gut enden«, sagt er nach einer Weile. »Das tut es fast nie bei Entführungen durch Fremde. Und es sind auch schon vier Tage vergangen.«

»Das weißt du nicht.«

»Ich wünschte, du hättest recht, Kate, aber ich weiß es. Ich habe es schon zu oft erlebt.« Er fährt sich mit der Hand über den Kopf, zerzaust seine Haare. »Vielleicht mache ich das alles schon zu verdammt lange.«

»Du weißt, dass das zynisch ist.«

Er lehnt sich an den Schreibtisch, nimmt sein Whiskyglas und trinkt einen Schluck, verzieht das Gesicht. »Das meine ich mit Ballast und Alter, besonders als Polizist. Man sieht zu viel zu oft. Man sieht das Leid der Familie, die Hoffnung, die Verzweiflung. Und man belügt sie, weil man weiß, dass guten Menschen viel öfter schlimme Dinge passieren, als uns lieb ist.« Er schenkt mir ein trostloses Lächeln. »Bitte schön, jetzt weißt du mehr über meinen Gemütszustand, als du wissen wolltest.«

Ich sehe den Schmerz in seinen Augen und bin erfüllt von Liebe zu ihm. »Kann ich irgendetwas für dich tun?«

Er blickt mich an, und ich sehe, wie er langsam entspannt

und an den Ort zurückkehrt, den ich kenne. »Komm … einfach nur immer nach Hause.«

Ich sage seinen Namen, nehme ihm das Glas aus der Hand, trinke einen Schluck und stelle es ab. »Falls es irgendein Trost ist, für dich oder die Familie oder für irgendwen, der es hören muss: Du bist der beste Mann für den Job. Wenn überhaupt jemand sie nach Hause holen kann, dann du. Es tut dir weh, aber du tust es trotzdem. Das ist doch wohl entscheidend.«

»Ich hoffe es«, sagt er leise.

»Aber selbst wenn die Fälle, denen man sich mit Leib und Seele verschreibt, schlimm enden, wird das Leben weitergehen. Mit uns oder ohne uns. Es fällt zwar schwer, aber wir rappeln uns wieder auf, konzentrieren uns auf das Gute. Und wir setzen einen Fuß vor den anderen.«

Ein Lächeln huscht über sein Gesicht, nur ein kleines, aber ein aufrichtiges. »Wie gut, dass du bei mir bist, um mich darauf hinzuweisen.«

Ich erwidere sein Lächeln und lege die Hand an seine Wange. »Was hältst du davon, wenn wir uns jetzt eine Weile auf das Gute konzentrieren?«

»Schließt das Wein und Essen mit ein?«

Ich nehme seine Hand und führe ihn aus dem Zimmer.

9. KAPITEL

Wenn mich jemand im Verlauf einer Ermittlung anlügt, landet er automatisch auf meiner Liste der Verdächtigen. Wenn mehrere Personen nicht das gleiche Detail erwähnen, weiß ich, dass etwas nicht stimmt. Laut Kevin Waddell waren Vernon Fisher und Aden Karn befreundet, doch weder Graber noch Fisher haben das erwähnt. Nur ein zufälliges Versäumnis? Oder verheimlichen sie etwas?

Als ich frühmorgens aus unserer Einfahrt auf die Straße in Richtung Süden nach Painters Mill fahre, rufe ich Glock an. »Ich möchte, dass Sie Vernon Fisher aufs Revier bringen.«

»Mit Freude, Chief. Wie lautet der Vorwurf?«

Ich erzähle ihm von meiner Unterhaltung mit Waddell. »Er hat nicht gesagt, dass er und Karn Freunde waren, wir sollten ihn darauf aufmerksam machen und ihn wissen lassen, dass wir es ernst meinen.«

»Sie glauben, er hat etwas damit zu tun?«

»Ich glaube, er weiß mehr, als er behauptet.« Ich denke kurz darüber nach. »Bringen Sie ihn zur Befragung her, und lassen Sie ihn im Vernehmungsraum schmoren, bis ich da bin.«

»Mein Morgen wird immer besser«, sagt er.

Und nicht zum ersten Mal werde ich daran erinnert, warum ich Glock so mag. »Ich rede jetzt erst einmal mit Wayne Graber«, sage ich. »Danach komme ich, so schnell ich kann, ins Revier.«

* * *

Mast Tiny Homes liegt südlich von Millersburg an einem viel-befahrenen Highway gegenüber einem Hofladen. Etwa ein Dutzend sehr unterschiedlicher Holzbauten – von schicken, modernen Gebäuden über Farmhäuser bis hin zu Hühner-ställen – heißen Kunden willkommen in einem Ambiente, das eine Vorstellung vom einfachen Leben und einem Stück Paradies auf dem Land vermittelt. Zurückgesetzt von der Straße und umgeben von Bäumen befindet sich ein großes Wellblechgebäude mit zwei Rolltoren, die beide geschlossen sind. Ich steuere die kleinere, mit BÜRO gekennzeichnete Ein-gangstür daneben an.

Je näher ich komme, desto lauter dringen das Heulen von Sägen und das Klack-Klack-Klack einer Nagelpistole in meine Ohren. Als ich das Gebäude betrete, umfängt mich der Geruch von frisch geschnittenem Holz und frischer Farbe. Ein Mann im blauen Overall schiebt das Blatt einer Kreissäge durch ein massives Stück Eiche. Ein älterer Mann mit rotem Bart und einem Tuch auf dem Kopf versenkt Nägel mit einer Nagelpis-tole in eine Konstruktion nicht größer als eine Außentoilette und ist so gut wie fertig damit. Zwei weitere Männer rollen ein relativ großes Tiny House zum Rolltor an der Rückseite des Gebäudes.

»Kann ich Ihnen helfen?«

Ich drehe mich um und sehe einen Mann mittleren Alters auf mich zukommen. Er trägt den bei Amischen üblichen Bart sowie ein typisch amisches Arbeitshemd, dunkle Hosen und Hosenträger. »Ich wollte den Manager oder Besitzer spre-chen«, sage ich.

»Ich bin der Besitzer.« Er betrachtet mich neugierig. »Hat jemand etwas angestellt?«

»Nein. Ich muss nur kurz mit Wayne Graber spechen.«

Er kneift die Augen zusammen. »Geht es um den Armbrust-Mord in Painters Mill? Ich weiß, dass er den Mann, der getötet wurde, gut gekannt hat.« Er stößt einen Pfiff aus. »Schlimme Sache!«

Ich nicke nur. »Ich halte ihn nicht lange von der Arbeit ab.«

»Wissen Sie schon, wer es war?«

»Wir sind dabei, das herauszufinden.«

Ich sehe ihm an, dass er noch mehr fragen möchte, und bin froh, dass er keine Zeit dafür hat. Er zeigt mit dem Daumen zur hinteren Werkstatttür. »Wayne ist hinten am Streichen. Lassen Sie sich ruhig Zeit, Chief Burkholder. Ich hoffe, Sie erwischen den Kerl.«

Ich nicke und gehe zum Hinterausgang, entdecke Graber auf der Veranda eines wunderschönen Blockhauses, wo er – einen Fünf-Liter-Eimer neben sich auf dem Boden – eine Tür beizt.

»Das sieht gut aus«, sage ich und bleibe vor den Stufen stehen.

Er blickt mich über die Schulter hinweg überrascht an. »Normalerweise streichen wir die Türen, um die Maserung zu überdecken, aber der Typ, der das hier gekauft hat, will sie gebeizt. Ich selber bevorzuge Farbe.«

»Was für ein Holz ist das?«

»Astkiefer. Mir gefällt die Maserung der Äste, und die Beize lässt sich wirklich gut verarbeiten.«

Ich gehe die Stufen hinauf zur Veranda, bleibe aber in einigem Abstand von ihm stehen. »Warum haben Sie mir nicht gesagt, dass Aden und Vernon Fisher Freunde waren?«

Er hört auf zu pinseln und sieht mich an. »Na ja, weil ich nicht sicher bin, ob ich sie als Freunde bezeichnen würde.«

»Und *wie* würden Sie ihre Beziehung nennen?«

»Sie waren eher … Bekannte.«

»Die nur gelegentlich ein Bier zusammen getrunken haben.«

Er starrt mich an, sagt nichts.

Ich lasse das Schweigen einen Moment wirken, beginne von neuem. »Wie lange haben die beiden sich gekannt?«

»Seit ihrer Kindheit, aber – «

»Seit der Kindheit? Und trotzdem bloß Bekannte?«

»Hören Sie, Chief Burkholder, vielleicht ist ›Bekannte‹ nicht die richtige Bezeichnung. Okay, manchmal hingen sie zusammen ab, aber besonders gut verstanden haben sie sich nicht.«

»Warum haben Sie mir das nicht gesagt?«

Er zuckt mit den Schultern. »Vermutlich war mir nicht klar, dass es wichtig ist.«

»Wayne«, sage ich betont hart. »Ein einundzwanzig Jahre alter Mann, der nur wenige Tage vor seiner Ermordung eine Auseinandersetzung mit einem anderen Mann hatte, liegt im Leichenschauhaus. Und Ihnen schien es nicht wichtig, mir zu sagen, dass die beiden Männer Freunde waren?«

»Ich dachte, Sie wüssten das. Also wirklich, Painters Mill ist eine kleine Stadt. Sie waren Amische.«

»Was heißt?«, frage ich. »Dass Sie dachten, es wäre unwichtig? Oder dass ich es schon wissen würde?«

»Beides.«

»Gibt es sonst noch etwas, das Sie vergessen haben zu erwähnen?«

Er sieht mich an, als könne er nicht fassen, dass ich das frage. »Hören Sie, ich versuche nicht, irgendwas zu verheimlichen. Ich habe nichts zu verbergen.«

»Erzählen Sie mir von der Beziehung der beiden.«

Er runzelt die Stirn, schüttelt den Kopf. »Als Kinder waren sie dick befreundet, haben zusammen gespielt und so. Sie wissen ja, wie es bei den Amischen ist, jeder kennt jeden. Man geht zum Singen und so. Als sie dann älter waren, fing Vernon an, ihm auf die Nerven zu gehen.«

»Und warum?«

Er blickt zu Boden, stößt einen Seufzer aus. »Schauen Sie, Chief Burkholder, ehrlich gesagt … Also all die Fragen … « Er verstummt, aber dann blickt er auf und sieht mich an. »Ich will niemanden in Schwierigkeiten bringen.«

»Und wenn Sie selbst auch nicht in Schwierigkeiten kommen wollen, schlage ich vor, Sie fangen an zu reden.«

Er blickt weg, presst die Lippen zusammen.

»Wen wollen Sie nicht in Schwierigkeiten bringen?«, frage ich.

»Schauen Sie, Vernon Fisher ist zwar ein Arschloch, aber er ist kein Killer.« Kopfschüttelnd blickt er zu Boden, dann wieder mich an. »Wenn ich Ihnen sage, was ich denke, stürzen Sie sich gleich auf ihn, und er wird wissen, woher Sie das haben. Ich werde dann als Petze beschimpft.«

Ich starre ihn an, muss dabei aber an Aden Karn auf dem Seziertisch des Leichenbeschauers denken – an die Wunde in seinem Bauch und daran, dass ihm in den Mund geschossen worden ist, als er wahrscheinlich noch gelebt hat und sich nicht schützen konnte. Dass der Mörder die Kraft hatte, die Bolzen durch den Körper zu drücken und herauszuziehen. Mit einer Kaltblütigkeit, die mich entsetzt.

Ich gehe langsam zu Wayne hin und trete so nahe an ihn heran, dass er einen Schritt zurückweicht. »Beantworten Sie meine Fragen, Wayne, oder Sie finden sich an einem Ort wieder, an dem Sie nicht sein wollen.«

Er starrt mich an. »Vernon war scharf auf Emily Byler, schon immer. Er war eifersüchtig auf Aden, weil die beiden ein Paar waren.«

»Und wie fand Emily das?«

»Ich bezweifele, dass sie das überhaupt mitgekriegt hat.«

»Und Aden?«

»Er wusste es. Vernon war ja auch nicht gerade subtil und machte ziemlich derbe Sprüche.«

»Welche Art Sprüche?«

»Geschmackloses Zeug.« Erstaunt sehe ich, dass er rot wird. »Dass sie heiß ist, dass Aden es jedes Wochenende besorgt kriegt. Blödes Zeug eben.«

»Haben die beiden sich jemals deswegen gestritten?«

»Davon weiß ich nichts. Aden war echt cool, hat sich über so was nicht aufgeregt.«

»Und wieso wissen Sie davon?«

»Ich bin ja nicht blind. Alle haben gesehen, wie Vernon sie anguckt – und seine Sprüche gehört.«

»Glauben Sie, Fisher war in Emily verliebt?«

»Eher, dass er sie ins Bett kriegen wollte.«

»Halten Sie Fisher für fähig –«

»Nein«, unterbricht er mich. »Tue ich nicht. Okay, er ist ein Idiot, was Frauen angeht, und obendrein ein derbes Arschloch, aber kein Mörder. Deshalb hab ich auch nichts gesagt, Chief Burkholder. Und jetzt machen Sie bestimmt Stress.«

»Das lassen Sie mal meine Sorge sein«, sage ich.

Er blickt mich düster an. »Ja, klar.«

»Gibt es noch etwas, das ich wissen sollte, was Sie mir nicht gesagt haben?«

»Ich denke, ich hab genug gesagt.«

Ich klappe meinen Notizblock zu und stecke ihn in die Jackentasche. »Wenn ich herausfinde, dass irgendwas von dem, was Sie gesagt haben, gelogen ist, sind Sie dran, Wayne. Haben Sie das verstanden?«

»Ich hab alles gesagt, was ich weiß.«

»Wenn Sie aus irgendeinem Grund die Stadt verlassen müssen, sagen Sie mir Bescheid.«

»Ich muss nirgends hin.«

Ich drehe mich um und gehe.

* * *

Eine der grundlegenden Erkenntnisse, die ich in meinen Jahren als Polizistin gemacht habe, ist, dass Menschen normalerweise nicht ohne Grund lügen. Ich glaube nicht, dass Wayne Graber der Mörder von Aden Karn ist. Sein Alibi stimmt, er war am Morgen des Mordtages bei der Arbeit und hat seine Zeitkarte abgestempelt. Sein Vorgesetzter bei *Mast Tiny Homes* hat das bestätigt. Da er es jedoch mit der Wahrheit nicht so genau nimmt, bleibt Graber – vorerst – auf meiner Liste der Verdächtigen.

Als ich ins Revier komme, sitzt Lois in der Telefonzentrale, nimmt Anrufe entgegen und bearbeitet die Tastatur.

»Ich bin überrascht, dass der Computer nicht qualmt«, sage ich zur Begrüßung.

»Vor einer Minute hat er das noch.« Grinsend wedelt sie mit einem Stapel rosafarbener Zettel. »Jeder, den Sie kennen, hat in der letzten Stunde mindestens zweimal angerufen.«

»Danke für die Warnung.« Ich nehme ihr die Zettel aus der Hand.

Sie schiebt den Anrufer in der Leitung in die Warteschleife. »Vernon Fisher sitzt seit fast einer Stunde im Vernehmungsraum, Chief, und inzwischen ist er fuchsteufelswild. Alle zehn Minuten hämmert er an die Tür und bedenkt seine Mutter mit den schlimmsten Schimpfworten.«

Glock, der unser Gespräch mitbekommen hat, steht auf und sieht über die halbhohe Trennwand seiner Arbeitskabine grinsend zu uns herüber. »Guten Morgen, Chief.«

»Haben Sie einen Moment Zeit?«, frage ich.

»Sicher.«

»Ich hole mir schnell einen Kaffee«, sage ich. »Den brauche ich bestimmt.«

Zehn Minuten später betreten Glock und ich den kleinen, fensterlosen Vernehmungsraum, der früher einmal als Lagerraum diente. Vernon Fisher lümmelt auf einem Stuhl am Tisch, wirkt wie ein unglückliches Kind, das zum Nachsitzen verdonnert wurde. Er gibt sich Mühe, gelassen zu wirken, so zu tun, als würde ihm das alles nichts ausmachen, aber die Wut, die in ihm tobt, kann er nicht verbergen.

Ich lege meine Akte auf den Tisch und ziehe den Stuhl ihm gegenüber hervor. Glock schließt die Tür und lehnt sich mit verschränkten Armen daneben an die Wand.

»Ich danke Ihnen, dass Sie hergekommen und bereit sind, mit uns zu reden«, beginne ich.

»Als hätte ich eine Wahl gehabt«, sagt Fisher gereizt. »Seit einer Stunde bin ich hier, Chief Burkholder.« Er sieht kurz zu Glock. »Ihr Hilfscowboy da drüben hat mich abgeholt, seitdem sitze ich hier rum, aber niemand hat sich bequemt, mit mir zu reden.«

»Ich bin ja jetzt da.« Um das Ganze in Gang zu setzen, kläre ich ihn über seine Rechte auf. »Haben Sie das alles verstanden?«

Er schaut mich ungläubig an. »Ich muss meine Rechte nicht kennen, weil ich nichts Unrechtes gemacht habe.«

Ich ignoriere seinen Kommentar, schlage die Akte auf. »Warum haben Sie mir nicht erzählt, dass Sie und Aden Freunde waren?«

»Wie bitte?« Er sieht mich an, als würde es ihn überraschen, dass ich über Aden Karn sprechen will. »Sie haben nicht gefragt.«

»Dann werde ich jetzt mal Ihr Gedächtnis auffrischen.« Ich

blicke auf meine Notizen von unserem letzten Gespräch. »Als ich Sie nach dem Pick-up gefragt habe, haben Sie geantwortet, ich zitiere: ›Sie kommen hier in meinen Laden und beschuldigen mich, einen Kerl getötet zu haben, den ich kaum kenne.‹«

»Daran erinnere ich mich nicht.«

»Aber Sie haben es gesagt, wortwörtlich. Was bedeutet, dass Sie mich belogen haben.« Ich sehe ihn scharf an. »Sie wissen sicher, dass es eine Straftat ist, die Polizei anzulügen, oder?«

Er richtet sich im Stuhl auf. »Also Karn war nicht gerade mein bester Kumpel. So gut hab ich ihn auch nicht gekannt, ich bin nicht – «

Ich schlage mit beiden Handflächen so fest auf den Tisch, dass er zusammenzuckt. »Wenn Sie mich noch einmal anlügen, hat das Konsequenzen. Haben Sie mich verstanden?«

»Ich hab nichts Falsches gemacht.«

»Waren Sie mit Karn befreundet?«

»Wir haben manchmal zusammen abgehangen und Bier getrunken, mehr nicht.«

»Wie lange kennen Sie ihn?«

»Bloß … von klein auf.«

»Und trotzdem waren Sie keine Freunde? Und sie kannten ihn nicht gut?«

»Wir sind verdammt nochmal amisch, und bei den Amischen kennt jeder jeden.«

»Wann haben Sie zuletzt mit ihm gesprochen?«

»Scheiße.« Er senkt den Kopf und presst die Fingerspitzen an die Schläfen, als versuche er, sich zu erinnern. »Drei oder vier Tage bevor er umgebracht wurde. Das hab ich Ihnen schon gesagt.«

»Kann das jemand bestätigen?«

»Ich glaube, Wayne war auch da. Ich war bei Aden zu Hause, um ihm zu sagen, dass ich mein Geld zurückhaben will.«

»Haben Sie sich gestritten?«

»Na ja … klar. Ich hab mich über ihn geärgert und ihm das gezeigt. Ich meine, er hat verdammte sechshundert Kröten von mir gekriegt für 'nen Wagen, der sich als totaler Schrott erweist. Und dann holte er ihn sich bei einer Nacht-und-Nebel-Aktion zurück. Also ja, ich war ein bisschen aufgebracht, aber ich hab ihn doch verfickt nochmal nicht umgebracht!«

»Seien Sie vorsichtig mit Ihren Ausdrücken«, fährt Glock ihn von seinem Platz aus an.

Fisher wirft ihm einen wütenden Blick zu.

Ich starre Fisher an, lasse das Schweigen seine Wirkung tun. Er hält meinem Blick nicht stand und schaut auf den Tisch vor sich.

»Was ist mit Emily Byler?«, frage ich, wähle eine neutrale Formulierung.

Er hebt den Blick. »Was soll mit ihr sein?«

»Sie sind scharf auf sie.«

Stöhnend lehnt er sich wieder zurück. »Das ist doch alles nur gequirlte Scheiße.«

»Beantworten Sie einfach die Frage.«

»Okay, sie ist süß. Aber ich bin nicht scharf auf sie. Ich war einfach … ein Idiot. Hab mich mit Karn angelegt.«

»Waren Sie eifersüchtig?«

»Nein.«

»Sicher?«

Er presst die Lippen zusammen, antwortet nicht.

»Zuerst belügen Sie mich wegen Ihrer Beziehung zu Karn, und dann erfahre ich, dass Sie hinter seiner Freundin her sind.« Ich lasse das einen Moment lang so stehen, dann füge ich hinzu: »Das könnte man schon beinahe als Motiv bezeichnen.«

Fisher springt so abrupt auf, dass um ein Haar der Stuhl umfällt. »Ich habe ihn nicht umgebracht!«

Glock drückt sich von der Wand ab. »Setzen Sie sich.« Er zeigt auf den Stuhl. »Jetzt.«

Fisher sinkt zurück auf seinen Stuhl, gibt sich geschlagen.

Ich warte kurz. »Wer hatte sonst noch ein Problem mit Karn?«, frage ich.

»Niemand.« Er schüttelt den Kopf. »Deshalb ist das ja so verrückt! Aden war ein zuverlässiger Typ, die Leute mochten ihn. Verflucht, *ich* mochte ihn.«

»Aber nicht, als er sich den Pick-up zurückgeholt hat.«

Und dann fügt er hinzu. »Wollen Sie wissen, was genauso verrückt ist? Ich glaube, er hätte mir sogar das Geld zurückgegeben.«

»Vernon, haben Sie ihn umgebracht?«

Er sieht mir in die Augen. »Nein, Ma'am.«

»Wissen Sie, wer es getan hat?«

»Nein.«

Eine volle Minute lang sehen wir uns schweigend in die Augen. »Sie können gehen.«

Hinter mir höre ich Glock die Tür öffnen.

Fisher schiebt seinen Stuhl zurück und steht auf, sieht von mir zu Glock. »Und wie komme ich nach Hause?«

»Officer Maddox fährt Sie.«

Als er an mir vorbeigeht, halte ich ihn am Arm fest, sehe ihn an. »Wenn sich herausstellt, dass Sie mich bei diesem Gespräch wieder angelogen haben, kriege ich Sie dran. Haben Sie das kapiert?«

»Hab ich«, murmelt er und geht zur Tür hinaus.

123

10. KAPITEL

Jeder Fall hat seine Besonderheiten. Manche entwickeln sich von Anfang an gradlinig, und selbst wenn nicht alles nach Plan läuft, so fügen sich die Puzzleteile doch einigermaßen folgerichtig zusammen. Andere wiederum sind eine Studie in Sachen Chaos. Jeder Schritt ist falsch, jede Spur führt in eine Sackgasse, jeder Durchbruch entpuppt sich als gelungenes Täuschungsmanöver. Der Mord an Aden Karn fällt in die zweite Kategorie, es ist, als würde man ein Puzzle zusammensetzen wollen, bei dem die Teile einfach nicht zusammenpassen.

Was mich bei diesem Fall jedoch am meisten umtreibt, ist das noch immer fehlende Motiv. Denn wenn ich das Warum herausfinde, erschließt sich meistens auch das Wer. Allem Anschein wurde Karn allseits gemocht, er war ein Menschenmagnet, beliebt bei Amischen wie bei Englischen. Er hat hart gearbeitet, hat keinen Unfug gemacht und sich nicht auf gefährliche Unternehmungen eingelassen. Den einzigen Konflikt den er hatte, hatte er mit Vernon Fisher wegen des einkassierten Pick-ups – und wegen Fishers Besessenheit von der Frau, die Karn heiraten wollte. Obwohl ich Fisher nicht gerade mag, halte ich ihn nicht für Karns Mörder.

Aber was habe ich übersehen?

Ging es um Geld? Um alte Schulden? Einen einkassierten Wagen? Oder ging es um etwas Persönlicheres? Um eine Frau? Gibt es eine Liebesbeziehung, von der ich nichts weiß? War Emily Byler die einzige Frau in seinem Leben?

Als ich das Polizeirevier schließlich verlasse, hat die Abenddämmerung bereits eingesetzt. Ich bin übellaunig und leide unter Schlafentzug, meine Produktivität ist schon lange gleich null. In der Hektik des Tages habe ich komplett vergessen, irgendetwas zu essen, und habe den Säuregeschmack von zu viel Kaffee im Mund. In dem Zustand geht eine kluge Polizistin zum Regenerieren nach Hause – sie duscht, nimmt eine anständige Mahlzeit zu sich und schläft ein paar Stunden, lädt die Batterie wieder auf. Es ist keine Schande, zuzugeben, dass man an seine Grenze gestoßen ist.

Ich werde eine kluge Polizistin sein, sage ich mir. Doch als ich dann rückwärts aus der Parklücke fahre, hat der Fall mich in seinen Klauen, krallt sich in meine Schultern, in mein Denken und mein Gewissen. Und ich weiß, selbst wenn ich jetzt nach Hause fahre, werde ich ihn nicht abschütteln können. Weiß, dass ich Tomasetti mit reinziehen, unruhig im Zimmer umherlaufen oder zu viel trinken werde. Mich schlaflos im Bett wälzen und an all das denken werde, was ich tun sollte oder was ich hätte tun sollen. Ich werde nicht zur Ruhe kommen und mich noch tiefer in das Loch graben, zu dem dieser Fall geworden ist.

Anstatt auf der Ohio 83 Richtung Norden und nach Hause zu fahren, biege ich auf die Landstraße ab und danach auf die Hansbarger Road. Ich fahre bis zu der Stelle, an der Aden Karn getötet wurde, parke auf dem Seitenstreifen und stelle den Motor aus. Dass hier ein Verbrechen stattgefunden hat, merkt man nur noch an dem plattgetretenen Gras im Straßengraben, den Reifenspuren neben dem Seitenstreifen und einem Stück gelben Absperrband im Gras.

Ich steige aus, atme die Abendluft tief ein und sehe mich um. Es ist so still hier, dass ich Insekten summen höre und das Gurren einer Trauertaube in den Baumkronen im nahen Wald. Ein verzweifelter Ton, dem schlimmen Geschehen an diesem Ort angemessen. Ich gehe zu der Stelle, an der Aden Karn gelegen hat. Die Feuerwehrleute haben das Blut gründlich von der Straße abgespritzt, nichts ist mehr davon zu sehen. Im Schotter auf dem Seitenstreifen liegen ein Blumenbouquet, Nelken und Schleierkraut, ein Teddybär sitzt neben einem schmalen Gedichtband. Die Menschen von Painters Mill erweisen dem Opfer die letzte Ehre. Aus dem Buch ragt ein Stück Papier, also bücke ich mich, ziehe es heraus und blicke auf das Bild eines lächelnden Aden Karn, das auf Papier ausgedruckt ist. Bizarrerweise hat jemand mit rotem Filzstift einen Pfeil gemalt, der aus seiner Brust ragt und darunter gekritzelt:

**Vann di meind uf flayshlichi sacha ksetzt is,
sell fiaht zu'm doht.**

Es ist ein Bibelzitat aus dem Brief an die Römer, wenn ich mich nicht täusche. Es lautet: »Das Trachten des Fleisches führt zum Tod.« »Was soll das?«, murmele ich. Wer würde ausgerechnet dieses Zitat in *Deitsch* unter das Bild schreiben? Und wer würde etwas so Krudes malen und es an dem Ort eines Mordes hinterlassen? Ein Witzbold? Jemand, der Karn nicht mochte? Jemand, der ihn hasste?

Ich lasse meinen Blick über die Bäume am Waldrand wandern, aber da ist niemand. Ich ziehe einen Beutel aus meinem Ausrüstungsgürtel und stecke das Blatt hinein. Alles, was ich über Aden weiß, schwirrt mir im Kopf herum. Nicht ein Mensch, mit dem ich geredet habe, hatte etwas Schlechtes über ihn zu sagen.

Und doch muss ihn jemand so sehr gehasst haben, um ihm an einer abgelegenen Straße aufzulauern und mit dem Pfeil einer Armbrust das Leben zu nehmen.

126

Ich blicke nach Norden, in die Richtung, aus der Karn am Morgen seines Todes gekommen ist. Er war auf dem Weg seinen Arbeitskollegen zu treffen, den Mann, der ihn seit einem Jahr zur Arbeit mitnahm und von dort auch wieder zurückbrachte. Wer sonst noch kannte Karns Tagesablauf? Wer wusste, dass er diesen Weg nahm und um welche Uhrzeit er seinen Kollegen traf? *Jemand, der ihm nahestand,* flüstert eine Stimme in mein Ohr, und ich gehe im Kopf die Liste der Namen durch: Emily Byler, Wayne Graber, Vernon Fisher. Seine Arbeitskollegen, seine Eltern, jemand, von dem ich noch nichts weiß …

Das Trachten des Fleisches führt zum Tod.

Die Passage bezieht sich auf Sex und Wollust. Ich muss an die Fotos und Sexspielzeuge in Karns Schlafzimmer denken und frage mich: Wer scherte sich um das Sexleben eines einundzwanzig Jahre alten Mannes? Emily Byler? Wenn Vernon Fisher sich für Emily interessierte, hatte er Karn möglicherweise im Auge behalten. Mir fällt Wayne Grabers Antwort ein, als ich ihn fragte, ob Karn noch andere Frauenbekanntschaften hatte. *Kann sein, dass er in den letzten Monaten … ein oder zwei englische Mädchen kennengelernt hat … er hatte gerade seine Freiheit entdeckt. Er mochte Frauen …*

Hat Karn ein vermeintliches Vergehen begangen, das in den Augen seines Mörders rechtfertigte, ihn zu töten? Laut Doc Coblentz wurde der zweite Bolzen aus nächster Nähe abgefeuert, was darauf schließen lässt, dass es um eine sehr persönliche Angelegenheit ging. Der Killer kannte ihn, hasste ihn, wollte ihn um jeden Preis aus dem Weg schaffen und war bereit, dafür seine Freiheit zu riskieren.

Ich gehe zu der Stelle, an der die Leiche gefunden wurde. Doc Coblentz zufolge drang der Bolzen von vorne in den Unterleib ein, also drehe ich mich um und blicke die Straße hinunter. Zu meiner Linken liegt der Wald, zur Rechten das offene Feld. Wenn also der Bolzen von vorn eingedrungen ist, als Karn auf dem Rad in Richtung Treffpunkt fuhr, muss der Mörder entweder auf der Straße, auf einem der Seitenstreifen oder in einem der beiden Straßengraben gestanden haben. Was heißt, dass Karn ihn gesehen haben muss – und die Armbrust auch. Hat der Schütze den Bolzen abgefeuert, bevor Karn reagieren konnte? Oder hat Karn den Schützen erkannt und geglaubt, nichts befürchten zu müssen?

Ich blicke auf den Asphalt, wo die Leiche gelegen hat, und gehe zu dem Seitenstreifen, wo möglicherweise der Schütze gestanden hat. »Warum hast du die Bolzen wieder mitgenommen?«, frage ich mich laut.

»Weil sie Beweismittel sind«, flüstere ich.

Der Flügelschlag von auffliegenden Tauben lässt mich zusammenzucken. Ich drehe mich um, frage mich, was sie aufgeschreckt hat, und höre ein Rascheln von jemandem, der im Schutz der Bäume durch das Laub rennt. Ich rühre mich nicht, halte Ausschau nach einer Bewegung, lausche, aber da ist nichts mehr. Ich sehe keine Fahrzeuge, auch keine Möglichkeit, um ein Fahrzeug zu verstecken, keinen Pfad in den Wald hinein, keinen Menschen weit und breit.

Wer ist im Wald, Kate?

Da es jetzt schnell dunkel wird, durchquere ich den Straßengraben und bin schon fast an dem Stacheldrahtzaun dahinter, als ich es erneut rascheln höre, und bin sicher, dass dort jemand ist, der es eilig hat wegzukommen.

Ich schwinge das Bein über den Zaun und lande auf der anderen Seite. »Polizei!«, rufe ich. »Stehen bleiben! Wer ist da?«

Keine Reaktion.

Zwanzig Meter vor mir durchbrechen schwere Schritte die Stille. Zu viele Bäume, um etwas zu sehen. Ich renne los, drücke dabei aufs Ansteckmikro. »Zehn-achtundachtzig«, sage ich und nutze den Code für »verdächtige Aktivität«. »Zehn-achtzig«, nehme Verfolgung auf, »Zehn-achtundsiebzig«, brauche Unterstützung.

Dann bin ich im Wald und steigere mein Tempo. »Polizei! Stopp! Stehen bleiben!« Ich höre meine Zielperson weiter vorne links von mir laufen und wende mich in diese Richtung, umrunde einen gewaltigen Walnussbaum, renne, so schnell ich mich traue. Ich höre, wie mein Funkgerät zum Leben erwacht, Skid ist unterwegs und in etwa acht Minuten hier. In acht Minuten kann viel passieren.

Ich springe über einen umgestürzten Baumstamm, verschätze mich und werde so heftig von einem Ast im Gesicht getroffen, dass meine Wange aufgeritzt wird. Fluchend bleibe ich stehen und lausche, halte den Atem an, höre über meinen ohrenbetäubenden Puls hinweg wieder Schritte, das Rascheln von Blättern. Geradeaus vor mir, näher als zuvor. Ich sprinte los, um Himbeergestrüpp herum, und sehe Bewegung.

»Stehen bleiben!«, rufe ich. »Polizei!«

Die Bäume öffnen sich zu einem schmalen Wildpfad, der einen Hohlweg hinunterführt. Ich durchquere einen seichten Bach, klettere den steilen Abhang auf der anderen Seite hinauf, rutsche dabei auf losen Steinen aus und krieche schließlich auf allen vieren weiter. Oben angekommen, sehe ich zwischen den Bäumen etwas Blaues, nur wenige Meter von mir entfernt. Ein Jugendlicher, denke ich. Weiße Basecap. Ich bin schneller als er.

Voller Adrenalin renne ich auf ihn zu. »Stehen bleiben!«

Der Pfad führt nach links um einen großen Stein herum, dann nach rechts, ich nehme die Kurven in vollem Lauf, habe den schmächtigen Läufer im Blick und bin so nahe, dass ich sein Keuchen höre. Er ist nicht besonders schnell. Nur noch drei Meter zwischen uns, nur noch zwei, einen …

Ich springe vor, ramme ihm die Schulter in den Rücken und schlinge die Arme um seine Hüfte. Wir gehen zu Boden, und ein spitzer Schrei zerreißt die Luft. In dem Moment wird mir klar, dass meine Zielperson kein männlicher Jugendlicher ist, sondern ein Mädchen, kleiner als ich, jung und amisch.

Sie fängt sich mit den Armen ab, aber ich lande auf ihr, ihre Ellbogen knicken unter unserem gemeinsamen Gewicht ein, und sie knallt keuchend in den Dreck. Meine Stirn knallt auf ihr Schulterblatt. Ich stemme beide Hände auf ihre Schultern, rapple mich hoch und drücke mein Knie in ihren Rücken.

»Liegen bleiben!« Ich greife nach den Handschellen an meinem Gürtel, fummle am Befestigungshaken. Meine Hände zittern vor Adrenalin und Anstrengung.

»Lassen Sie mich los!«, schreit das Mädchen. »Hilfe!«

»Ich tue dir nichts.« Ich löse die Handschellen vom Haken, ziehe ihre linke Hand auf den Rücken und lasse die Schelle zuschnappen. »Ich bin Polizistin, beruhig dich.«

»Sie tun mir weh! Bitte! Hören Sie auf!«

Als ich ihre rechte Hand nach hinten ziehe und es nach mehreren Versuchen schaffe, auch die zweite Handschelle anzulegen, bebt sie am ganzen Körper und ist einer Panik nahe.

Zu atemlos, um zu sprechen, stehe ich auf, lasse sie am Boden liegen. Ich beuge mich vornüber, stütze die Hände auf die Knie und konzentriere mich darauf, wieder zu Atem zu kommen. Nach ein paar Sekunden richte ich mich wieder auf und aktiviere mein Ansteckmikro, melde: »Zehn-fünfundneunzig.« Verdächtige in Gewahrsam.

»Wegen Ihnen hab ich mich am Knie verletzt«, sagt das Mädchen. »Warum haben Sie das gemacht?«

Ich schaue auf sie hinunter und zucke innerlich zusammen. Ihr Kleid hat sich um ihre Beine verheddert, die *Kapp* ist verrutscht und sie hat nur noch einen Sneaker an den Füßen, den anderen hat sie unterwegs verloren. Ihr Kopf ist auf die Seite gedreht, die Wange voller Dreck, und in ihren Augen stehen Tränen. Sie ist schätzungsweise sechzehn oder siebzehn Jahre alt, sieht bemitleidenswert und harmlos aus, und ich bekomme leichte Gewissensbisse.

»Warum bist du nicht stehen geblieben, als ich gerufen habe?«, frage ich. »Warum bist du weitergelaufen?«

»Sie haben mir Angst gemacht«, sagt sie weinend. »Bitte, ich will aufstehen.«

»Beruhig dich«, sage ich wieder. »Ich helfe dir.«

Ich beuge mich vor, fasse sie am Unterarm. »Okay, steh auf.«

Sie hievt sich zuerst auf die Knie und dann auf die Füße. Ich spüre, wie sie zittert, Tränen strömen über ihre Wangen, aber sie schluchzt nicht. Sie ist kurz davor zu hyperventilieren.

»Was machst du hier draußen?«

Zu langes Schweigen, dann: »Nichts. Ich gehe … einfach … spazieren.«

»Im Wald? Im Dunkeln und ohne Taschenlampe?«

Sie sagt nichts.

»Wie heißt du?«, frage ich.

Kurzes Zögern, dann sagt sie: »Christina Weaver.«

»Hast du irgendeinen Ausweis dabei?«

Sie blickt zu Boden, schüttelt den Kopf.

»Wie alt bist du?«

»Sechzehn.«

»Und wo wohnst du?«

Sie zeigt mit dem Kopf in die Richtung, in die ich ihr gefolgt bin. »Ein paar Meilen von hier enfernt, Township Road 4.«

»Du wohnst bei deiner *Mamm* und deinem *Datt*?«

Sie blickt mich unter ihren Wimpern hervor an, wundert sich über meine amische Aussprache. »*Ja.*«

Christina Weaver ist zierlich, etwas über einen Meter fünfzig groß und kaum fünfundvierzig Kilo schwer. »Warum bist du vor mir weggelaufen?«

»Sie … haben mir Angst eingejagt. Ich … wusste nicht, wer Sie sind und was Sie wollen.«

»Hast du etwas in den Taschen, was da nicht reingehört?«, frage ich.

»Nein.«

Ich checke ihre *Kapp*, ob darunter etwas versteckt ist, rücke sie auf ihrem Kopf gerade. Dann fahre ich so schnell und professionell wie möglich mit den Händen über ihr Kleid, drücke die Taschen ihrer Schürze zusammen, halte inne und hole einen roten Filzstift heraus. Mit so einem Stift wurde der Pfeil auf das Bild von Aden Karn gemalt.

Ich halte ihr den Stift unter die Nase. »Und was ist das?«

Das Mädchen senkt den Blick, überlegt es sich anders und sieht mich an. »Den muss … mein kleiner Bruder da reingesteckt haben.«

»Du weißt, dass du eine schlechte Lügnerin bist?«

Sie schüttelt den Kopf, als würde ich sie nerven, und blickt wieder zu Boden.

»Das ist übrigens ein Kompliment«, füge ich hinzu.

Sie erwidert nichts.

Ich seufze. »Christina, wenn ich dir die Handschellen abnehme, benimmst du dich dann anständig?«

»Ja, Ma'am.«

Ich drehe sie am Arm herum, fische den Schlüssel aus meiner Gürteltasche und öffne die Handschellen. Während sie sich die Handgelenke reibt, hole ich das Foto hervor und zeige es ihr. »Hast du mit dem Stift den Pfeil auf das Foto gemalt?«

Sie blickt fassungslos darauf, dann hält sie die Hände vors Gesicht und weint. »Bitte, sagen Sie es niemandem.«

Ich hoffe, dass sie weiterredet, aber sie schluchzt nur heftig, und ihre Schultern beben. Nach einer langen Minute zeige ich zu dem Wildpfad, von dem wir gekommen sind. »Gehen wir zu meinem Wagen.«

Mit zitternden Händen wischt sie sich die Tränen ab. »Bitte bringen Sie mich nicht ins Gefängnis.«

»Niemand kommt ins Gefängnis. Geh«, sage ich und zeige wieder zum Pfad.

Schweigend laufen wir zurück zur Hansbarger Road. Inzwischen ist es fast ganz dunkel, und als wir uns der Straße nähern, drücke ich aufs Ansteckmikro: »Zehn-zweiundzwanzig«, sage ich, widerrufe meine frühere Anforderung von Verstärkung.

»Verstanden«, antwortet meine Mitarbeiterin in der Telefonzentrale.

Wir erreichen den Zaun, ich lasse das Mädchen zuerst darübersteigen, und sie wartet geduldig, bis ich ebenfalls rübergeklettert bin. Ein Stück neben dem Pfad entdecke ich ihren verlorenen Schuh, zeige hin, sie holt ihn, schlüpft hinein und schnürt ihn zu.

Als wir beim Explorer ankommen, öffne ich die Beifahrertür für sie. »Einsteigen«, sage ich, und sie gehorcht wortlos.

Ich gehe zur Fahrerseite und schiebe mich hinters Lenkrad.

»Wo bringen Sie mich hin?«, fragt sie.

»Nach Hause«, sage ich.

»Tut mir leid, dass ich vor Ihnen weggelaufen bin.« Sie greift in ihre Schürzentasche, holt ein Papiertaschentuch heraus und hält es mir hin. »Ihr Gesicht … Sie bluten.«

Ich nehme es, recke mich zum Rückspiegel hoch und sehe, dass Blut aus einem drei Zentimeter langen Kratzer läuft.

In Anbetracht meiner bevorstehenden Hochzeit runzle ich die Stirn und tupfe das Blut mit dem Papiertuch ab. »Ich frage mich, warum du den Pfeil auf das Foto gemalt hast.«

Sie senkt den Blick, streicht ihre Schürze glatt. »Ich möchte wirklich nicht darüber sprechen.«

»Du hast Aden Karn gekannt, oder?«

Sie blickt aus dem Fenster, sagt nichts.

Ich stoße einen Seufzer aus, lasse den Motor an. »Wart ihr befreundet?«

Sie atmet kurz und heftig ein, versteift sich, beides kaum wahrnehmbare, aber vielsagende Reaktionen.

»Nein.«

Nach einem Blick in den Rückspiegel biege ich auf die Straße und fahre los. »Wann hast du ihn das letzte Mal gesehen?«

Sie verschränkt die Finger im Schoß, doch mir ist nicht entgangen, dass ihre Hände zittern. »Ich möchte nicht über ihn sprechen.«

»Nach dem zu urteilen, was du auf das Foto gemalt hast, scheinst du ihn nicht besonders gemocht zu haben.«

Keine Antwort.

Ich hefte den Blick auf die Fahrbahn, bin irritiert und versuche, mich von ihrer Weigerung zu reden nicht nerven zu lassen, lasse sie erst einmal in Ruhe. Gleichzeitig weiß ich, dass etwas nicht stimmt. Die meisten Menschen glauben, das Leben von Amischen sei unkompliziert und perfekt. Die Wahrheit ist jedoch, dass selbst das schlichte Leben nicht immer einfach ist. Besonders dann nicht, wenn man als Teenager die Welt um sich herum zu verstehen versucht, aber keine Unterstützung oder Anleitung dafür bekommt.

Ich kann mir nicht vorstellen, warum ein junges Mädchen so etwas Geschmackloses auf das Foto eines ermordeten Mannes malen und es dann auch noch am Ort seines Todes zurücklassen sollte. Ich weiß nicht, ob sie befreundet, verfeindet oder einfach nur Bekannte waren. Doch eines weiß ich genau, sie verheimlicht mir etwas. Und wenn ich herausfinden will, was es ist, muss ich geschickt vorgehen.

»Wissen deine Eltern davon?«, frage ich.

Sie sieht mich alarmiert aus weit aufgerissenen Augen an. »Wovon?«

»Dass du mit Aden befreundet warst.«

Sie schließt die Augen. »Sie wissen gar nichts. Bitte sagen Sie ihnen nicht, dass ich dort war. Ich will das Ganze einfach nur vergessen.«

Ich biege in den Weg zur Farm ein, wo sie wohnt. »Und was genau willst du vergessen, Christina?«

Als sie weiterhin auf ihre Hände starrt, die nervös in ihrem Schoß flattern, füge ich hinzu: »Du weißt aber schon, dass Aden Karn ermordet wurde, oder?«

»Natürlich weiß ich das. Alle wissen das, es wird über nichts anderes geredet.«

Ich wechsele zu *Deitsch*. »Meinst du mit alle die *Amischen*?«
Sie nickt.

»Was sagen sie denn?«

»Nur dass keiner weiß, was passiert ist. Sie haben Angst und sind traurig.«

Ich nicke. »Kannst du dir einen Grund vorstellen, warum er umgebracht wurde?«

»Nein.«

»Weißt du, wer ihn umgebracht hat?«

»Natürlich nicht.« Sie starrt mich an, als hätte ich sie des Mordes beschuldigt. »Kriege ich jetzt Schwierigkeiten?«

»Ich tue dir einen Gefallen und lasse dich ungeschoren davonkommen, obwohl du abhauen wolltest. Ich weiß, dass du Angst hattest«, sage ich. »Aber lauf in Zukunft nicht vor der Polizei weg. Wir sind hier, um den Menschen zu helfen, nicht, um ihnen zu schaden, okay?«

Sie lässt den Kopf hängen und nickt. »Bitte, sagen Sie meinen Eltern nicht, dass ich das aufs Foto gemalt habe.«

Hinter einem Gülleverteiler auf dem Schotterplatz nahe beim großen Farmhaus halte ich an und stelle den Motor ab. Einer meiner Grundsätze bei der Interaktion mit einem Jugendlichen ist, den Eltern oder Erziehungsberechtigten keine Informationen vorzuenthalten. Andererseits ist das Beschriften eines Fotos weder illegal noch relevant und liegt somit außerhalb meines Verantwortungsbereichs.

»Wie wäre es, wenn du deinen Eltern erzählst, was passiert ist?«, sage ich. »Klingt das fair?«

Sie blickt weg, nickt.

Ich gebe ihr meine Visitenkarte mit der Handynummer auf der Rückseite. »Christina, wenn dir noch etwas Wichtiges einfällt, das du vergessen hast, mir zu sagen, oder wenn du über irgendetwas einfach nur reden willst, rufst du mich dann an?«

Erneutes Nicken.

»Ich verspreche, dass ich dir zuhören werde, okay?«

Ohne zu antworten, öffnet sie die Tür und steigt aus. Sie dreht sich kurz um, sieht mich an, dann schlägt sie die Tür zu und läuft, so schnell sie kann, zum Haus.

11. KAPITEL

Kriminelle haben schreckliche Arbeitszeiten. Sie arbeiten nachts, an den Wochenenden oder Feiertagen, sind irgendwo da draußen unterwegs und richten Unheil an. Kurz bevor ich meine Laufbahn als Polizistin anfing, habe ich in Columbus einen altgedienten Officer auf seiner Streife begleitet. Ich werde nie vergessen, was er damals gesagt hat: »Wenn Sie sehen wollen, was läuft, fahren Sie in der Nachtschicht mit«, meinte er. »Dann kommen die Zombies raus, und Sie kriegen mit, was nach Sonnenuntergang wirklich passiert. Erst dann werden Sie wissen, ob Sie das Zeug zur Polizistin haben.«

Es ist einundzwanzig Uhr und ich bin auf dem Weg nach Hause, freue mich auf die Dusche, eine Mahlzeit und ein paar Stunden Schlaf, als mich der Anruf über Funk erreicht.

»Zehn-zehn«, meldet Jodie von der Abendschicht in der Telefonzentrale. Schlägerei im Gange.

Skid hat bis Mitternacht Dienst und ist absolut fähig, mit einer Schlägerei umzugehen, natürlich abhängig von der Anzahl der Beteiligten. Aber als Jodie die Adresse durchgibt – die alte Tankstelle, in der Vernon Fisher wohnt –, wird mir klar, dass ich so bald nicht nach Hause kommen werde.

Ich greife zum Hörer des Autofunks. »Zehn-sechsundsiebzig«, sage ich und damit, dass ich auf dem Weg dorthin bin. »Wer ist die MP?« Die meldende Person.

»Ricky Shafter. Er hat auf dem Heimweg von der Arbeit gesehen, wie sich in der Einfahrt ein paar Kerle prügeln, und angerufen, weil vielleicht jemand verletzt werden könnte, Chief.«

Ich wende mich an Skid. »Zehn-fünfundzwanzig«, sage ich, was heißt, dass wir uns dort treffen.

»Bin auf dem Weg«, antwortet er.

Ich brauche vier Minuten bis zu Fishers stillgelegter Tankstelle und sehe sofort den Tumult vor dem Rolltor. Das Licht meiner Scheinwerfer fällt auf mindestens zwei Männer, die sich am Boden wälzen, und auf ein halbes Dutzend junge Männer, die mit Bier in der Hand drumherumstehen und sie anfeuern.

»Mist«, murmele ich, stelle den Motor ab und steige aus.

»Polizei!«, rufe ich.

Als ich sie erreiche, haben sich die Kämpfer bereits getrennt. Vernon Fisher steht am Rolltor, die Haare zerzaust und das Polohemd schweißnass und verdreckt. Der Kragen hängt runter und ist auf das dreifache seiner normalen Größe gedehnt. Wayne Graber steht gleich um die Ecke des Gebäudes, wo er vornübergebeugt nach Luft schnappt, als wäre er gerade eine Meile in vier Minuten gelaufen.

Drei der Umstehenden kenne ich von meinem letzten Besuch hier, die anderen drei sind mir unbekannt, mindestens zwei davon sind amisch. Alle sehen mich an, offensichtlich aufgeputscht durch Alkohol, Adrenalin und Testosteron. Einer der Amischen lehnt mit einer Flasche Tequila in der Hand an der Wand neben dem Rolltor.

Ich zeige auf ihn. »Wer hat sich geprügelt?«

Er schreckt zusammen, blickt sich um, will keinem seiner Kumpel Ärger machen. »Äh … sie haben bloß … rumgealbert.«

Ich sehe Fisher an. »Sie«, ich zeige auf die Außentür des Büros. »Sie stellen sich neben die Tür und rühren sich nicht von der Stelle. Jetzt.«

Wut blitzt in seinen Augen auf, und einen Moment lang glaube ich, er widersetzt sich meiner Anweisung – oder geht mich an. Doch trotz der Auswirkungen des Alkohols beherrscht er sich, tritt zurück und bewegt sich Richtung Tür.

Ich will gerade zu Graber gehen, als Scheinwerfer seitlich über das Gebäude streifen. Ich drehe mich um und sehe Skids Streifenwagen, der, Staub aufwirbelnd, hinter meinem Explorer hält. Die Tür fliegt auf, und Skid kommt auf mich zu. »Chief?«

Ich zeige mit dem Daumen auf Fisher, senke die Stimme. »Ich glaube, er hat sich geprügelt. Fragen Sie ihn danach. Ich rede mit Graber.«

»Ich hab mich nicht geprügelt!«, knurrt Fisher.

»Ruhig bleiben.« Skid geht zu ihm hin, zeigt auf seinen Streifenwagen. »Gehen wir.«

Zwei der Umstehenden kommen auf mich zu, in den Augen jene Respektlosigkeit, die schnell in Feindseligkeit umschlagen kann. Sie sind zu betrunken, um sich klarzumachen, dass jeder körperliche Kontakt mit mir eine schlechte Idee ist. Ich hebe die Hand, zeige mit dem Finger auf sie. »Machen Sie keine Dummheiten, verstanden?«

Während ich an ihnen vorbeigehe, schaue ich jedem von ihnen direkt ins Gesicht, sehe ihr Grinsen, die unverhohlene Häme und Anmaßung darin – sie genießen die Situation jedenfalls mehr als ich.

Ich behalte sie weiter im Blick, als ich mich Graber nähere. Noch immer vornübergebeugt und die Hände auf die Knie gestützt, hebt er den Kopf und sieht mich an, murmelt: »Scheiße.«

»Warum prügeln Sie sich mit Fisher?«, frage ich.

Kopfschüttelnd richtet er sich auf. »Wir hängen hier einfach nur zusammen ab, Chief Burkholder.«

Sein Hemd sieht aus, als hätte jemand versucht, es ihm vom Leib zu reißen. In Bauchhöhe fehlen einige Knöpfe, so dass dunkle Haare zum Vorschein kommen. Unter seinem linken

Nasenloch ist Blut, neben der Augenbraue eine münzgroße Schürfwunde.

»Lügen Sie mich nicht an.«

»Wir haben uns nicht geprügelt.«

»Ich hab es gesehen, Wayne, als ich in die Einfahrt eingebogen bin.«

Er wirft mir einen betretenen Blick zu. »Okay, wir haben ein paar Bier getrunken, haben unsere Späße gemacht. Dann haben wir angefangen, über MMA zu reden, Sie wissen schon, Kampfsport, Käfigkämpfe, und da ist dann eins zum anderen gekommen.«

Ich lache. »Sie glauben doch nicht im Ernst, dass ich Ihnen das abnehme?«

»Es ist die Wahrheit.« Sichtlich unwohl, tritt er von einem Fuß auf den anderen. »Der Tequila hat wahrscheinlich nicht gerade geholfen.«

Da ich aus dem Augenwinkel sehe, wie die anderen Männer ihre Hälse recken und die Ohren spitzen, zeige ich auf meinen Wagen. »Kommen Sie mit.«

»Sie verhaften mich doch nicht, oder?«, fragt er.

»Weiß ich noch nicht.«

Graber wirft die Hände hoch und setzt sich in Gang. »Das ist ein Haufen Scheiße.«

»Da kann ich Ihnen nur zustimmen.«

Ich folge ihm zum Explorer, wobei ich mich frage, ob es bei dem Streit um den Pick-up ging, um Emily Byler oder ob er auf irgendeine andere Weise mit dem Mord an Aden Karn zu tun hatte.

»Legen Sie die Hände auf den Kotflügel«, sage ich, als wir da sind, »und die Füße auseinander.«

Seufzend gehorcht er. »Ich hab nichts bei mir.«

»Das werden wir gleich sehen.« Ich gehe nicht davon aus,

eine Waffe zu finden oder dass er irgendwelche Probleme macht. Aber ich ziehe das Standardprogramm durch, hauptsächlich, um ihm klarzumachen, dass das Auftauchen der Polizei kein Witz ist.

»Sie können sich umdrehen«, sage ich.

Er folgt meiner Aufforderung, lehnt sich an den Kotflügel und verschränkt sichtlich gereizt die Arme vor der Brust.

»Ihnen ist schon klar, dass ich Sie beide sofort ins Gefängnis stecken kann.«

»Ja, das hab ich verstanden.« Düster schaut er zu Boden und schüttelt den Kopf. »Ich weiß nicht, was ich sonst sagen soll, Chief Burkholder. Wir haben nichts angestellt und wollen ganz sicher keinen Ärger bekommen.«

»Vor zwei Tagen waren Sie und Vernon Fisher Erzfeinde und haben sich um ein Auto gestritten. Jetzt sind Sie plötzlich Saufkumpane? Wrestling-Partner?«

»Also gut, er ist ein Idiot. Wir hatten eine berechtigte Meinungsverschiedenheit … Ich meine, bevor – « Er bricht den Satz ab. »Nach dem, was mit Aden passiert ist … Ich hatte einfach keine Lust, mich mit ihm rumzuärgern, und hab ihm sein verdammtes Geld zurückgegeben.«

»Heute Abend?«

»Ja.«

Ich warte darauf, dass er das näher ausführt. Als er schweigt, frage ich: »Wenn Sie die Sache wieder in Ordnung gebracht haben, warum dann die Prügelei?«

»Dass wir ein Problem gelöst haben, heißt ja nicht zwangsläufig, dass wir uns mögen.«

Klingt plausibel. Ich kann nicht wissen, ob er das Blaue vom Himmel lügt, die Wahrheit sagt oder irgendwas dazwischen. Aber ich bin lange genug dabei, um zu wissen, dass er mir nicht die ganze Geschichte erzählt.

»Hat Ihre Abneigung etwas mit Aden Karn zu tun?«, frage ich.

»Es geht nicht um Aden.«

»Und was ist mit Emily Byler?«, frage ich, werfe einen Köder aus.

»Was soll mit ihr sein?«

»Fisher steht auf sie, und jetzt ist Aden tot.«

Er wirft mir einen irritierten, düsteren Blick zu. »Ich hab nichts mehr zu sagen.«

»Ich hab mit einer Menge Leute über Aden gesprochen und immer wieder gehört, was für ein prima Kerl er war – dass er keinen Unfug gemacht hat. Sein einziges Problem schien die Sache mit dem Auto zu sein – und Emily.« Ich zeige auf Fisher. »Und jetzt erwische ich Sie und Fisher bei einer Prügelei. Was soll ich denn da denken?«

Zornesröte überzieht sein Gesicht. »Was zum Teufel wollen Sie von mir?«

»Die Wahrheit wäre ein guter Anfang.«

»Ich hab Aden geliebt wie einen Bruder.« Zum ersten Mal schwingen Gefühle in seiner Stimme mit. »Es vergeht keine Minute, in der ich nicht an ihn denke. Oder mir wünsche, dass er noch da wäre.« Selbst als seine Stimme bricht, ballt er die Hände zu Fäusten, ist seine Wut auf mich fokussiert, als wäre ich für seinen Schmerz verantwortlich.

Er ist am Ende, also gebe ich ihm noch einen letzten Schubs. »Ich werde hier an der Nase herumgeführt, und das gefällt mir nicht.«

»Sie wollen die Wahrheit?«, knurrt er. »Dann machen Sie Ihre verdammten Hausaufgaben.«

»Warum helfen Sie mir nicht dabei und zeigen mir die richtige Richtung?«

»Wenn Ihnen die Wahrheit so wichtig ist, dann sollten Sie mich vielleicht in Ruhe lassen und mit Emily Bylers Ex reden.«

Sofort werde ich hellhörig. Ich hatte zwar nach der Existenz eines Ex-Freundes gefragt, aber keiner hatte dazu etwas gesagt oder mir einen Namen genannt. »Wer ist das?«

»Probieren Sie's doch mal mit Gideon Troyer.«

Ich traue meinen Ohren kaum. Gideon Troyer ist der Enkel des Bischofs, eines geradezu sakrosankten Mannes, der seit meiner Kindheit unserer Kirchengemeinde vorsteht. In dem Moment fällt mir auch die Reaktion Clara Bylers ein, als ich sie nach einem Ex-Freund Emilys gefragt hatte. Plötzlich verstehe ich auch ihr Unbehagen und ihr Schweigen.

»Vor Aden war Emily mit Gideon zusammen?«, frage ich.

»Tja, ist wohl eine unbequeme Wahrheit.«

Ich überlege, was ich über Gideon weiß. Er wohnt noch hier in der Gegend, ich hab ihn ein- oder zweimal wegen überhöhter Geschwindigkeit angehalten … Ich fixiere Wayne mit meinem Blick. »Er ist eine ganze Ecke älter als Emily, oder?«

Waynes Lachen klingt bitter. »Darüber will auch keiner reden, stimmt's?«

»Gab es Probleme zwischen Aden und Gideon?«

»Außer dass Gideon ein eifersüchtiger Mistkerl war?« Sein Blick wird hart. »Und trotzdem schikanieren Sie mich und den Idioten Fisher.«

Ich ignoriere den Seitenhieb, hole mein Notizbuch hervor, notiere den Namen und unterstreiche die Worte *Eifersucht* und *Alter*. »Warum haben Sie das nicht schon bei unserem letzten Gespräch erwähnt?« Doch die Antwort kenne ich bereits.

»Für eine ehemalige Amische ist das eine echt dumme Frage.« Ein bitterer Ausdruck verzerrt seinen Mund. »Sie wissen doch genauso gut wie ich, dass es in dieser Gemeinde nicht einen Menschen gibt, der den amischen Schweigekodex bricht, und schon gar nicht, wenn es um einen Mann namens Troyer geht.«

12. KAPITEL

Wenn man in einer Kleinstadt wie Painters Mill lebt und dann auch noch Polizistin ist, kennt man so ziemlich alle Einwohner – oder weiß zumindest etwas über sie. Gideon Troyer kenne ich seit meiner Kindheit aus dem einfachen Grund, weil ich amisch war und er Bischof Troyers Enkelsohn. Gut kannte ich ihn aber nie; er ist ein ganzes Stück jünger, zudem männlich, so dass sich unsere Wege nie gekreuzt haben. Als Polizeichefin weiß ich nur, dass er ein ruhiges Leben führt und noch nie Ärger mit dem Gesetz hatte.

Als ich gestern Abend endlich zu Hause war, habe ich noch ungefähr eine Stunde damit zugebracht, die immer dicker werdende Akte über den Mord an Aden Karn durchzugehen. Doch mein Versuch, irgendeine Verbindung zu Gideon Troyer zu finden, ist kläglich gescheitert. Ich habe seinen Namen durch die relevanten Datenbanken laufen lassen, nur um festzustellen, dass ich recht hatte: Es existiert keine Polizeiakte über ihn, er wurde niemals verhaftet und hat nicht einmal einen Strafzettel bekommen. Die einzigen Informationen, die ich über ihn gefunden habe, waren sein Alter und seine Adresse. Als einfach nichts zu finden war, habe ich die sozialen Medien gecheckt. Die meisten Menschen gehen davon aus, dass Amische privat nicht online gehen, was für die Mehrheit der Gläubigen auch zutrifft. Aber während der *Rumspringa* oder wenn findige Erwachsene beruflich Zugang zu einem Computer oder Handy haben, wird der eine oder andere sicher schwach. Diesen Gedanken im Hinterkopf, scrolle ich mehrere Stunden lang durch Seite um Seite hirnamputiertes Zeug und erfahre mehr, als ich je wissen wollte.

Als ich dann schließlich im Bett lag, klingelte irgendwann Tomasettis Handy. Ich erinnere mich vage, dass er, eine Entschuldigung murmelnd, aufstand und mir einen Kuss auf die Wange drückte, bevor er ging.

Jetzt bin auch ich wieder unterwegs. Es ist kurz nach sieben Uhr, als ich in Gideon Troyers Straße einbiege, einem schmalen Weg mit Maisfeldern rechts und links. Sofort fällt mein Blick auf den Heber eines Maispflückers, mit dem gerade die Kolben abgeerntet werden. Ich halte an und steige aus, wobei mich das Geschepper des Pflückers empfängt, mit dem immer nur eine Reihe auf einmal gepflückt werden kann und der von zwei alten Kaltblütern gezogen wird. Hinten am Pflücker ist ein Wagen angehängt, auf dem die gesäuberten Maiskolben über ein Förderband landen. Ein amischer Mann steht mit den Zügeln in der Hand auf dem Trittbrett des Maispflückers und lenkt die Pferde zwischen den Reihen hindurch. Für ein Feld dieser Größe dauert die Ernte, eine mühsame, körperlich anstrengende Arbeit, mehrere Tage von frühmorgens bis spätabends.

Ich durchquere den Straßengraben und klettere am Feldrand über den Zaun. Es kann durchaus sein, dass er nicht anhält, und ehrlich gesagt, würde ich ihm das nicht übelnehmen. Trotzdem bleibe ich am Zaun stehen und warte. Von meiner Recherche weiß ich, dass Gideon Troyer vierundzwanzig Jahre alt ist, blaue Augen und blonde Haare hat, die jetzt unter seinem Strohhut herausragen. Die Beschreibung der Kfz-Zulassungsstelle in Ohio stimmt also.

Erleichtert höre ich über das Rattern des Maispflückers hinweg sein lautes: »Brr!«

»Sieht nach einer guten Ernte aus«, rufe ich ihm auf *Deitsch* zu und gehe zu ihm hin.

»Gott hat uns viel Regen im Frühjahr geschenkt und einen schön trockenen Herbst.« Er wickelt die Lederzügel um einen Holzknauf und steigt herunter. »Sind Sie wegen Aden gekommen?«, fragt er auf Englisch.

Ich nicke. »Dann wissen Sie also, was passiert ist.«

»Alle Amischen wissen das«, sagt er.

»Ich habe nur einige Fragen und halte Sie nicht lange von der Arbeit ab.«

Er blickt zu den Pferden. »Die können sowieso eine Pause gebrauchen.«

Ich stelle ihm die zentralen Fragen, die er alle, ohne zu zögern, beantwortet: Er kennt Karn schon fast sein ganzes Leben lang; sie sind zusammen zur Schule gegangen, waren aber nicht befreundet; das letzte Mal hat er Karn vor ein paar Wochen beim Gottesdienst gesehen, doch sie haben nicht miteinander gesprochen. Troyer scheint ein geradliniger, ernsthafter Mann zu sein, den seine Maisernte mehr interessiert als meine Fragen – oder was mit Karn passiert ist.

»Es heißt, Sie seien eine Zeitlang mit Emily Byler befreundet gewesen«, sage ich.

»Aha.« Er legt den Kopf schief, sieht mich unter der Hutkrempe hervor an. »Deshalb sind Sie hier.«

Ich nicke. »Ich befrage alle, die mit Karn Kontakt hatten.«

Er blickt hinaus übers Feld, wendet mir dann den Kopf ruckartig zu. »Ich habe Emily eine Weile den Hof gemacht.«

»Es heißt, es sei mehr als das gewesen.«

»Ich dachte, es wäre etwas Ernstes. Immerhin bin ich in dem Alter, in dem ein Mann anfängt, über eine Frau nachzudenken, über eine Familie.«

»Sie haben um ihre Hand angehalten?«

»Sieht so aus.« Er seufzt, blickt hinüber zu den Pferden und wieder zu mir. »Em hatte wohl andere Pläne.«

»Was meinen Sie damit?«

Er schaut finster drein, gibt mir zu verstehen, dass die Frage zu persönlich ist. Aber er ist klug genug, um zu wissen, dass ich eine Antwort erwarte. »Aden hatte seine eigenen Ideen davon, ihr den Hof zu machen, und hat sich schwer ins Zeug gelegt. Sie haben hinter meinem Rücken weiter rumgemacht und mich im Dunkeln gelassen.«

»Haben Sie mit ihr geschlafen?«

»Dazu werde ich nichts sagen.«

»Haben Aden und Emily miteinander geschlafen?«

»Das müssen Sie sie schon selber fragen.«

»Wie ging es Ihnen damit?«

»Ich weiß wirklich nicht, was Sie von mir hören wollen, Chief Burkholder. Es hat mir nicht gefallen. Der Typ hat mir mein Mädchen weggeschnappt, direkt vor meinen Augen. Sie haben es hinter meinem Rücken getrieben und mich zum Narren gehalten.«

»Haben Sie Aden zur Rede gestellt?«

Er zieht ein Taschentuch aus der Hosentasche und wischt sich den Schweiß vom Nacken.

»Was glauben Sie denn?«

»Dass Sie die Frage beantworten sollten.«

»Okay, ja, ich hab ihn zur Rede gestellt. Wir hatten eine Auseinandersetzung, und ich hätte ihm am liebsten eine reingehauen oder noch schlimmer, aber das hab ich nicht. Ich bin amisch, und das ist nicht unsere Art. Sie sollten das eigentlich wissen, aber ich bin nicht sicher, ob Sie das tun.«

»Haben Sie ihm gedroht?«, frage ich.

»Ich hab gesagt, er soll sich von meinem Mädchen fernhalten.«

»Waren Sie jemals in Karns Haus?«

»Nur das eine Mal«, sagt er.

»Wann haben Sie ihn das letzte Mal gesehen?«

»Das hab ich Ihnen schon gesagt, vor drei Wochen beim Gottesdienst.«

»Wo waren Sie am Morgen des zweiten Oktobers?«, frage ich.

»Ich war hier.« Er zeigt zum Maispflücker. »Hab an dem Ding ein Rad repariert, hat mich zwei Tage gekostet.«

»Kann das jemand bestätigen?«

»Vermutlich nicht. Die Pferde sind nicht sehr gesprächig.«

Ich nicke. »Besitzen Sie eine Armbrust?«

Er lacht. »O Mann, Sie glauben anscheinend *wirklich*, dass ich es war.«

»Es wäre schön, wenn Sie einfach nur meine Frage beantworten.«

»Ich hab einen Kompositbogen, sogar einen richtig schönen. Hab über die Jahre ein Dutzend Rehböcke damit geschossen.«

»Haben Sie ihn vor kurzem benutzt?«

»Das letzte Mal vor einem Jahr, in der Jagdsaison. Hab damit einen Zehnender erwischt.« Er sieht mich an und seufzt. »Aber eins hab ich nicht damit gemacht, nämlich Aden Karn erschossen.« Er blickt über die Schulter hinweg zu den beiden Pferden. »Ich muss weiterarbeiten.«

Ich habe meine Visitenkarte schon in der Hand. »Wenn Ihnen noch etwas Wichtiges einfällt, rufen Sie mich dann an?«

Ohne einen Blick auf die Karte zu werfen, schiebt er sie kopfschüttelnd in seine Tasche und geht.

* * *

Eifersucht ist ein machtvolles Gefühl, besonders wenn sie von einem unreifen, unsicheren oder gewalttätigen Verstand Besitz ergreift. Und Untreue ist obendrein eine besonders demütigende Form von Verrat und der Grund für unzählige Morde.

Gideon Troyer hatte guten Grund, wütend auf Aden Karn zu sein, und seine Eifersucht war gerechtfertigt. Dass er es sofort zugegeben hat, als er darauf angesprochen wurde, schließt ihn aber nicht automatisch als Verdächtigen aus. Manche Menschen entscheiden sich stellenweise für die Wahrheit, weil sie glauben, dass ihre Lügen damit glaubwürdiger erscheinen. Für gewöhnlich sind das jene Menschen, denen es besonders gut gelingt, das Böse, das in der dunkelsten Ecke ihres Herzens lauert, zu verbergen.

Als ich vor der Byler-Farm aus dem Wagen steige, schlägt mir der Gestank von Schweinegülle entgegen. Auf halbem Weg zum Haus höre ich meinen Namen rufen und drehe mich um. Clara Byler kommt auf mich zu, einen Drahtkorb voller Eier auf die Hüfte gestützt.

»Ihre Hühner sind offensichtlich gute Produzentinnen«, sage ich und gehe ihr entgegen.

»Genug fressen tun sie jedenfalls.« Die amische Frau lächelt zwar, doch ihr Gesichtsausdruck verrät, dass mein Anblick sie nicht erfreut. »Ich will Nudeln zum Abendessen machen.«

»Wie geht es Emily?«, frage ich.

»Das Ganze macht ihr schwer zu schaffen.« Sie blickt zum Haus. »In zwei Tagen ist die Beerdigung. Sie ist vollkommen aufgelöst und weint den ganzen Tag.« Sie seufzt. »*Bloosich.*« Deprimiert.

»Ich weiß, das ist jetzt kein guter Zeitpunkt, aber ich muss ihr ein paar Fragen stellen.«

Sie presst die Lippen zusammen, sagt nichts.

»Über Gideon Troyer.«

Sie sieht mich an. »Oh.«

Wäre ich nicht auf ihre Reaktion gespannt gewesen, hätte ich das kurze Zucken beim Namen Troyers nicht bemerkt.

Sie blickt hinab auf ihren Eierkorb.

Der amische Schweigekodex, denke ich.

»Sie haben mit Gideon gesprochen?«, fragt sie wenig später.

»Vor einer Stunde.«

Sie legt die Hand auf den Mund. »Hat er …«

»Ich kann Ihnen lediglich sagen, dass wir in viele Richtungen ermitteln und noch niemanden verhaftet haben. Im Moment sind Informationen das Wichtigste, um meine Arbeit erledigen zu können.«

Sie verzieht das Gesicht, nickt.

Ich sehe demonstrativ zum Haus. »Ich würde Emily nicht sprechen wollen, wenn es nicht wichtig wäre.«

»*Sitz dich anne.*« Setzen Sie sich da hin. Sie zeigt zu der großen Ulme im seitlichen Garten, unter der ein Tisch und Bänke stehen. »Tut ihr vielleicht ganz gut, mal draußen zu sein und ein bisschen frische Luft und Sonne abzukriegen. Ich hole sie.«

Es vergehen fast zehn Minuten, bevor ich die Fliegengittertür zuschlagen höre und sehe, dass Emily die Stufen herunter und auf mich zukommt. Sie ist hagerer als bei unserer ersten Begegnung, auf Stirn und Kinn blühen entzündete Aknepickel, und unter der nicht ganz sauberen *Kapp* hängt eine fettige Haarsträhne heraus. Sie bewegt sich wie in Zeitlupe, und ihre Augen sind matt wie angelaufenes Messing.

»Hi.« Als sie vor mich tritt, stehe ich auf. »Wie kommst du zurecht?«

»Geht so.« Mit hängenden Schultern schiebt sie sich auf die Bank mir gegenüber.

»Ich weiß, du machst eine schwere Zeit durch, und ich werde dich nicht lange aufhalten.« Ich setze mich wieder hin. »Bevor Aden dein Freund wurde, warst du mit Gideon Troyer zusammen.«

Sie reißt die Augen auf und blickt sich um, als suche sie ein Loch, in dem sie verschwinden kann. »Oh … na ja.«

150

»Ist okay«, sage ich. »Du kannst mit mir reden.«

»Wir … sind ein paarmal zusammen ausgegangen, auf ein Fest oder zu einem Singen, solche Sachen.«

Als Singen wird das gesellige Beisammensein amischer Jugendliche bezeichnet, das gewöhnlich nach dem gemeinsamen Sonntagsgottesdienst stattfindet. Dabei versammeln sich unverheiratete junge Leute, singen Lieder und lernen sich kennen. In den Sommermonaten werden zuweilen Volleyballnetze gespannt, und Jungs und Mädchen spielen zusammen.

»Wie ernst war eure Beziehung?«, frage ich.

»Sie war … ich meine … nicht so ernst.«

Eine vage Antwort. Fällt es ihr schwer, über Troyer zu sprechen, weil er der Enkel des Bischofs ist? Oder weil sie ihn betrogen hat? »Ich weiß, wer er ist«, sage ich. »Was wir beide heute bereden, behandle ich, wenn ich kann, vertraulich, okay?«

Sie schluckt, nickt.

»Wie ernst war eure Beziehung?«

»Wir mochten uns.«

»Wer hat mit wem Schluss gemacht?«, frage ich.

»Ich mit ihm. Also Gideon war nett, aber als ich dann Aden begegnet bin …« Sie seufzt, als erinnere sie sich daran. »Ich wusste sofort, dass er der Richtige ist, und *Mamm* und *Datt* mochten ihn auch mehr. Sie fanden, dass Gideon zu alt für mich war.«

»Wie hat Gideon reagiert, als du Schluss mit ihm gemacht hast?«

»Na ja, erfreut war er nicht, eher verletzt als wütend.« Sie zieht die Brauen zusammen. »Ich glaube, er hat das verstanden.«

»Hast du eine Zeitlang beide Männer gleichzeitig getroffen?«

Sie wird rot, womit sie bestätigt, was ich bereits weiß. »Ich wollte es nicht, aber Aden war so … gut zu mir. Und Gideon … er ist immer wieder angekommen …«

Sie senkt den Blick. »Schon möglich, dass Gideon ein bisschen eifersüchtig war, jedenfalls anfangs. Er gibt nicht so schnell auf. So ist er nun mal. Stark, wissen Sie. Wie sein *Dawdi*.« Großvater.

»Haben Aden und Gideon sich gestritten oder geprügelt?«, frage ich. »Irgendwas in der Art?«

»Nicht, dass ich wüsste.«

Mit Blick auf mein Notizbuch, wechsele ich die Richtung. »Emily, als ich das letzte Mal hier war, haben wir über Aden und Vernon Fisher gesprochen.«

»Ja.«

»Gibt es einen Grund, warum du mir nicht gesagt hast, dass sie gute Freunde waren?«

Sie spannt die Schultern an, nur ganz kurz, aber ich bin auf solche kleinen, vielsagenden Reaktionen aus, und diese entgeht mir nicht. »So gut auch wieder nicht«, murmelt sie.

»Aber doch Freunde, oder?«, frage ich.

»Ja, schon. Sie haben manchmal zusammen abgehangen, in der runtergekommenen alten Tankstelle.«

»Haben sie sich gut verstanden?«

»Ganz gut, ja.«

»Warst du auch manchmal mit dabei?«

Diesmal zuckt sie zusammen, ein merkwürdiger Ausdruck huscht über ihr Gesicht, den ich nicht deuten kann, und die Akne erblüht noch röter auf ihrer blassen Haut. Das alles weckt meine Neugier, und in meinem Kopf flüstert eine kleine Stimme: *Da ist etwas.*

»Ich war ein paarmal da«, sagt sie. »Mit Aden zusammen.«

Ich warte, dass sie mich ansieht, aber das tut sie nicht. »Hast du dich mit Vernon verstanden?«

Jetzt hebt sie den Blick, und zum ersten Mal ist auch der dumpfe Ausdruck darin verschwunden, verdrängt von einer Schärfe, die mich überrascht. »Ich mochte ihn nie besonders«, sagt sie.

»Warum nicht?«

»Er ist ein … *leshtah-diah*.« Ein Lästermaul.

Das ist ein archaischer *deitscher* Ausdruck und bezeichnet im Grunde eine Person, die schlecht über Gott spricht oder ein schlechter Mensch ist – vermutlich meint Emily Letzteres.

»Wieso das?«, frage ich.

Sie zieht die Brauen zusammen, überlegt. »Die ganzen Typen, die da in der Tankstelle abhängen, trinken immer nur und lachen und missbrauchen den Namen des Herrn. Sie sind unflätig und grob. Und Vernon ist einer, der hinter deinem Rücken Witze über dich reißt. Ich fand es immer besser, wenn Aden hierherkam, wo es ruhig war und wir reden konnten.« Bei der Erinnerung laufen Tränen über ihre Wangen, und sie senkt den Kopf.

»Wusste Aden, dass du Vernon nicht magst?«

»Ich hab's nie wirklich gesagt«, murmelt sie.

Da ist etwas …

»Es heißt, Vernon hätte sich in dich verguckt. Stimmt das?«

»Davon weiß ich nichts.«

»Hat er jemals einen Annäherungsversuch gemacht?«, frage ich. »Oder sich ungehörig verhalten?«

Sie sieht mich wieder an, wird rot, und über ihrer Oberlippe und auf der Stirn bildet sich ein leichter Schweißfilm. Es ist nicht übermäßig warm, und ich weiß nicht, ob sie aus Unbehagen schwitzt, aus Stress oder ob sie sich einfach krank fühlt.

»Nie.«

»Hat einer der anderen Männer sich dir gegenüber jemals ungebührlich verhalten?«

Es sieht aus, als wollte sie gerade den Kopf schütteln, hält aber inne, als besinne sie sich eines Besseren. »Ich hab gewusst, dass sie hinter vorgehaltener Hand schlecht über mich reden. Die Niedertracht in ihren Augen war nicht zu übersehen.«

»Wie fand Aden das denn?«, frage ich.

Sie blickt weg. »Ihm hat es sicher nicht gerade gefallen.«

»Aber gesagt hat er nichts?«

»Wir haben nie darüber gesprochen.« Sie zuckt mit den Schultern. »Vielleicht hat er es nicht mitbekommen.«

Da ist etwas …

Ich versuche es weiter. »Wurde Aden von einem der Männer in der Tankstelle angefeindet? Haben sie ihn wegen eurer Beziehung aufgezogen?«

»Hätte einer von ihnen etwas Unangemessenes gemacht, hätte Aden ihm die Stirn geboten«, sagt sie mit Nachdruck. »Er war mutig, er wäre für mich eingetreten.«

»Ist das jemals nötig gewesen?« Ich weiß nicht genau, wohin meine Fragen zielen, aber ich will sie am Reden halten, um Klarheit über die Dynamik der Beziehungen zu bekommen. Zwischen ihr und Aden – aber besonders hinsichtlich Vernon Fisher und den anderen Akteuren.

»Nein«, sagt sie, wobei ihr Gesichtsausdruck unterschiedliche Botschaften aussendet. »Die anderen sind einfach nur ein vulgärer Haufen. Sie machen mit dieser ekligen Puppe rum. Dieser Gummipuppe, wissen Sie. Reden von ihr wie von einer echten Frau. Das mochte ich nicht.«

Ich sehe sie genau an, versuche, zwischen den Zeilen zu lesen. »Und was hat Aden zu alledem gesagt?«

»Er mochte dieses ganze Gehabe genauso wenig wie ich. In der Hinsicht war er wirklich gut, gut zu mir. Er war immer gut, wissen Sie, immer.«

154

»Warum hast du ihm nicht gesagt, dass du nicht gern dort hingehst?«

In dem Moment steht Emily abrupt auf, blickt sich um, als wüsste sie nicht, warum sie aufgestanden ist und was sie jetzt tun soll. »Ich möchte nicht mehr darüber reden«, flüstert sie.

Ich erhebe mich ebenfalls. »Danke trotzdem, dass du dich mir gegenüber geöffnet hast.«

Ich habe den Satz noch nicht beendet, da dreht sie sich um und rennt zum Haus.

13. KAPITEL

Eigentlich ist es ein Ding der Unmöglichkeit, Polizistin zu sein, wenn man früher amisch war. Ich repräsentiere zwei Welten, die unvereinbar sind und auf tiefgreifende Weise miteinander kollidieren. Sie lehnen sich gegenseitig kategorisch ab, Versöhnung ist ausgeschlossen. Trotz aller Anstrengungen ist es kaum möglich, die Gräben zwischen diesen beiden Welten zu überbrücken.

Es ist die Kluft zwischen diesen beiden Welten, die mir jetzt auf dem Weg zur Farm meines Bruders so schwer zu schaffen macht. Inmitten einer laufenden Mordermittlung und mit einem Killer auf freiem Fuß, ist meine Hochzeit – obwohl wichtig – das Letzte, womit ich mich jetzt befassen will. Aber Tomasetti und ich überlegen seit Wochen, ob die Feier auf unserer Farm oder der meines Bruders stattfinden soll, dem Ort, an dem ich aufgewachsen bin. Heute sind wir hier mit Jacob und Irene, meiner Schwägerin, verabredet, um eine endgültige Entscheidung zu treffen.

Die schlechte Nachricht ist, dass ich eine Stunde zu spät und erschöpft bin, weil ich seit fünf Uhr morgens auf Hochtouren laufe und der Tag einfach zu kurz ist. Mein Bruder und Tomasetti haben sich bisher nur ein paarmal gesehen. Sie sind dabei zwar zivilisiert miteinander umgegangen, aber die Atmosphäre war angespannt und ich entsprechend nervös. Beide Männer sind starke Persönlichkeiten mit festen Überzeugungen, die kein Problem haben, sie auch zu vertreten. Die Vorstellung, dass sie ohne mich als Vermittlerin bereits eine

156

ganze Stunde zusammen verbringen, erfüllt mich mit leichter Besorgnis.

Ich achte weder auf die Apfelplantage noch auf das goldene Pampasgras entlang der Schotterstraße und halte am Ende neben einem alten Gülleverteiler an. Tomasettis Tahoe ist nirgends zu sehen. Ob ich enttäuscht oder erleichtert bin, dass er schon fort ist, kann ich nicht sagen. Als ich dann im Eilschritt zum Haus laufe, höre ich jemanden meinen Namen rufen.

Irene steht, einen Korb auf die Hüfte gestützt, vor der Wäscheleine.

»Suchst du die Männer?«

»Tut mir leid, dass ich zu spät bin.« Ich gehe zu ihr, hoffe, weniger fertig auszusehen, als ich mich fühle. »Die Ermittlungen haben sich hingezogen.«

»Wenn ich nicht irre, haben sie sich bereits geeinigt«, sagt sie.

»Ich hab nirgendwo Blut gesehen, als ich ausgestiegen bin, also …« Mein Versuch zu lächeln scheitert kläglich.

Irene lacht trotzdem. »Dein Freund weiß, was er will, stimmt's?«

»O ja!«

»Jacob ist genauso. Das haben sie gemeinsam.« Sie zeigt zur Scheune. »Du musst noch ein paar Details regeln, aber ich glaube, sie wollen die Zeremonie und den Lunch hinterher hier haben.«

Die Überraschung lässt mein Herz höherschlagen. Ich hatte nicht damit gerechnet, dass Jacob und Irene die Hochzeit ausrichten würden. Immerhin habe ich die Amisch-Gemeinde verlassen, weshalb Bischof Troyer die Trauung nicht vornehmen wird. Außerdem muss noch immens viel vorbereitet werden, wozu nur wenige Tage bleiben. Erst in diesem Moment wird mir klar, wie wichtig es für mich ist, dass die Hochzeit am Ort meiner Kindheit und Jugend stattfindet.

»Danke«, sage ich. »Hier wurde schon viel Familienge-schichte geschrieben.«

»Und wir schaffen neue Erinnerungen, Katie. Vergiss das nicht.«

Ich blicke zur Scheune. »Ich sollte Jacob hallo sagen, ihm danken.«

Sie blickt auf ihren Korb und seufzt. »Und ich muss mich weiter um die Wäsche kümmern.«

Ich nehme ihre Hand, drücke sie. »*Danki*.«

Auf dem Weg zur Scheune sehe ich schon von weitem, dass die Schiebetür ein Stück offen steht.

»Katie?«

Ich drehe mich um, als ich Irenes Stimme höre.

»Wenn Jacob nicht in der Scheune ist, geh zur alten Pappel am Teich«, ruft sie noch. »Er hat davon geredet, dass er das morsche Ding endlich fällen will.«

Da ich meinen Bruder tatsächlich nicht in der Scheune finde, steige ich die Stufen zu den darunter liegenden Ställen hinab, klettere übers Geländer und überquere die Weide. Zwei Jersey-Rinder beäugen mich, als ich einen Satz über das Rinn-sal mache und den Hügel hinaufsteige, wo die Schönheit der Landschaft mich umfängt und ich spüre, wie der Stress des Tages langsam von mir abfällt. Ich halte einen Moment inne, genieße den kühlen Schatten der gewaltigen Ulme und lausche dem schrillen Zwitschern eines Kardinals, der seine Gefähr-tin ruft. Und die Erinnerungen kommen zurück. An den Tag, an dem ich von unserem alten Zugpferd gefallen bin und mir das Handgelenk gebrochen habe. An Sarah und mich, wie wir Himbeeren für Marmelade pflücken. An Jacob, der in unse-rem Teich seinen ersten Sonnenbarsch fängt. An Sarah und mich, wie wir am Ufer Schlammkuchen formen und sie mit Ackerwinden verzieren.

Auf halbem Weg den Hügel hinab sehe ich, dass unser Pick-up am Teich steht – Tomasetti ist geblieben und hilft Jacob, die Pappel zu fällen. Als die Kettensäge aufheult, verlangsame ich meine Schritte. Irenes Worte kommen mir in den Sinn. Ja, wir schaffen neue Erinnerungen.

Ich erklimme eine weitere Anhöhe und halte beim Anblick der Szene, die sich mir bietet, inne. Die Pappel ist etwa zwölf Meter hoch und hat einen Stamm so dick wie ein Fass. Die beiden Männer stehen mit dem Rücken zu mir. Jetzt nimmt Tomasetti die Kettensäge, die ich ihm zum Vatertag geschenkt habe, stellt sich breitbeinig hin und schneidet etwa einen Meter über dem Boden eine Kerbe im Winkel von fünfundvierzig Grad in den Stamm. Die Männer reden, doch ich bin zu weit weg, um sie über den Lärm der Säge hinweg zu verstehen. Tomasetti trägt eine Schutzbrille und Handschuhe, sein Gesichtsausdruck ist hochkonzentriert. Sägespäne fliegen, bedecken Arbeitshemd und Jeans.

Jacob hat etwa einen Meter über der Kerbe einen Strick um den Stamm gebunden und macht ein paar Schritte zurück. Farmarbeit und Do-it-yourself-Projekte sind mir nicht fremd, aber ein leichtes Unbehagen überkommt mich, als das Krachen splitternden Holzes die Luft durchschneidet.

Tatsächlich neigt sich der Baum in Richtung Kerbe, dann fällt er ein gutes Stück vom Teich und unserem Wagen entfernt um, Äste schlagen auf den Boden, wirbeln Sägespäne und Erde auf.

Tomasetti lässt die Kettensäge sinken und bewundert einen Moment lang den gefällten Baum. Jacob nimmt eine Handsäge und fängt an, die Äste abzusägen. Der Anblick ist so ungewöhnlich, dass ich in ein paar Dutzend Metern Entfernung stehen bleibe, um mir bewusst zu machen, dass ich nicht träume – und hoffe, dass er mir immer in Erinnerung bleiben wird.

Ich sollte zu ihnen gehen, meinem Bruder danken, Tomasetti abholen und mich wieder an die Arbeit machen. Stattdessen rühre ich mich nicht vom Fleck, denn aus irgendeinem albernen Grund klopft mir das Herz bis zum Hals, und ich will mich keinesfalls lächerlich machen. Oder womöglich vor ihnen in Tränen ausbrechen.

Dann bemerkt mich Tomasetti, fängt meinen Blick ein, hält ihn fest, legt die Kettensäge zurück in den Kasten und kommt auf mich zu.

Ich atme tief durch, wische mir über die Wangen und gehe ihm entgegen. »Du hast die Bestie erlegt.«

»Und das mit bloßen Händen.«

Er bleibt vor mir stehen, ich beuge mich vor, um ihm einen Kuss auf die Wange zu geben, aber er zieht mich an sich und küsst mich auf den Mund. »Du hast unsere Besprechung verpasst.«

»Hoffentlich gab's kein Blutvergießen.«

»Nicht ein Tropfen ist geflossen.«

Da mein Bruder in der Nähe steht und aufgehört hat zu sägen, entziehe ich mich seiner Umarmung und wische ihm die Späne vom Ärmel. »Ich hab gehört, wir heiraten hier«, sage ich.

»Dein Bruder hatte es vorgeschlagen, und ich hab zugestimmt.« Er kneift die Augen zusammen. »Ist das okay für dich?«

»Ich kann mir keinen besseren Ort vorstellen.«

»Ich hätte nie gedacht, dass ich diesen Tag erleben würde.«

Mein Bruder ruft etwas, und ich drehe mich um. Er steht hinter dem Pick-up, eine Wasserflasche in der Hand. Jacob und ich hatten gute und schlechte Zeiten miteinander und so ziemlich alles dazwischen. Er missbilligt größtenteils, wie ich lebe, hält damit nicht hinterm Berg und lässt sich in Diskussionen nicht so leicht unterkriegen.

Ich mache mich auf Vorhaltungen gefasst.

Aber er lacht. »Meine kleine Schwester ist erwachsen geworden und heiratet.«

Sofort fällt die Anspannung von mir ab. In der Regel sind Amische sehr zurückhaltend darin, ihre Gefühle zu zeigen, selbst innerhalb der eigenen Familie, und in unserer ganz besonders. Wir haben früh gelernt, unsere Emotionen zu kontrollieren. Doch an diesem Nachmittag versagt meine Kontrolle, und ohne nachzudenken, gehe ich zu ihm hin, stelle mich auf die Zehenspitzen und merke Sekunden, bevor ich ihm einen Kuss auf die Wange drücke, wie er sich verkrampft.

»*Danki*«, flüstere ich.

Wir sind beide so verlegen, dass ich unter meiner Uniform einen Schweißausbruch bekomme, den Blick senke, mich räuspere und einen Schritt zurücktrete.

Jacob, die Arme seitlich am Körper, macht es gut. »Wir sind hier aufgewachsen, du bist meine Schwester. Du hast zwar die Gemeinde verlassen, aber du bist Anabaptistin. Abgesehen von den Blutsbanden, gehörst du allein schon dadurch zur *freindschaft*.«

Es ist das *deitsche* Wort für die große Familie der Menschen mit pennsylvaniadeutschen Wurzeln weltweit. Sein Blick huscht zu Tomasetti. »Er auch«, fügt er hinzu, unterstreicht die Aussage mit einem Lächeln.

»Dir ist aber schon klar, dass Bischof Troyer uns nicht trauen wird«, sage ich.

»Ich weiß.«

»Der mennonitische Prediger aus Sugarcreek traut uns.«

Er zeigt mit dem Kopf zu Tomasetti. »Er hat es mir bereits gesagt.«

Ich stehe da und starre ihn an, weiß nicht, was ich sagen soll. Es kommt mir vor, als wäre meinem Bruder plötzlich bewusst geworden, dass ich ein Mensch bin.

»Brauchst du Hilfe mit den Ästen?«, höre ich Tomasetti hinter mir fragen.

Jacobs Blick wandert zu Tomasetti und wieder zu mir. »Mit meiner Handsäge brauche ich vermutlich mehrere Tage«, sagt er langsam.

Ich mache einen Schritt zurück, blicke von einem Mann zum anderen. Beide sehen mich neugierig und verdutzt an.

»Ich muss zurück zur Arbeit«, höre ich mich sagen.

»Bist du mit deinem Fall schon weitergekommen?«, fragt Tomasetti.

»Ich arbeite daran«, sage ich. »Und du?«

Sein Gesichtsausdruck verdüstert sich plötzlich, und mir wird klar, dass er diese Auszeit genauso sehr braucht wie ich. »Sie werden noch immer vermisst.«

»Dann gibt es noch Hoffnung.«

»Ja.« Er tritt zu mir. »Schön, dass du doch noch gekommen bist, Chief.«

»Ich hätte es ungern verpasst.«

Er hebt seine Hand, streicht mir mit den Fingerknöcheln über die Wange, dann zeigt er zum Baum. »Nur damit du Bescheid weißt, ich denke, wir haben die Situation unter Kontrolle.«

»Du meinst mit dem Baum?«

»Unter anderem.«

Er drückt kurz meine Hände und blickt dann über die Schulter hinweg meinen Bruder an. »Ich kümmere mich mit der Kettensäge um die dicken Äste«, sagt er zu ihm. »Wenn du dich an die dünneren machst, kriegen wir das Monstrum hier schnell klein.«

14. KAPITEL

Auf dem Weg zum Polizeirevier denke ich noch immer an mein Gespräch mit Jacob, und langsam gewöhne ich mich an den Gedanken, dass Tomasetti und ich auf der Farm, wo ich aufgewachsen bin, heiraten werden. Ich fühle mich optimistisch und irgendwie unbeschwerter, als ich auf meinen Parkplatz einbiege. Ein paar Meter davon entfernt steht ein Buggy, und ich frage mich, wer drinnen auf mich wartet.

Beim Eintreten fällt mein Blick auf zwei amische Frauen, die am Empfang mit Lois sprechen. Erst als die kleinere der beiden über die Schulter nach hinten blickt, erkenne ich sie. Es ist Christina Weaver. Meine Neugier ist geweckt.

Überrascht bemerke ich, dass sie bei meinem Anblick erschrickt wie ein Reh im Scheinwerferlicht eines LKWs, der es zu überrollen droht. Schnell blickt sie wieder weg.

»Chief Burkholder.« Lois steht auf und sieht mich entschuldigend an. Ihr Blick sagt mir, dass die beiden Frauen gerade erst aufgetaucht sind und sie noch keine Möglichkeit hatte, mich zu informieren. Normalerweise ist das kein Problem, denn es ist ja mein Job, den Einwohnern von Painters Mill zu helfen. Allerdings stecke ich gerade mitten in einer Mordermittlung.

»Das sind Naomi Weaver und ihre Tochter Christina«, sagt Lois. »Sie möchten mit Ihnen sprechen, wenn Sie einen Moment Zeit haben.«

Ich denke an den Vorfall am Tatort von Aden Karns Mord und das verunstaltete Foto, an meine Verfolgungsjagd von

163

Christina im Wald und an unser seltsames Gespräch, nachdem ich sie eingeholt hatte. Viel war nicht dabei herausgekommen, nur das Gefühl, dass sie mehr weiß, als sie sagt.

»Christina und ich sind uns schon einmal begegnet.« Ich nicke beiden Frauen zu. »*Guder nammidaag.* Kommen Sie mit in mein Büro, dort können wir uns unterhalten.«

Sie folgen mir den Flur entlang in mein Büro, wo ich sie bitte, auf den Besucherstühlen Platz zu nehmen. Mein Angebot, ihnen einen Kaffee zu holen, lehnen sie ab. Als ich mich auf meinen Schreibtischstuhl setze, spüre ich die Anspannung, die von ihnen ausgeht.

Ich sehe von der Mutter zur Tochter. »Wie kann ich Ihnen helfen?«, frage ich.

Christina rutscht unruhig auf dem Stuhl hin und her und sieht aus, als würde sie am liebsten weglaufen. Sie hält ihre unruhigen Hände im Schoß, ihre Finger zittern und die Nägel sind komplett abgekaut.

»Mein Mann und ich haben gesehen, dass Sie Christina nach Hause gefahren haben.« Naomi presst die Lippen zusammen. »Ohne Sie hätte ich nie erfahren, was sie gemacht hat.«

»Christina hat Ihnen erzählt, was passiert ist?«, frage ich.

»Ein paar Dinge, ja, aber ich weiß nicht, ob es die ganze Geschichte ist.« Sie blickt ihre Tochter düster an. »Chief Burkholder, Christina wollte heute nicht herkommen, und ich kann es ihr nicht einmal verübeln. Aber ich finde, es ist unsere Pflicht, das Richtige zu tun.«

»Geht es um Aden Karn?«, frage ich.

»Unter anderem.«

Ihre Tochter sinkt noch tiefer in den Stuhl, zieht die Knie an und umschlingt die Schienbeine mit den Armen, als wolle sie sich noch kleiner machen.

Naomi bemerkt es und fasst sie am Arm, damit sie sich gerade hinsetzt. »Sie ist erst sechzehn und in vielerlei Hinsicht immer noch ein kleines Kind. Unschuldig für ihr Alter, wissen Sie.« Die amische Frau schüttelt den Kopf, und zum ersten Mal wirkt sie aufgebracht. »Wir haben niemandem erzählt, was passiert ist, und wollen ganz sicher nicht, dass es an die Öffentlichkeit dringt. Nichts davon, zu niemandem. Können Sie uns das versprechen?«

»Geht es dabei um ein Verbrechen, das begangen wurde?«, frage ich. »In das Christina involviert war?«

»Sie hat nichts Unrechtes getan.«

»Christina ist minderjährig«, sage ich. »Wenn an einer Minderjährigen eine Straftat begangen wurde, wird ihr Name geheim gehalten.« Mehr kann ich ihr nicht anbieten. Als ich aufstehe, um die Tür zu schließen, hoffe ich, dass es ausreicht, um sie reden zu lassen.

Ich setze mich wieder auf meinen Stuhl und sehe beide gleichermaßen an. »Wenn es etwas über Aden Karn zu sagen gibt, sollten Sie das jetzt tun.«

»Bitte verstehen Sie, Christina ist ein gutes Mädchen, Chief Burkholder. *Ein gutes Mädchen.*«

»Ich verstehe.«

»Aber heutzutage … lassen sich manchmal selbst gute Kinder auf ungute Dinge ein. Sie werden zu Sachen überredet, die sie nicht tun sollten.«

Christina drückt die Stirn an die Knie.

Ich warte einen Moment, aber keine von beiden sagt etwas. Schließlich stupst die amische Frau ihre Tochter an. »Nun mach, sag ihr, was du mir erzählt hast. Sie muss wissen, was er getan hat.«

Was er getan hat …

Das Mädchen hebt den Kopf und sieht mich an. Das Elend steht ihr ins Gesicht geschrieben, inzwischen hat sie angefangen, lautlos zu weinen. Tränen strömen über ihre Wangen, aber sie wischt sie nicht weg. Unter dem Kragen sehe ich rote Flecken. Nesselsucht, wird mir klar.

Es ist lange her, dass ich selbst ein sechzehnjähriges amisches Mädchen war. Ich bin weiß Gott keine Expertin für Kinder und habe nicht den blassesten Schimmer, wie ich sie dazu bringen kann, sich mir gegenüber zu öffnen. Und so entscheide ich mich fürs Warten.

Eine ganze Minute lang herrscht Schweigen, und das einzige Geräusch machen das Summen meines Druckers und die tickende Uhr an der Wand.

»Er war so nett.« Das amische Mädchen spricht so leise, dass ich mich vorbeugen muss, um sie zu verstehen.

»Aden Karn?«, frage ich.

Sie nickt. »Witzig war er auch und hat mich zum Lachen gebracht.«

Naomi fängt meinen Blick auf. »Christina verkauft samstags Fischköder«, sagt sie. »Unten an der Brücke vom Painters Creek, Würmer und Elritze und auch Krebse, wenn sie welche erwischt. Sie transportiert alles mit ihrem alten Holzwagen, und dabei ist ihr einmal ein Rad abgebrochen.« Sie blickt ihre Tochter an. »Erzähl es ihr jetzt. Es ist okay.«

»Ich war auf dem Weg nach Hause, als der Wagen kaputtgegangen ist«, stößt das Mädchen aus. »Das Rad ist abgefallen. Ich hatte noch Fischköder übrig und wollte sie nicht einfach so zurücklassen. Und dann war Aden plötzlich da. Ich hatte ihn ja schon oft gesehen, er war kein Fremder. Am Wochenende davor hatte er mir Aalwürmer abgekauft.« Mit zitternden Händen wischt sie über ihre Tränen. »Ich hab ihm gesagt, dass ich keine Mitfahrgelegenheit brauche, dass ich nach Hause laufen und *Datt* holen wollte. Es waren ja nur noch ein oder zwei Meilen. Aber ich wollte auch nicht alle die Wür-

166

mer in der Hitze sterben lassen und bin dann doch mit ihm gefahren.«

»Wie lange ist das her?«, frage ich.

»Letzten Sommer.«

»Fuhr er ein Auto oder einen Buggy?«

»Ein Auto.«

Ich erinnere mich, dass mir gesagt wurde, Aden hätte kein Auto gehabt. »Weißt du noch, was für ein Auto es war?«

»Es war grün, glaube ich.«

Ich notiere es mir. »Was ist passiert, als du mit ihm gefahren bist?«

»Er ist mit mir zur Eisdiele gefahren und hat mir ein Eis spendiert. Er hat mich die ganze Zeit zum Lachen gebracht, es war wirklich nett. Und dann hat er gesagt, er will zu sich nach Hause fahren, um Werkzeug zu holen und das Rad zu reparieren. Aber dann sind wir gar nicht zu ihm nach Hause gefahren, sondern bis raus zur Layland Road, und da hat er dann angehalten.« Sie verstummt und starrt mich mit offenem Mund an. Ihre Lippen zittern.

Layland Road ist eine abgelegene unbefestigte Straße zwischen dem Painters Creek und einem Maisfeld. Dort parken gerne junge Pärchen und sie ist auch ein beliebter Treffpunkt für minderjährige Trinker. Pickles behauptet, die halbe Bevölkerung von Painters Mill wäre dort gezeugt worden.

»Er fing an … sich komisch zu verhalten«, flüstert sie. »Auf einmal war er wie verwandelt … überhaupt nicht mehr nett. Ich wusste nicht, was ich machen sollte, und bin ausgestiegen und weggegangen. Als er hinter mir herkam, bin ich ins Maisfeld gerannt und wollte quer hindurch zurück zur Hauptstraße. Aber er hat mich eingeholt.«

Bis zu diesem Moment habe ich kein einziges negatives Wort über Aden Karn gehört, und für den Bruchteil einer Sekunde frage ich mich, ob das Mädchen diese Geschichte erfindet, um ihre Aktion mit dem Filzstift zu entschuldigen. Oder ob sie verwirrt ist und mit Karn ein Hühnchen zu rupfen hat. Aber ich habe ein gutes Gespür für Lügner jeden Geschlechts, und dieses Mädchen hat sich die Geschichte nicht ausgedacht. Zudem geht mir die Unterhaltung mit Emily Byler wieder durch den Kopf.

In der Hinsicht war er wirklich gut, gut zu mir. Er war immer gut, wissen Sie, immer.

»Und dann auf einmal … war es nicht mehr Aden«, flüstert das Mädchen. »Es war … jemand anderes. *Etwas* anderes. Etwas Schlechtes.«

Sie verzieht das Gesicht, stößt einen Klagelaut aus. Die darauffolgenden Worte sprudeln aus ihr heraus wie Gift aus einer faulig riechenden, eitrigen Wunde. Ich höre ihr zu, kann weder den Blick von ihr wenden noch mich rühren, und kalter Schweiß bricht in meinem Nacken aus.

Als sie fertig ist und es meine Aufgabe wäre, klärende Fragen zu stellen, bekomme ich keinen Ton raus. Ich traue meiner Stimme nicht und starre sie nur an, will diese beiden Frauen nicht wissen lassen, wie sehr mich das Gehörte erschüttert.

»Er hat dich gezwungen?«, frage ich. »Sexuell genötigt?«

Weinend blickt das Mädchen zu ihrer Mutter. »*Mamm* … Ich kann nicht.«

Die amische Frau nimmt die Hand ihrer Tochter und umschließt sie fest. »Als sie nach Hause kam, waren ihre Haare und Kleider voller Dreck und Schlamm. Sie bekam kaum Luft, so heftig schluchzte sie. Ich wusste nicht, was ich denken sollte, und sie wollte nichts sagen. Fünf Tage lang hat sie kein Wort gesprochen, Chief Burkholder. Sie hat weder gegessen noch ihr Zimmer verlassen. Erst als ich wieder Wäsche gewaschen habe, habe ich das Blut gesehen … an ihrer Unterhose. Und da wurde es mir klar.«

Die Mutter stößt einen Laut aus, halb Schluchzen, halb Keuchen, bekommt ihre Gefühle aber schnell wieder in den Griff. »Wir sollen vergeben, und ich weiß, dass der Junge nicht mehr unter uns ist, um selbst um Vergebung zu bitten. Aber eins sage ich Ihnen, Kate Burkholder. Aden Karn hatte keine Seele. Kein Gewissen. Ich musste dieses arme Kind zur Behandlung zum Arzt bringen. Aber ihr Gemüt wird nie mehr so sein, wie es einmal war. Mehr sage ich nicht dazu. Es reicht, dass ihr das jetzt alles noch einmal zugemutet wird.«

Ich blicke das Mädchen an und sehe tausend Jahre Elend gespiegelt, verdichtet in wenigen Minuten, eine dunkle Mischung aus Grauen und Kummer und Scham. Es sind die gleichen Gefühle, die ich tief in mir selbst weggeschlossen habe.

Die Frau schüttelt den Kopf. »Er hat ihr Dinge geraubt, die man nicht zurückbekommen kann, Chief Burkholder. Es hat sechs Monate gedauert, bis sie wieder aus dem Haus gehen konnte. Sie kann nicht mal mehr ihre Fischköder verkaufen.« Man sieht den Schmerz in ihren Augen. »Das einzige Mal, dass ich sie seit jenem Tag hab lachen hören, war bei der Nachricht von seinem Tod.«

Das Mädchen dreht sich zur Seite und schmiegt sich an ihre Mutter, wendet ihr Gesicht von mir ab.

Naomi tätschelt die Hand ihrer Tochter. »Alle halten Aden Karn für einen guten Mann, aber kannten sie ihn wirklich?« Sie schnaubt verächtlich. »Ich sage Ihnen etwas über Aden Karn: Der Teufel hat seinen Namen geflüstert und ihm die Hand hingehalten, und Aden Karn hat sie ergriffen und ist mit ihm gegangen.«

* * *

Noch lange, nachdem Naomi und Christina gegangen sind, sitze ich am Schreibtisch und versuche, meine Fassung wiederzugewinnen – und einen Fall zu verstehen, der soeben eine unerwartete Wendung genommen hat. Bis jetzt hatte ich Aden Karn für einen mustergültigen, angepassten und allseits beliebten amischen jungen Mann gehalten, der Opfer eines sinnlosen Verbrechens geworden war. Ich hatte ihn auf ein Podest gestellt, weil er alles personifizierte, was ich an den Amischen mag. Und jetzt, obwohl er seit drei Tagen tot ist, habe ich das Gefühl, dass er mir ein Messer in den Rücken gerammt hat.

Hat es Anzeichen gegeben? Wenn ja, wie habe ich sie übersehen können? Bin ich so voreingenommen, dass ich sie einfach *nicht sehen wollte*? Habe ich so unerschütterlich an Karn geglaubt, weil ich selbst einmal amisch gewesen bin und zu dieser Glaubensgemeinschaft mehr Vertrauen habe, als ich sollte? Diese Fragen quälen mich so sehr, dass ich alles in Frage stelle, was ich bis jetzt über diesen Fall zu wissen geglaubt habe.

Ich denke an die Grausamkeit und die Gewalt von Karns Ermordung und frage mich, ob das das fehlende Verbindungsstück ist, wonach ich so lange gesucht habe? Hat jemand herausgefunden, was Karn Christina angetan hat, und Vergeltung geübt? Und wenn ja, wer? Ein Vater? Ein Lover? Ein anderes Familienmitglied?

Ist sie die Einzige?

Ich greife zum Telefon und rufe Mona an.

»Ja, Chief?«

»Ich möchte, dass Sie alles über Christina Weaver herausfinden. Sechzehn Jahre alt, amisch.« Ich buchstabiere den Namen. »Ihre Eltern und Geschwister interessieren mich auch. Überprüfen Sie, ob für ein Familienmitglied ein Haftbefehl vorliegt. Und checken Sie auch, was so alles in den sozialen Medien kursiert.«

»Suchen Sie etwas Bestimmtes?«, fragt sie.

»Hauptsächlich Namen – Vater, Onkel, Brüder, Bekannte.« Ich könnte mir in den Hintern treten, sie nicht selbst danach gefragt zu haben, aber ihre Geschichte hat mich derart schockiert …

»Ich möchte wissen, ob sie einen festen Freund oder andere männliche Freunde hat. Und falls sie arbeiten geht, finden Sie heraus, ob ihr Chef ein Mann ist.«

»Mach ich.«

»Behalten Sie es für sich, Mona, aber möglicherweise war Aden Karn ein Sexualstraftäter.«

»O Scheiße.«

»Allerdings.« Ich seufze. »Es wird vermutlich schwer sein, etwas zu finden, weil die Weavers Amische sind, aber bleiben Sie dran. Vielleicht entdecken Sie ja doch etwas.«

15. KAPITEL

Elma Glick liebte ihre Inlineskates mehr als alles andere auf der Welt. Sie waren ihr Ferrari, ihr Düsenjet – das Raketenschiff, das sie an Orte brachte, die sonst unerreichbar gewesen wären. Natürlich missbilligte *Datt* sie, aber er missbilligte viele Dinge, besonders neue Ideen. Aber damit war er nicht alleine. Amische hießen neue Trends nie gut. Auch *Mamm* war von den Skates nicht begeistert, aber wenn sie Lebensmittel brauchte und keine Zeit hatte, das Pferd anzuspannen und in die Stadt zu fahren, um einzukaufen, war Elma mit den Skates ihre Rettung.

»Milch und Müsli, und Brot nur, wenn es frisch ist«, hatte *Mamm* gesagt. »Bloß, damit wir was haben, bis ich übermorgen selber einkaufen kann.«

Elma machte das nichts aus, im Gegenteil, sie war glücklich, um diese Tageszeit aus dem Haus zu kommen, wenn die Sonne unterging und die Luft kühl war. Mit den Skates konnte sie fliegen und würde diese normalerweise verbotenen Ausflüge gegen nichts in der Welt eintauschen wollen.

Hire's Carry Out war nur zwei Meilen weit weg von ihrer Farm. Der Laden schloss um zwanzig Uhr, und Elma war mit knapper Not noch rechtzeitig da gewesen. In jeder Hand eine Einkaufstüte – und einen Schokoriegel in der Schürzentasche –, flitzte sie jetzt mit Schallgeschwindigkeit die Straße entlang. Der Asphalt war so uneben, dass Elmas Zähne aufeinanderschlugen, aber das war sie gewohnt. Sie düste am Haus der alten Millers vorbei und lachte über den fetten Corgi, der

172

durchs Tor gerannt kam und versuchte, sie zu erwischen. Kurz vor der Brücke über den Little Paint Creek hatte sie ein so hohes Tempo drauf, dass die Bäume nur so an ihr vorbeiflogen. Als sie schon fast über die Brücke drüber war, blieb ihr Blick plötzlich an etwas am Bachufer hängen und sie wurde langsamer. Etwas lag da halb im Wasser, halb am Rand. Sie nahm einen leichten Verwesungsgeruch wahr und dachte, dass vielleicht ein Schaf während des heftigen Regens letzte Woche ertrunken und hier angeschwemmt worden war. Neugierig geworden, drehte sie um und skatete zurück zur Leitplanke seitlich der Brücke, um einen kurzen Blick darauf zu werfen.

Es war definitiv kein Schaf, sondern ein großes, in Plastik gewickeltes Bündel Müll. Von hier oben war das kreuz und quer verlaufende Klebeband deutlich zu erkennen.

»*Was der schinner is sell?*«, sagte sie laut. Was in aller Welt ist das denn?

Sie stellte die Einkaufstüten ab, stieg über die Leitplanke und kletterte mit den Skates an den Füßen vorsichtig den Steilhang hinunter. Auf halbem Weg roch sie den Gestank erneut, und diesmal kam er ihr bekannt vor. Letzten Sommer war eines ihrer Kälber vom Auto überfahren worden. Ihr *Datt* hatte den Kadaver in den hinteren Teil des Feldes gezogen, und jedes Mal, wenn sie dort hingegangen war, um Himbeeren zu pflücken, hatte sie den Geruch in der Nase gehabt.

Doch all ihre Gedanken fanden ein abruptes Ende, als sie den nackten Fuß erblickte, der aus dem Plastikbündel ragte. Sie wollte sich einreden, es wäre der Fuß von einer Schaufensterpuppe wie der im Laden in Millersburg. Vielleicht war sie kaputtgegangen und weggeworfen worden. Aber Elma wusste, dass das nicht stimmte. Das war nicht der Fuß einer Schaufensterpuppe, sie konnte die einzelnen Zehen erkennen. Und dann der Geruch ... Ihr drehte sich der Magen um.

Sie stieß einen entsetzten Laut aus wie ein verängstigtes Kind, wirbelte herum und kletterte, so schnell es ging, den Abhang hinauf, grub die Finger in den matschigen Lehm, aber die Skates behinderten sie. Endlich oben an der Straße angekommen, stolperte sie und landete auf den Knien. Ihr Herz hämmerte wild, das Blut rauschte in ihren Ohren, und das Bild des bleichen Fußes blitzte immer wieder vor ihren Augen auf. Sie rappelte sich hoch auf die Füße.

»Mamm!«

Sie ließ die Einkäufe Einkäufe sein und skatete so schnell wie nie nach Hause, einen Schrei tief in der Kehle und das Grauen dicht auf den Fersen.

* * *

Ich sitze in meinem Büro im Revier, um mich herum alle Information, die ich über den Fall zusammengetragen habe. In den letzten zwei Stunden bin ich alles noch einmal mit neuem Blick durchgegangen, das heißt mit dem Bericht der Weavers im Hinterkopf. Ich habe eine Zeitachse erstellt, die Videos vom Tatort angesehen, die ich gemacht habe, und meine Skizzen studiert. Die Fotos der Leiche habe ich so lange betrachtet, bis sich jede Einzelheit wie mit dem Brenneisen in mein Hirn eingebrannt hat.

Ich bin so in meine Arbeit vertieft, dass ich hochschrecke, als Jodie in mein Büro platzt. »Ich hab gerade einen Anruf von Leroy Glick gekriegt. Er sagt, seine Tochter hat eine Leiche gefunden.«

»Was?« Ich springe auf. »Weiß er, wer es ist?« Mein erster Gedanke ist, dass es sich um einen Herzinfarkt handelt oder um Fahrerflucht nach dem Zusammenstoß mit einem Fußgänger.

»Nein, weiß er nicht.«

»Wo ist die Leiche?«

»An der Mill Road, unter der Little Paint Bridge.«

»Ich kenne die Gegend« sage ich, ziehe die Schreibtischschublade auf und greife nach den Schlüsseln. »Jodie, wo ist Mr. Glick?«

»Er hat vom Münztelefon an der Dogleg Road angerufen. Er sagt, seine Tochter hätte die Leiche gefunden und sie sei so außer sich, dass er wieder zurück nach Hause gehen müsse.«

»Ich weiß, wo sie wohnen.« Ich werfe einen Blick auf die Wanduhr, gehe im Geiste den Dienstplan meiner Officer durch. »Hat Mona noch Dienst?«

»Ja, Ma'am.«

»Sagen Sie ihr, wir treffen uns an der Little Paint Bridge.« Ich schnappe mir meine Uniformjacke von der Stuhllehne. »Ich mach mich auf den Weg.«

* * *

Ich brauche sechs Minuten bis zur Brücke. Mona ist bereits da, ich sehe schon beim Einbiegen in die Mill Road das flackernde Blaulicht ihres Streifenwagens und hätte um ein Haar die orangefarbenen Warnkegel umgefahren, mit denen sie die Straße abgesperrt hat. Ich parke hinter ihrem Wagen und haste zur Brücke, von wo sie mit der Taschenlampe nach unten leuchtet.

»Können Sie etwas sehen?«, rufe ich schon von weitem.

»Hey, Chief.« Sie wirft mir einen Blick über die Schulter zu, dann richtet sie den Strahl der Lampe aufs Ufer unter uns. »Der Anrufer hat gesagt, die Leiche sei in Plastik gewickelt. Da unten liegt definitiv irgendetwas, das in Plastik eingewickelt ist.«

Der Geruch von verwesendem Fleisch hängt in der Luft, nicht sehr stark, aber wahrnehmbar. Ich leuchte mit meiner

Maglite zu der Stelle, die Mona anstrahlt, und sehe halb am Ufer, halb im Wasser liegend das in Plastik gewickelte Bündel.

»Könnte ein Tier sein«, sagt Mona. »Ein Stück Vieh, oder ein Haustier, das jemand entsorgt hat.«

»Jedenfalls etwas Totes.« Ich lenke den Strahl auf die im Wasser liegende Seite des Bündels, zucke beim Anblick des Menschenfußes zusammen. »Sehen Sie das?«, frage ich. »Im Wasser?«

Sie reckt den Hals, blickt blinzelnd ins Dunkel. Als der Strahl ihrer Lampe auf den Fuß trifft, schnappt sie nach Luft. »Scheiße. Ist das – "

»Wir müssen nachsehen.« Ich gehe von der Brücke hinunter zur Straße, steige über die Leitplanke. »Passen Sie auf, wo Sie hintreten«, sage ich, mache mich auf den Weg nach unten. »Halten Sie die Augen offen nach Beweisen.«

»Und Schlangen«, murmelt sie.

Ich kämpfe mich durch hüfthohes Unkraut, gebe mir Mühe, im Matsch nicht auszurutschen.

»Ich hatte gehofft, der Anrufer hätte sich geirrt«, sagt Mona ein Stück hinter mir.

»Ich wäre schon zufrieden gewesen, wenn uns jemand nur einen Streich gespielt hätte.«

Fünf Meter von dem Plastikbündel entfernt bleibe ich am Bachufer stehen. Hier unten ist es windstill und klamm, der Geruch von verwesendem Fleisch viel stärker. Ich leuchte auf das in Plastik gewickelte und mit Klebeband zusammengehaltene Bündel von der Größe und Form eines menschlichen Körpers.

Mona bleibt hinter mir stehen, leuchtet ebenfalls auf das Plastikbündel. »Ich sage es sehr ungern, aber es sieht wirklich aus wie eine Leiche.«

»Die Größe kommt hin«, sage ich.

»Sehen Sie sich das da an.« Ich blicke zu der Stelle, die sie anleuchtet, wobei der Blickwinkel jetzt günstiger ist, da wir auf gleicher Ebene wie das Bündel sind. Der Fuß ist unter Wasser, auf den Nägeln rosa Nagellack …

»Jesus«, flüstert Mona.

»Bleiben Sie hier.« Mein Puls rast, als ich näher herantrete und unter mehreren Schichten durchsichtigen Plastiks nackte Haut erkenne. »Weiße Person«, höre ich mich sagen. »Vermutlich weiblich.«

Als ich noch ein Stück weiter gehe, wird im Strahl meiner Maglite das bleiche Fleisch eines Torsos sichtbar, ein l-förmig gebogener Arm. Blonde Haare, Kopf zur Seite gedreht.

»Sie liegt vermutlich schon eine ganze Weile hier«, sage ich. »Aber das Klebeband ist weder brüchig noch ausgefranst.«

»Auf dem Plastik ist Blut«, flüstert Mona.

Stimmt, ein rötlicher Fleck von der Größe einer Silbermünze hebt sich von dem hellen Fleisch ab.

Obwohl wir beide die Scheinwerfer unserer Autos angelassen haben, ist es hier unten am Bach dunkel wie in einer Höhle. Die Leiche ist teilweise unter Wasser, das Ufer steil und überwuchert. Die denkbar schlechtesten Bedingungen zur Sicherung von Spuren …

Mit der Maglite beschreibe ich einen kreisrunden Radius um mich herum, höre das Wasser plätschern. Das Unkraut links von mir ist teilweise niedergetrampelt. Ich blicke nach oben und frage mich, ob die Leiche mit dem Auto hierher transportiert und von der Brücke geworfen wurde; ob sie auf dem Boden aufgeschlagen und den Abhang hinunter ins Wasser gerollt ist.

»Mona.« Ich drehe mich um und sehe sie an. »Vermutlich zertrampeln wir Beweise. Gehen Sie auf demselben Weg zurück nach oben, auf dem Sie runtergekommen sind. Ich ver-

177

gewissere mich, womit wir es hier zu tun haben, und komme in ein paar Minuten nach.«

»Alles klar.« Sie ist schon dabei, den Abhang hinaufzusteigen.

Ich verharre einen Moment auf der Stelle, leuchte erneut mit der Taschenlampe um mich herum, suche etwas, das nicht hierhergehört. Aber in der näheren Umgebung sehe ich nichts Ungewöhnliches, nicht einmal Müll. Keine Kleidung oder Schuhabdrücke auf dem Ufer. Hier gibt es nur das in Plastik gewickelte Bündel. Mona ist inzwischen zurück auf der Brücke und leuchtet von oben herunter, damit ich mehr sehen kann.

Mit nach oben gestrecktem Daumen gebe ich ihr zu verstehen, dass das hilfreich ist, und nähere mich vorsichtig dem Bündel. Hier unten am Bach ist es absolut windstill, und der unangenehme Geruch wird von Schritt zu Schritt stärker. Ich gehe neben der Leiche in die Hocke, ein Knie auf dem Boden. Blonde Haare, bleiche Gesichtshaut, dunkler Schatten unter einem Auge. Offener Mund, die rosa Zunge ans Plastik gedrückt. Blut. Sie ist unbekleidet, da aber das Plastik an manchen Stellen zusammengepresst und dadurch undurchsichtig ist, könnte ich mich irren. Ich leuchte mit der Taschenlampe weiter nach unten und sehe Fingerspitzen aus dem Plastik ragen. Die Fingernägel sind mit demselben Rosa lackiert wie die Fußnägel. Und außer der grauenhaften Tatsache, dass wir es hier tatsächlich mit einer Leiche zu tun haben, schmerzt mich die Vorstellung, dass diese Frau noch vor wenigen Tagen auf etwas so Banales wie manikürte Nägel Wert gelegt hat.

»Scheiße«, flüstere ich, schließe die Augen, atme tief durch. »Scheiße.«

»Alles okay bei Ihnen, Chief?«, ruft Mona.

»Ja.« Ich leuchte auf den Fuß im Wasser. Bei einem Zeh ist der Knochen sichtbar, das Fleisch drumherum scheint weggeknabbert worden zu sein …

Ich schlucke schwer, räuspere mich und sehe hinauf zu Mona. »Definitiv eine Leiche, Mona. Sperren Sie die Straße vollständig ab, ich fordere den Leichenbeschauer an.«

»Verstanden.«

Ich stehe auf, trete von der Leiche zurück und drücke aufs Ansteckmikro. »Zehn-neunundsiebzig«, melde ich an die Zentrale und fordere damit den Leichenbeschauer an.

»Zehn-vier«, erwidert Jodie. »Wissen Sie schon, wer es ist?«

»Nein«, sage ich. »Nur … der Leichenbeschauer soll sich beeilen. Und informieren Sie das Sheriff's Department. Wir müssen die Gegend absuchen und Leute befragen.«

Ich lasse die Sprechtaste los, brauche einen Moment, um zu verdauen, was das alles bedeutet. Zwei Leichen innerhalb so kurzer Zeit in einer kleinen Stadt wie Painters Mill sind nicht normal. So etwas passiert hier einfach nicht. Ich habe keine Ahnung, wer die Frau ist und wie sie getötet wurde. Zum jetzigen Zeitpunkt bin ich mir nicht einmal sicher, ob es sich um Mord handelt. Sie könnte ebenso gut an einer Überdosis gestorben sein, jemand, der dabei war, hat Panik bekommen, die Leiche in Plastik gewickelt und hier entsorgt.

Doch bei all dem Chaos in meinem Kopf, sticht eine Frage hervor. Hat der Tod dieser Frau etwas mit dem Mord an Aden Karn zu tun?

Ich leuchte wieder auf das Opfer. Wegen des Plastiks und Klebebands kann ich ihr Gesicht nicht richtig sehen, erkenne nur, dass sie jung ist. Ich weiß nicht, ob sie in Painters Mill wohnt oder von außerhalb ist, aber vermutlich wird sie vermisst. Jemand macht sich Sorgen, weil sie nicht nach Hause gekommen ist. In den nächsten Tagen wird das Leben all der Menschen, die sie geliebt haben, Stück für Stück zerstört werden.

16. KAPITEL

Wenn man als Cop Informationen braucht, kann man ziemlich sicher sein, dass man sie so schnell nicht bekommen wird. Ich habe den Großteil der Nacht am Fundort der Leiche verbracht. Doc Coblentz war zurückhaltend, was eine vorläufige Einschätzung der Todesart und Todesursache betraf, weil die Leiche in Plastik gewickelt und mit Klebeband verschnürt war, und beides als Beweismittel behandelt werden muss.

Da ich es jetzt mit zwei Tötungsdelikten zu tun habe und trotz der Unterstützung durch das Sheriff's Department kein Land mehr sehe, habe ich mich durchgerungen, Tomasetti anzurufen, der ja selbst einen schweren Fall vor der Brust hat, und er hat sich natürlich gleich auf den Weg gemacht.

Um die Vernichtung von Beweismitteln zu minimieren, habe ich zur Bergung und zum Abtransport der Leiche nur einer begrenzten Zahl von Personen den Zutritt zum Fundort erlaubt, was den Ermittlungsprozess natürlich enorm verlangsamt hat.

Nachdem der Fundort vom Leichenbeschauer freigegeben worden ist, bin ich noch mehrere Stunden dort geblieben. Doch meine Hoffnung, dass die Spurensicherung des BCI irgendetwas Brauchbares findet, hat sich nicht erfüllt. Anstatt danach noch länger sinnlos auf der Brücke auf und ab zu gehen, bin ich schließlich bei Sonnenaufgang zu dem amischen Mädchen gefahren, das die Leiche entdeckt hat.

Doch von ihr erfuhr ich lediglich, dass der Fund reiner Zufall war: Sie hatte für ihre *Mamm* Lebensmittel eingekauft und auf dem Rückweg die albtraumhafte Entdeckung gemacht, die sie und ihre Familie so schnell nicht vergessen werden.

Dass Tomasetti umgehend zum Fundort gekommen ist, war enorm hilfreich. Er hat dafür gesorgt, dass dem Opfer Fingerabdrücke abgenommen wurden, dass man sie gescannt und die Scans ans AFIS – das automatisierte Fingerabdruck-Identifizierungs-System – geschickt hat. Zudem hat er die Mitarbeiter des Polizeilabors in London, Ohio, angerufen und gebeten, so schnell wie möglich die Beweismittel, die auf dem Weg zu ihnen sind, zu analysieren. Dennoch habe ich ihm angemerkt, dass er nicht ganz bei der Sache war, denn die beiden vermissten Mädchen sind ihm sicher nicht aus dem Kopf gegangen. Vielleicht hat er sich gefragt, ob man an diesem Tag noch ihre Leichen finden würde und ob es somit der Tag sein würde, an dem er zu den Eltern gehen und ihnen mitteilen müsste, dass ihre Kinder nie mehr nach Hause kommen werden. Da er heute Morgen um sieben Uhr in Cleveland sein musste, ist er gegen zwei Uhr nachts nach Hause gefahren, um ein paar Stunden zu schlafen und zu duschen. Ich weiß, dass er ein starker Mann ist und schon wesentlich Schlimmeres erlebt hat, aber ich mache mir trotzdem Sorgen – und er fehlt mir.

Jetzt ist es kurz vor acht Uhr morgens, ich sitze im Warteraum der Leichenhalle des Pomerene Hospitals und schaue zum hundertsten Mal auf mein Telefon, warte auf Informationen.

Die Tür schwingt auf, und Sheriff Mike Rasmussen kommt herein, sieht genauso müde und erschöpft aus wie ich. »Irgendwas von Coblentz?«, fragt er und kommt düster dreinblickend auf mich zu.

Ich schüttele den Kopf und stehe auf. Wir begrüßen uns mit Handschlag. »Er redet nicht, und ich bin seit einer Stunde hier.«

»Wir hätten längst was vom AFIS hören müssen.« Er blickt auf seine Uhr und flucht. »Wir müssen wissen, wer sie ist.«

Ich kenne Mike, seit ich Chief in Painters Mill bin. Er besitzt einen gesunden Menschenverstand, ist korrekt, fair und diplomatisch, was ihn nicht nur zu einem guten Sheriff macht, sondern auch zu einem guten Politiker.

»Irgendwelche Neuigkeiten vom Fundort?«, frage ich.

»Wir haben nichts, Kate. Niemand hat etwas gesehen oder gehört. Keine Autos oder Buggys, keine Schuhabdrücke oder Reifenspuren. Absolut nichts.«

Wir waren beide dabei, als die Tote in einen Leichensack gelegt, auf die Bahre gehoben und für die Fahrt ins Leichenschauhaus in den Van des Leichenbeschauers geschoben wurde. Um keine Beweismittel zu vernichten, waren Klebeband und Plastik nicht entfernt worden, weshalb auch niemand ihr Gesicht richtig sehen konnte. Sie schien nackt zu sein, aber Einzelheiten waren unter dem Plastik kaum zu erkennen. Das alles ist schon über vier Stunden her, und noch immer wissen wir nicht, wer sie ist.

»Glauben Sie, das hat etwas mit dem Mord an Karn zu tun?«, fragt Rasmussen.

»Das Timing ist zumindest verdächtig«, sage ich.

»Dann muss es eine Verbindung geben …«

»Chief Burkholder?«

Ich blicke in Richtung der Stimme und sehe einen jungen Mann in OP-Kleidung aus dem Korridor kommen, der zu Doc Coblentz' Büro und weiter hinten in die Leichenhalle führt.

»Wir sind so weit«, sagt er.

Rasmussen und ich gehen zu ihm hinüber, und er reicht uns zur Begrüßung die Hand. »Ich bin Alan Han, der forensische Ermittler von Franklin County.«

»Danke für Ihre Unterstützung«, sage ich.

»Sie können sich bestimmt denken, dass wir gespannt sind, was Sie herausgefunden haben«, sagt Rasmussen.

»Kann ich.« Han zeigt zum Korridor. »Ziehen Sie die Sachen über und bringen wir es hinter uns.«

Schweigend betreten wir die Nische, streifen Schutzhüllen über die Schuhe und ziehen Papierkittel, Handschuhe, Hauben und Mundschutz an. Han wartet an der Tür, zieht ein neues Paar Handschuhe über und führt uns in den Autopsieraum der Leichenhalle. Bis zu diesem Moment hat mich die Tatsache, dass es einen zweiten Mordfall gibt, viel zu sehr beschäftigt, um das Unbehagen zu spüren, das mich stets beim Betreten dieses Raumes überkommt.

Die Deckenbeleuchtung taucht alles in grelles Licht. Die Tote auf dem Edelstahltisch ist mit einem Papierlaken zugedeckt, das mehrere kleine feuchte Stellen aufweist. Die Leichenhalle ist eine moderne Einrichtung, doch nicht einmal das hochmoderne Belüftungssystem kann den Gestank verwesenden Fleisches beseitigen.

Doc Coblentz dreht sich zu uns um und nickt. Sein Gesichtsausdruck ist düster. »Doktor Han hat Blut- und Urinproben, Hautproben unter den Fingernägeln sowie Zahnabdrücke genommen. Zudem haben wir mehrere Abstriche gemacht.«

»Und alles per Kurier ans BCI-Labor in London, Ohio, geschickt«, fügt Han hinzu.

Der Doktor blickt auf das Opfer. »Wir haben sie gesäubert, und Folgendes lässt sich feststellen: Es handelt sich um eine achtzehn- bis fünfundzwanzigjährige weiße Frau, ein Meter fünfundsechzig groß, sechzig Kilo. Sie war nackt, eingewickelt in Plastikfolie und mit gewöhnlichem Klebeband verschnürt.«

»Irgendwelche Ausweispapiere?«, fragt Rasmussen.

»Nein.«

»Können Sie sagen, wie lange sie tot ist?«, frage ich.

»Vorläufige Schätzung ist zwei Tage«, sagt er. »Vielleicht drei.«

Coblentz nickt Han zu, überlässt es ihm fortzufahren.

»Wie Sie bereits wissen, habe ich Fingerabdrücke genommen und sie zum Abgleich ans AFIS geschickt«, beginnt der Ermittler. »Die DNA-Proben wurden per Kurier ans Labor geschickt.« Er blickt auf die Tote, als überlege er, wo er anfangen soll. »Wir haben die Plastikfolie auf Spuren untersucht und ein paar Schmutzflecken gefunden, aber keine Fingerabdrücke, jedenfalls bis jetzt nicht. Deshalb sind Folie und Klebeband zur weiteren Analyse ins BCI-Labor geschickt worden.«

»Wann können wir mit dem Ergebnis zu den Fingerabdrücken und der DNA rechnen?«, fragt Rasmussen.

»Für die Fingerabdrücke in weniger als vierundzwanzig Stunden«, erwidert Han. »Bei der DNA kommt es darauf an, wie viel sie im Labor zu tun haben.« Er zuckt mit den Schultern. »Vier Tage, vielleicht auch eine Woche.«

Ich schicke Tomasetti ein lautloses Danke, dass er den Anruf gemacht hat. »Toxikologische Untersuchung?«

»Zehn Tage«, erwidert Han.

Ich wende mich an Doc Coblentz. »Ist sie ermordet worden?«

»Davon ist auszugehen.« Er zieht das Papierlaken von der Toten. »Fangen wir an.«

Egal, wie erfahren, abgehärtet oder gelassen man ist, der Anblick einer jungen Frau, die seit zwei oder drei Tagen tot ist, ist schwer zu ertragen.

Neben mir zuckt Rasmussen zusammen, macht einen Schritt zurück. Ich rühre mich nicht, stehe da, starre zitternd auf etwas herab, was einmal eine junge Frau gewesen ist, und habe nur einen Gedanken: *Was in Gottes Namen ist dir passiert?*

Ihre Haut ist grau und an manchen Stellen rötlich-pink marmoriert. Der Unterleib ist geschwollen, der Beckenbereich grünlich verfärbt, die Haut an den Händen braun und trocken. Der Anblick ist grauenvoll, und ich muss wegschauen, mich auf etwas anderes konzentrieren, irgendetwas. Was natürlich nicht geht. Denn es ist wichtig, dass ich mir das hier genau ansehe. Es ist mein Job, den Mistkerl zu finden, der diese Gräueltat begangen hat.

Schweigend ringe ich um Fassung und versuche, den Menschen zu sehen, der sie einmal war. Blonde Haare, dunkle Augenbrauen. Sie war hübsch, denke ich, jung und körperlich fit.

»Jesus«, murmelt Rasmussen.

Unter dem Mundschutz stößt Doc Coblentz einen Seufzer aus. »Ich wünschte, ich könnte Ihnen irgendeine hilfreiche Information geben, aber das ist momentan noch unmöglich. Das meiste, was Sie wissen müssen, wird die Autopsie ergeben. Jetzt kann ich nur wenig sagen.«

Ich sehe ihn an, nicke, schlucke den Speichel herunter, der sich in meinem Mund gesammelt hat, finde meine Stimme. »Hat sie Schmuck getragen?«, frage ich.

»Nein.«

Ich betrachte die Tote eingehend. Das Haar ist zu blond, um natürlich zu sein. Die lackierten Finger- und Fußnägel weisen darauf hin, dass sie vermutlich nicht amisch ist, was mich auf traurige Weise erleichtert. Obwohl eine kleine Stimme in meinem Hinterkopf flüstert, dass sie natürlich auch in der *Rumspringa* gewesen sein kann …

»Sie hat mehrere Piercings und ein paar weitere Identifikationsmerkmale«, fährt der Doc fort. »Die Piercings sind an Nabel, Nase und Augenbraue, am Knöchel ist ein Tattoo.« Er zeigt auf den rechten Fuß. »Wegen der dunklen Färbung der Haut ist schwer zu erkennen, was es darstellt.«

»Sieht wie ein Marihuana-Blatt aus.« Rasmussen beugt sich näher heran, kneift die Augen zusammen. »Wenn ihre Fingerabdrücke nicht registriert sind, können wir in einigen Tattoo-Studios nachfragen.«

»Ein weiteres Tattoo befindet sich auf ihrem Rücken«, sagt Doc Coblentz. »Wir haben alles fotografiert und schicken Ihnen die Bilder, so schnell es geht, zu.« Er dreht sich um und nimmt einen langen Abstrichtupfer vom Edelstahltablett auf dem Arbeitstisch. »Ihre Hände waren im Rücken gefesselt.«

»Mit Klebeband«, ergänzt Han. »Das ebenfalls ins Labor geschickt wurde.«

»Sexualdelikt?«, fragt Rasmussen.

»Dazu komme ich gleich.« Der Doktor zeigt auf den Hals des Opfers. »Dort haben wir Druckstellen gefunden, blaue Flecken, und deshalb Röntgenbilder gemacht. Darauf sieht man, dass das Zungenbein gebrochen ist.«

»Sie wurde gewürgt?«, frage ich.

»Ja, aber ich weiß nicht, ob das die Todesursache ist, Kate. Sie hatte auch eine Plastiktüte über dem Kopf, die im Nacken mit Klebeband befestigt war. Und um den Mund herum habe ich Reste von Kleber gefunden.«

»Vom Klebeband?«

»Kann ich nicht sagen, aber das ist naheliegend«, sagt er. »Die Todesursache weiß ich erst, wenn ich sie obduziert habe.«

Das grauenhafte Bild, das ich durch die Ausführungen des Leichenbeschauers vor Augen habe, verschlägt mir kurzzeitig die Sprache. »Noch weitere Verletzungen?«, bringe ich schließlich heraus.

»Es gibt Hinweise auf sexuelle Gewalt. Zahlreiche Risswunden und Blutergüsse, vaginal und anal. Möglicherweise kam es zu Blutungen. Vermutlich wurde sie auch mit einem Fremdkörper penetriert. Das hat zwar nicht zum Tod geführt, aber weitere innere Verletzungen kann ich nicht ausschließen.«

Ich starre das Opfer an, mein Herz schlägt heftig, mein Gesicht ist rot vor Wut, und mein Mund ist so trocken, dass ich nicht schlucken kann, nicht sprechen. Mein Entsetzen ist grenzenlos.

»Haben Sie den Fremdkörper gefunden?«, fragt Rasmussen.

»Nein.«

Ich sehe zum Sheriff. »Jemand muss zurück zum Fundort und danach suchen.«

Er nickt. »Die Straße ist noch gesperrt. Ich schicke einen Deputy hin.« Die Lippen zusammengepresst, stößt er aus: »Sperma?«

»Wir haben von allem Proben genommen und umgehend ins Labor geschickt«, antwortet Han.

Coblentz blickt auf die Tote. Die Augen hinter den Gläsern der Schutzbrille sehen müde aus … und wütend. Es ist das erste Mal in all den Jahren, in denen ich mit ihm zusammen- arbeite, dass ich Anzeichen von Emotionen bei ihm entdecke. Und ich frage mich, ob er sie in der Vergangenheit nur besser verbergen konnte oder ob dieser Fall ihm besonders unter die Haut geht.

»Mindestens eine Bisswunde an der linken Brust.« Er zeigt mit dem Abstrichtupfer darauf. »Möglicherweise auch eine an der Pobacke.«

»Nachher kommt noch der Zahnmediziner«, sagt Han.

»Sie hat Schlimmes durchgemacht«, höre ich mich sagen.

»Ja, das hat sie«, bestätigt Doc Coblentz.

»Hat das eine Person getan?«, frage ich. »Oder waren es mehrere?«

»Kann ich nicht sagen«, erwidert der Leichenbeschauer.

»Die Vergewaltigung, die Plastiktüte über dem Kopf, die

Tote in Plastikfolie wickeln und mit Klebeband verschnüren – das hat einige Zeit in Anspruch genommen«, sagt Rasmussen langsam. »So was geschieht nicht in aller Öffentlichkeit, dazu braucht man eine gewisse Privatsphäre.«

Ich sehe Rasmussen an. »Der Fundort ist also nicht der Tatort«, sage ich. »Sie wurde irgendwo anders vergewaltigt und ermordet und dann im Bach entsorgt.«

»Sehe ich auch so«, erwidert der Sheriff.

»Als die Gegend abgesucht wurde, hat man da auch an Überwachungs- und Wildkameras gedacht?«, frage ich.

»Da war nichts dergleichen.«

Ich sehe Coblentz an. »Wir brauchen Fotos von allem, was Sie haben.«

»Ich schicke sie so schnell wie möglich«, sagt er.

»Wann können Sie mit der Obduktion beginnen?«, frage ich.

»Ich sage alles andere ab. Wir machen sie heute, wahrscheinlich am Nachmittag oder Abend.« Er blickt auf die Tote und seufzt. »Das ist das Mindeste, was wir für die arme junge Frau tun können.«

* * *

Schweigend ziehe ich die Schutzkleidung aus und werfe sie in den Spezialbehälter, bekomme vage mit, dass Rasmussen mit Han redet. Ich will nur noch von hier weg, laufe aus der Nische und den Korridor entlang zur Toilette, wo ich mir die Hände unter so heißem Wasser schrubbe, wie ich es gerade eben noch aushalten kann. Als ich dann die Tür aufstoße, knalle ich um ein Haar mit Rasmussen zusammen, der auch auf die Toilette will. Wir starren uns zwei Sekunden lang in die Augen, dann gehe ich wortlos an ihm vorbei direkt zu der Tür, die ins Treppenhaus führt, nehme zwei Stufen auf einmal hinauf zum Erdgeschoss. Mit beiden Händen drücke ich den Sicherheitsbügel runter, stoße die Tür auf, eile durch den Empfangsbereich, den ich nur verschwommen wahrnehme, hinaus ins Freie, wo ich die frische Luft tief einatme. Sowie ich den Säulenvorbau des Krankenhauses hinter mir lasse, fange ich an zu rennen und bleibe erst stehen, als ich den Explorer erreiche. Keuchend reiße ich die Tür auf, aber ich steige nicht ein. Mein Mund ist so voller Speichel, dass ich zu dem Rasenstück in der Nähe gehe und ausspucke. Die Hände auf die Knie gestützt, schnappe ich nach Luft und warte darauf, dass mein Magen sich beruhigt.

»Scheiße«, stoße ich keuchend aus. »Verdammte Scheiße.«

»Kate.«

Ich richte mich auf. Rasmussen kommt schnellen Schritts und mit besorgtem Gesichtsausdruck auf mich zu. »Verdammt schrecklicher Anblick!«, knurrt er.

In der Hoffnung, dass ich nicht so fertig aussehe, wie ich mich fühle, atme ich tief durch und versuche, meine Gefühle in den Griff bekommen. Ich mache mir klar, dass ich einen Job zu erledigen und keine Zeit habe, mich zu verkriechen – dass ich ein mordendes Arschloch mit dem, was es dem Mädchen angetan hat, nicht davonkommen lassen darf.

Einen Moment lang stehen wir uns schweigend gegenüber.

»Mike, wie ist das passiert?«, sage ich schließlich. »Ich meine hier, in Holmes County? In Painters Mill? Was für ein Monster tut so etwas?«

Das ist nicht gerade die typische Frage, die Polizisten am Anfang einer Mordermittlung stellen. Zu emotional, zu viel Wut. Ich versuche wirklich, mich zusammenzunehmen, schaffe es aber kaum.

Der Sheriff räuspert sich, blickt zu Boden. »Ich weiß es nicht.«

»Zwei Leichen innerhalb einer Woche.«

Er kneift die Augen zusammen. »Es muss einen Zusammenhang geben.«

»Die Morde … unterscheiden sich in der Ausführung.«

»Ja.«

»Ist im County eine Frau als vermisst gemeldet?«

»Das überprüfen wir gerade.«

Ich überlege, ob ich etwas von einer vermissten amischen Frau gehört habe, und nehme mir vor, meine Schwester zu kontaktieren. Es kann nicht schaden, sie ein wenig auszuhorchen, auch wenn es keine offizielle Vermisstenanzeige gibt.

»Wir müssen eine Task Force einrichten«, sage ich.

»Ich leite das in die Wege.«

»Ich versuche, das BCI ins Boot zu holen.«

»Hören Sie, Kate, ich weiß, dass Ihr Revier mit der Karn-Sache voll ausgelastet ist. Ich hab genug Leute zur Verfügung. Ich kann Sie bei den Mordermittlungen hier voll unterstützen und ein bisschen Druck von Ihnen und Ihren Mitarbeitern nehmen.«

Er hat natürlich recht. Der Sheriff und ich haben schon bei mehreren Fällen zusammengearbeitet, und es gab nie Streit darüber, wer was macht. Aber ich war noch nie gut darin, eine untergeordnete Rolle einzunehmen, selbst wenn es vernünftig wäre, es zu tun.

Ich nicke, aber ich spüre, wie die Schwere des Falls auf mir lastet. »Mike, wir müssen sie schnellstens identifizieren.«

»Ja.« Er blickt auf seine Uhr und runzelt die Stirn. »Wenn beim AFIS-Abgleich nichts herauskommt, gebe ich eine Pressemitteilung heraus.«

»Painters Mill hat ein Profil in den sozialen Medien«, sage ich, »was von vielen Bürgern genutzt wird. Da werden zwar hauptsächlich Rezepte und Privatverkäufe gepostet, aber ich stelle da auch eine Meldung ein. Jemand muss sie doch vermissen.«

Er sieht mich eindringlich an. »Einiges müssen wir für uns behalten, Kate. Ich meine, bestimmte Aspekte des Verbrechens.«

»Sehe ich auch so. Lassen Sie uns überlegen, welche Informationen wir öffentlich machen und welche nicht.«

»Okay.«

Während wir beide nachdenken, ist nur das Rattern eines vorbeifahrenden Lastwagens zu hören. »Also ist mit Ihnen alles okay?«, fragt Rasmussen auf einmal.

Ich sehe ihn an und bemühe mich zu lächeln, was aber nicht recht gelingt. »Na ja, hauptsächlich bin ich stinksauer.«

»Ich auch.« Erneutes Schweigen, dann fügt er hinzu: »Sobald wir sie identifiziert haben, kriegen wir ihn. Gut möglich, dass sie ihren Mörder kannte. Oder dass jemand, der sie kannte, ihn kennt. Dann haben wir ihn.«

Im Prinzip stimme ich ihm zu. Die meisten Opfer kennen ihren Mörder. Aber etwas an der Frau – vielleicht die Tattoos oder die Piercings – weist auf etwas anderes hin, das ich noch nicht ganz zu fassen kriege, also lasse ich es dabei bewenden.

»Irgendwo dort draußen gibt es Eltern oder einen Ehemann oder vielleicht sogar ein Kind, das darauf wartet, dass sie nach Hause kommt«, sage ich.

»Ja.« Rasmussen legt mir die Hand auf die Schulter, drückt sie sanft, dreht sich um und geht.

* * *

Auf dem Weg zum Revier rufe ich Mona an. »Wo sind Sie gerade?«

»Auf dem Revier.«

»Setzen Sie sich an den Computer, rufen Sie eine Karte auf,

und finden Sie die Wohnhäuser, Geschäfte, Kirchen und Schulen, die dem Fundort der Leiche am nächsten sind. Checken Sie, ob es in der Nähe Müllcontainer oder Mülltonnen gibt, fahren Sie hin, und durchsuchen Sie den Müll nach einem Geldbeutel oder Ausweispapieren oder … nach allem, was irgendwie mit der Toten in Verbindung gebracht werden kann.«

»Klebeband oder Plastikfolie, Handy, so was?«

»Und auch Kleidung.« Ich halte inne, versuche, meine Gedanken zu ordnen. »Es ist zwar unwahrscheinlich, dass Sie was finden, denn vermutlich hat der Mörder die Sachen irgendwo anders weggeworfen … und es ist eine Drecksarbeit …«

»Keine Sorge, Chief, ich fange gleich damit an. Wenn es etwas zu finden gibt, finde ich es.«

»Wenn Sie Hilfe brauchen, rufen Sie T. J. an.«

»Vielleicht mache ich das sogar, einfach um zu sehen, wie er in einen Müllcontainer steigt.«

Ich muss lächeln, und nicht zum ersten Mal bin ich dankbar, so ein tolles Team zu haben.

Ich überlege, welche anderen Prioritäten es gibt. »Mona, finden Sie heraus, wer im Umkreis die Bewohner befragt hat, und erkundigen Sie sich bei ihnen, ob sie nach Wildkameras oder privaten Überwachungskameras gefragt haben.«

»Mach ich.«

»Ich bin auf dem Weg zum Revier«, sage ich.

»Verstanden.«

17. KAPITEL

Ich bin gerade auf den Parkplatz vom Revier gefahren, da klingelt mein Handy. BCI LAB LONDON steht auf dem Display

»Burkholder«, melde ich mich unwirsch.

»BCI-Labor London. Ich bin für den Abgleich latenter Fingerabdrücke zuständig, Chief. Es gibt einen Treffer für die unbekannte Tote.«

»Wie heißt sie?«

»Paige Rossberger, sechsundzwanzig Jahre alt, letzte bekannte Adresse in Massillon.« Sie nennt die Straße und Nummer, die ich notiere.

»Sie war im System?«, frage ich.

»2019 Festnahme wegen Prostitution, zwei weitere Festnahmen 2020. Einmal wegen Prostitution und einmal wegen Drogenbesitz. Sie war auf Bewährung.«

»Familie?«

Tastaturklappern am anderen Ende. »Unverheiratet, keine minderjährigen Kinder. Ein lebender Elternteil, Mutter, wohnt in Massillon.«

»Mailen Sie mir alles, was Sie haben«, sage ich.

»Schon unterwegs.«

* * *

Lois sitzt mit dem Headset auf dem Kopf in der Telefonzentrale. Das Telefon klingelt nonstop. Sie muss etwas in meinen Augen gesehen haben, denn den nächsten Anrufer legt sie in die Warteschleife, steht auf und blickt mich erwartungsvoll an.

»Ich habe gerade erfahren, wer die Tote ist.« Ich buchstabiere den Namen. »Ich brauche alles, was Sie über sie finden können – Freunde, Bekannte, Profile in den sozialen Medien, die Kontaktdaten von ihrem Bewährungshelfer. Die restlichen Infos schicke ich Ihnen per Mail. Familie wurde noch nicht benachrichtigt, also kein Wort zu niemandem.«

»Geht klar.«

Glock tritt aus seiner Box am Ende des Flurs und kommt zu uns. »Ist sie von hier?«, fragt er.

»Letzte bekannte Adresse ist Massillon.« Ich teile ihm mit, was ich bis jetzt weiß.

»Da sie eine Prostituierte war, hat sie vermutlich mit zwielichtigen Typen rumgehangen«, sagt er.

»… und mit Leuten, die sie nicht kannte.«

»Brauchen Sie bei irgendwas Unterstützung?«, fragt er.

»Geben Sie mir ein paar Minuten, um das dortige Revier anzurufen, damit jemand die Mutter benachrichtigt. Danach sollten wir einen kleinen Ausflug dorthin machen.«

* * *

An der Kaffeetheke nehme ich mir die größte Tasse, die ich finden kann, schenke sie voll und gehe damit in mein Büro. Während mein Laptop hochfährt, rufe ich das Revier in Massillon an und lasse mich mit dem zuständigen Detective verbinden.

»Davidson«, ertönt knapp eine männliche Stimme am anderen Ende der Leitung.

Ich stelle mich kurz vor, dann komme ich gleich zur Sache. »Ich habe gerade die Identität einer Leiche erfahren, die hier in Painters Mill an einer Landstraße abgelegt wurde. Es handelt sich um Paige Rossberger, und sie ist aus Massillon.«

Ich kann buchstäblich hören, wie er sich auf dem Stuhl aufrichtet. »Ich weiß, wer das ist«, sagt er. »Wir haben sie seit ein paar Jahren auf dem Radar. Heute Morgen hat ihre Mutter angerufen und sie als vermisst gemeldet.«

Ich erzähle ihm, was wir bis jetzt herausgefunden haben. »Wissen Sie etwas über Freunde oder Bekannte? Gibt es außer der Mutter noch andere Familienangehörige?«

»Da muss ich nachsehen, einen Moment.«

Am anderen Ende klappert eine Computertastatur, kurz darauf meldet er sich wieder. »Paige Rossberger hat bei ihrer Mutter gewohnt. Mehr weiß ich auch nicht.«

»Keinen festen Freund?«

»Nicht, dass wir davon wüssten.«

Ich denke kurz nach. »Detective Davidson, ich ermittele hier in Painters Mill gerade in zwei Mordfällen und versuche herauszufinden, ob es da einen Zusammenhang gibt. Deshalb wäre es enorm hilfreich, wenn ich mit der Mutter des Opfers sprechen könnte.«

Er seufzt, und ich weiß, dass er solche schlimmen Nachrichten nicht zum ersten Mal überbringen muss. »Wir arbeiten hier mit einem Seelsorger zusammen. Ich rufe ihn an und gehe mit ihm zusammen zur Mutter.«

»Danke.«

»Können Sie mir schicken, was Sie bislang über den Fall haben, und mich auf dem Laufenden halten?«

»Sicher.«

»Chief Burkholder, June Rossberger ist über die Jahre selbst mehrere Male mit dem Gesetz in Konflikt geraten, aber jetzt wieder auf dem rechten Weg. Ihr Kind auf diese Weise zu verlieren … wird sie schwer treffen.«

»Ich verstehe«, sage ich. »Aber ich fürchte, ich muss mit ihr sprechen, da führt kein Weg dran vorbei. Ich gebe mir Mühe, es so kurz wie möglich zu halten.«

»Danke, ich weiß das zu schätzen.«

Ich werfe einen Blick auf die Uhrzeit auf meinem Computerbildschirm. »Ich habe hier noch einiges zu erledigen, Detective Davidson, danach mache ich mich auf den Weg.«

* * *

Paige Rossberger war laut ihres Bewährungshelfers seit ihrer letzten Verhaftung sauber. Sie hatte jeden Drogentest bestanden, im örtlichen Lebensmittelladen einen Teilzeitjob bekommen und ein Girokonto eröffnet, um ihre Finanzen in Ordnung zu bringen.

»Sie hat hoch und heilig versprochen, sich von den Leuten fernzuhalten, die sie in Schwierigkeiten gebracht haben«, ließ er mich am Telefon wissen. »Paige war ein kluger Kopf, auch wenn sie ein paarmal Probleme mit dem Gesetz hatte. Zu unserem festen Termin einmal im Monat ist sie jedenfalls immer erschienen. Außer gestern.«

Zu einigen der Fragen, die ich schon Detective Davidson gestellt hatte, konnte er mir nichts Neues sagen.

»Hatte sie mit irgendwem Probleme?«, fragte ich dann. »Wurde sie von jemandem bedroht? Gab es Meinungsverschiedenheiten, Auseinandersetzungen? Etwas in der Richtung?«

»Paige war kein Mensch, der über solche Dinge geredet hat«, erzählte er. »Ich sage es nur ungern, aber selbst wenn sie in Schwierigkeiten gesteckt hätte, wären wir die Letzten gewesen, die sie um Hilfe gebeten hätte.« Sein Seufzer war voller Bedauern. »Sie misstraute dem System, Chief Burkholder. Wenn ich gewusst hätte, dass sie auf so etwas zusteuert, hätte ich einen Weg gefunden, um ihr zu helfen. Aber sie hat kein Wort gesagt.«

* * *

Am späten Vormittag treffen Glock und ich in Massillon ein. June Rossberger wohnt in einem kleinen Haus ein paar Blocks von der Stadtbücherei entfernt. Normalerweise kommen bei so einer Tragödie gleich Freunde und Familienmitglieder vorbei, um den Trauernden beizustehen. Als ich jetzt am Straßenrand vor dem Haus halte, bin ich überrascht, nur ein einziges Auto in der Einfahrt zu sehen.

Glock fällt es ebenfalls auf. »Die hiesige Polizei hat ihr die Nachricht überbracht?«, fragt er.

Ich mache den Motor aus. »Der Detective hatte es jedenfalls versprochen.«

»Ich finde es schlimm, dass niemand bei ihr ist«, sagt er beim Aussteigen.

»Vielleicht waren ja schon Freunde da und sind wieder weg.« Was mir angesichts des alten Toyota Corolla in der Einfahrt jedoch optimistisch erscheint. »Wir machen es kurz.«

Bürgersteig und Einfahrt gleichen einem Puzzle aus kaputtem Beton mit wild sprießendem Unkraut in den Ritzen. Wir gehen die Treppe zu der kleinen Veranda hinauf, und ich klopfe an die Tür.

Schritte werden laut, die Tür geht auf, und vor mir steht eine Frau mittleren Alters in Jogginghose und Flanellbluse. Sie trägt keinerlei Make-up, hat dünnes, fast bis zur Kopfhaut kurz geschorenes Haar und wirkt nicht erfreut, uns auf ihrer Veranda zu sehen.

»Haben eure Leute mir für heute nicht schon genug schlechte Nachrichten überbracht?«, sagt sie barsch angesichts unserer Uniformen.

Ihr Gesicht ist gerötet, ihre Augen sind blutunterlaufen, aber es ist schwer zu sagen, ob es vom Weinen kommt. Ich stelle mich vor. »June Rossberger?«

»Ja.«

»Haben Sie schon mit Detective Davidson gesprochen, Ma'am?«

»Er hat's mir gesagt.« Sie hat eine tiefe Raucherstimme, rau wie ein Reibeisen. »Ist vor einer Stunde wieder weg.«

»Mein aufrichtiges Beileid.«

Als Glock seine Mütze abnimmt, wird der Ausdruck in ihren Augen etwas sanfter, aber insgesamt wirkt sie ausgesprochen emotionslos, obwohl sie gerade ihre Tochter verloren hat. Natürlich gehen Menschen mit Verlust und Kummer unterschiedlich um, trotzdem frage ich mich, wie eng sie miteinander gewesen sind.

»Ich hatte sie ein paar Tage nicht gesehen«, sagt sie. »Hat ihr ganzes Zeug dagelassen – jedenfalls das bisschen, was sie besitzt – und ist auf Sauftour oder so gegangen, wie die jungen Leute das heutzutage machen.«

»Ich versuche herauszufinden, was passiert ist«, sage ich. »Können wir kurz reinkommen und reden?«

»In einer Stunde muss ich bei der Arbeit sein.« Sie blickt zu Glock und wieder zu mir. »Machen Sie's kurz, ich hab eine lange Schicht vor mir.«

Beim Betreten des Hauses spüre ich Glocks Blick auf mir. Drinnen ist es unangenehm warm und riecht nach verbranntem Toast und Zigarettenrauch. June Rossberger bewegt sich wie eine Frau, die den ganzen Tag auf den Beinen ist. Sie führt uns in ein Wohnzimmer mit verschlissenen Möbeln und Teppichboden aus den 1990er Jahren, weist mir das durchgesessene Sofa zu und Glock einen Stuhl. Aber er bleibt lieber an der Tür stehen.

»Wie Sie wollen.« Sie lässt sich in einen Sessel fallen und stützt die Füße auf den Hocker davor. »Der Detective hat gesagt, sie ist ermordet worden. Stimmt das?«

»Der Leichenbeschauer hat es zwar noch nicht offiziell bestätigt«, sage ich. »Aber wir gehen davon aus, dass sie Opfer eines Verbrechens wurde.«

»Und Sie ermitteln?« Sie betrachtet meine Uniform und lacht. »Eine Frau?«

»Ihre Leiche wurde in Painters Mill gefunden, wo ich Chief bin. Das Ohio Bureau of Criminal Investigation sowie das Holmes County Sheriff's Department sind ebenfalls beteiligt. Nur, damit Sie wissen, dass wir alles tun werden, um den Mörder Ihrer Tochter zu finden.«

»Hoffentlich kriegen Sie ihn. Paige war zwar nicht gerade ein Musterkind, aber so zu sterben hat sie bestimmt nicht verdient.«

Ich hole mein Notizbuch hervor. »Wann haben Sie sie zuletzt gesehen?«

»Vor vier Tagen. Sie kommt und geht. Geht mehr, als sie kommt.«

»Hatte sie irgendeinen Bezug zu Painters Mill?«, frage ich. »War sie einmal dort oder hat Holmes County erwähnt?«

»Kann ich mich nicht dran erinnern. Sie war nicht gerade der Amisch-Country-Typ, wenn Sie verstehen, was ich meine.«

Mir fällt die Aussage des Bewährungshelfers ein. »Sie hatte einen Teilzeitjob, oder?«, frage ich sie.

Die Frau sieht mich düster an. »Das wissen Sie doch.«

Ich brauche einen Moment, um zu verstehen, worauf sie anspielt. »Ich meine in einem Lebensmittelladen«, füge ich erklärend hinzu. »Das hat jedenfalls ihr Bewährungshelfer gesagt. Stimmt das?«

»Ist vor ein paar Wochen gefeuert worden. Dieses Kind hatte mehr Jobs als ich Zehen. Wollte sich nicht sagen lassen, was sie machen soll. Hat nie lange durchgehalten.«

Die Formulierung der nächsten Frage überlege ich mir

gut. »Vor ein paar Jahren wurde sie wegen Prostitution verhaftet.«

Sie blickt mich stirnrunzelnd an. »Und jetzt wollen Sie wissen, ob sie immer noch anschaffen gegangen ist.«

Ich nicke. »Ist sie?«

»Hören Sie, das Thema war tabu. Sie wusste, dass ich was dagegen hatte. Und ja, ich glaube, sie hat alles gemacht, um Geld zu verdienen.«

»Und warum glauben Sie das?«

»Weil sie zu den verrücktesten Zeiten unterwegs war, weil sie immer Geld hatte und 'ne Menge Anrufe kriegte.« Sie verzieht das Gesicht und schüttelt den Kopf, wirkt nachdenklich. »Ich hab immer gewusst, dass das böse enden würde, und hab's ihr auch gesagt. Aber sie hat auf niemanden gehört, und schon gar nicht auf mich.«

»Haben Sie ein neueres Foto von ihr?«

»Ich glaube schon.« Sie holt ihr Smartphone hervor, scrollt, und hält es mir hin. »Hab ich vor ein paar Wochen gemacht, an ihrem Geburtstag. Mein Gott, da hab ich nicht gewusst, dass es ihr letzter sein würde.«

Ich nehme das Handy und sehe mir das Foto an. Paige Rossberger, blond und hübsch, wie zum Lachen geboren, blickt mit rausgestreckter Zunge in die Kamera. »Und Sie haben das gemacht?«

»Hab ich doch gesagt. An dem Abend haben wir zusammen gegessen.«

Ich blicke wieder auf das Foto, und mir wird bewusst, dass es ihre Augen sind, die mich fesseln – sie sind groß und grün und aus ihnen blitzen Übermut und Ärger. »Sie war hübsch.«

Die Frau lacht. »Ein hübscher Haufen Probleme, das war sie.«

»Darf ich das Foto an meine E-Mail-Adresse schicken?«

»Sicher.«

Ich muss kurz suchen, finde den Weiterleiten-Pfeil, verschicke es und gebe ihr das Handy zurück. »Wissen Sie, wo Paiges Handy ist?«

Sie schüttelt den Kopf. »Ich hab sie in den letzten Tagen sechs- oder siebenmal angerufen, aber immer ist sofort die Mailbox angesprungen. Deshalb hab ich mir ja Sorgen gemacht. Selbst wenn sie nicht gleich drangegangen ist, hat sie mir später immer eine SMS geschickt.«

Ich bitte sie um die Nummer ihrer Tochter, die ich notiere.

»Hatte sie einen festen Freund?«, frage ich, »oder war sie mit jemandem regelmäßig zusammen?«

»Nichts Festes.« Sie stößt einen verärgerten Laut aus. »Auf der ganzen Welt gibt es keinen Kerl, der es mit einer Frau aushält, die für fünfzig Dollar mit jedem verdammten Loser vögelt. Das gehört sich einfach nicht.«

»Und was ist mit Feinden, Mrs. Rossberger? Hatte Paige Streit oder einen handfesten Konflikt mit jemandem?«

»Nicht, dass ich wüsste.«

»Hatte sie eine enge Freundin, oder gab es jemanden, dem sie besonders nahestand? Dem sie sich vielleicht anvertraut hat?«

»Paige hat nie jemanden zu nahe an sich rankommen lassen. In der Beziehung war sie anders als andere, hat nicht die normalen Sachen gemacht wie ins Kino gehen, shoppen oder Essen gehen. Sie zieht die Brauen zusammen, denkt über etwas nach. »Genaugenommen war sie eine Einzelgängerin.«

June Rossberger atmet tief durch, presst die Lippen zusammen. »Wahrscheinlich hab ich mehr als jeder andere mit ihr gestritten. Ich hab ihr gesagt: In diesem Haus gibt es keine Drogen, keinen Alkohol und keine Männer.« Sie lacht gequält. »Vermutlich ist sie deshalb nicht oft heimgekommen. Seit letztem Jahr wurde sie mir immer fremder. War wie jemand, den ich nicht kenne. Ich bin einfach nicht mehr zu ihr durchgedrungen. Echt traurig.«

»Mrs. Rossberger, haben Sie vielleicht trotzdem eine Idee, wer ihr das angetan haben könnte?«, frage ich.

Sie lässt sich Zeit, greift in die Tasche ihres Sweatshirts, holt eine Packung Camel heraus und zündet sich eine an. »Wenn ich eine Vermutung anstellen müsste, würde ich sagen, es war einer ihrer Männer. Die Zeiten sind hart, und da draußen gibt's etliche brutale Kerle.« Sie legt den Kopf schief. »Sie hat sich nichts gefallen lassen, aber wenn man so ein Leben führt, kann eine Menge schiefgehen.«

»Hat sie vielleicht mal einen Mann erwähnt, mit dem es Probleme gab?«, frage ich.

»Nein, und sie hat auch nie einen mit hierhergebracht. Ich hätte damit nicht umgehen können. Und wollte es auch nicht.« Sie zieht fest an ihrer Zigarette. »Mir hat sie erzählt, sie macht's nur mit Typen, bei denen sie sich sicher fühlt.« Sie lacht bitter auf. »Was hätte sie ihrer Mutter auch sonst erzählen sollen?«

Ich nicke, schiebe mein Notizbuch zurück in die Tasche. »Hätten Sie etwas dagegen, wenn wir uns kurz in ihrem Zimmer umsehen?«

»Wenn das hilft, ihren Mörder zu finden …« Sie drückt ihre Zigarette aus, steht auf und geht mit uns den Flur entlang. »Aber machen Sie sich auf was gefasst, Ordnung war nicht ihr Ding«, sagt sie und stößt die Tür auf.

Paige Rossbergers Zimmer ist gerade groß genug für das Doppelbett unter dem Fenster, den Nachttisch und die Kommode mit Spiegel rechts an der Wand. Dazwischen ist kaum genug Platz, um durchzugehen. Ich blicke auf zerwühlte Laken, ein Paar Jeans auf dem Boden und in die Ecke gekickte Sneakers.

»Es riecht noch nach ihr«, sagt ihre Mutter, »und es fühlt sich an, als würde sie bald zurückkommen. Mein Gott, das tut weh.«

Ich blicke zurück über die Schulter, und zum ersten Mal sehe ich Trauer in ihren Augen. »Wir beeilen uns, Ma'am.«

»Lassen Sie sich Zeit.«

Sie ist schon halb auf dem Weg ins Wohnzimmer, als mir noch eine Frage einfällt. »Mrs. Rossberger? Hatte Paige ein Auto?«

Sie dreht sich um, sieht mich an. »Einen alten Toyota. Altima, glaube ich.«

»Wissen Sie, wo der Wagen ist?«

»Hier jedenfalls nicht.«

»Kennen Sie zufällig das Baujahr?«

»Ich weiß nur, dass er rot ist und eine verbeulte Tür auf der Fahrerseite hat, mehr nicht.«

»Was ist mit den Fahrzeugpapieren?«, frage ich. »Versicherung, Registrierung?«

»Papierkram war nicht so ihre Sache.«

Ich werde also die Fahrzeugpapiere suchen, um nach dem Wagen fahnden zu lassen.

Als Rossberger gegangen ist, sehe ich Glock an. Er schüttelt den Kopf. »Verliere nie die Beziehung zu den eigenen Kindern«, sagt er nur.

»Und halte den Rest der Welt auf Distanz.« Ich lasse den Blick durchs Zimmer wandern. »Wir müssen die Autopapiere finden.«

Er nickt. »Ich nehme mir den Wandschrank vor.«

»Und ich mir die Kommode.«

Ich schiebe mich am Bett entlang zur Kommode, stolpere fast über einen einzelnen Stöckelschuh. Auf der laminierten Oberfläche stehen mehrere ordentlich aufgereihte Parfümflaschen vom Drogeriemarkt, eine Bürste voller blonder Haare und ein kleines Kästchen. Ich sehe hinein, blicke auf eine Perlenkette, Creolen, diverse seltsame, etwa eineinhalb Zentimeter lange gebogene Schmuckstücke mit kleinen rosa-goldenen Perlen an beiden Enden, möglicherweise für Nabel- oder Ohrpiercings. Ich schließe den Deckel und fange an, die Kommodenschubladen systematisch zu durchsuchen. Unterwäsche und BHs, Sportsocken, T-Shirts und Shorts. Yoga-Hosen. Nichts Interessantes.

Ich gehe ums Bett herum zum Nachttisch, hoffe, ein Handy oder ein Tagebuch oder Briefe zu finden – etwas mit einem Namen, einer Telefonnummer oder Adresse, aber da ist nichts. Paige besaß nicht viel. Ich ziehe die letzte Schublade auf, finde darin lediglich eine Kerze in einem Votivglas, deren Mitte vollkommen runtergebrannt ist. Wie bei der jungen Frau, denke ich und muss gegen einen Anflug von Traurigkeit ankämpfen. Es ist eine schreckliche Parallele zum Leben dieser Frau, die viel zu jung sterben musste.

* * *

Es ist fast zweiundzwanzig Uhr, als ich meinen Wagen hinter Tomasettis Tahoe parke und durch die Hintertür ins Haus gehe. Todmüde und niedergeschlagen wegen des Schlafmangels und all dem Grauen, das ich heute gesehen habe, bin ich zudem frustriert, weil auf jeden Schritt vor zwei Schritte zurück folgen. Ich komme einfach nicht weiter.

Mach Schluss für heute, Kate …

In der Küche ist es warm und hell und duftet nach Knoblauch, Brot und einem Gewürz, das ich nicht identifizieren kann. Tomasetti steht mit dem Rücken zu mir am Herd, rührt in einem dampfenden Topf. Einen Moment lang genieße ich schweigend den Anblick, unendlich dankbar, zu Hause zu sein

204

und zu fühlen, wie meine düstere Stimmung sich ein wenig aufhellt.

Seit er am frühen Morgen den Fundort von Paige Rossbergers Leiche wieder verlassen hat, habe ich ihn nicht mehr gesprochen. Es kommt mir vor, als wäre das tausend Jahre her.

»Hat dir schon mal jemand gesagt, wie gut du in einer Küchenschürze aussiehst?«, sage ich.

Er blickt mich über die Schulter hinweg an, und obwohl sein Gesichtsausdruck nie leicht zu deuten ist, sieht er … zufrieden aus. Er hat die Schürze umgebunden, die ich von ihm zu Weihnachten geschenkt bekommen und noch kein einziges Mal getragen habe. Was immer er da kocht, riecht so gut, dass mir das Wasser im Mund zusammenläuft.

»Das höre ich ständig«, sagt er.

»Kann ich mir vorstellen.«

»Der Wein steht da.« Er zeigt auf die entkorkte Flasche und die beiden Gläser auf dem Tisch. »Ist aus Texas. Ein Sangiovese.« Er grinst. »Trinken auf eigene Gefahr.«

»Das tue ich immer.« Ich stelle meine Laptoptasche neben der Tür ab und gehe zum Tisch, behalte seine Körpersprache im Blick, während ich die Gläser fülle.

»Hast du irgendwann mal geschlafen?«, fragt er.

»Nein.« Ich bin noch nicht so weit, um über die Arbeit zu reden, gehe zum Herd und spähe in den Topf. »Riecht gut.«

»Spaghetti und selbstgemachte Soße nach dem Rezept von Onkel Sergio.«

»Du hast keinen Onkel Sergio.« Ich reiche ihm das Glas. »Wie ist es so?«

Er lässt sich einen Moment Zeit, die Gasflamme runterzudrehen und den Löffel auf einem gefalteten Blatt Küchenrolle abzulegen. Als er mich dann ansieht, ist der Blick in seinen

Augen klar und tief und … zufrieden. »Wir haben die Mädchen gefunden. Sie sind jetzt zu Hause, bei ihren Eltern. Vier Tage, und er hat sie nicht angerührt.«

Die Worte zaubern mir ein Lächeln ins Gesicht. »Da hat das Gute mal gesiegt!«

»Ja.« Er rührt wieder im Topf. »Man versucht immer, die Dinge nicht zu sehr an sich ranzulassen, aber wenn Kinder involviert sind …«

»…kommt es dem eigenen Leben allzu nahe«, sage ich.

Er nickt. »Diesmal schon.«

»Es ist gut, den Glauben nicht zu verlieren.«

»Höre ich da vielleicht eine sanfte Ermahnung raus?«

Mein Lächeln bekommt einen nachdenklichen Touch. »Als ich noch neu war bei der Polizei, hat mir einer der alten Hasen mal sinngemäß gesagt: ›Wenn ein Mensch seinen Glauben verliert, verliert er ein Stück seiner Menschlichkeit‹. Das habe ich nie vergessen.«

»Kluger Mann.«

Ich nicke. »Wenn man so viel sieht wie wir, ist es ganz schön schwierig, dieses Stück Menschlichkeit in uns zu bewahren. Aber wir dürfen die Hoffnung nie aufgeben, erst recht nicht, wenn es vergeblich scheint, daran festzuhalten.«

»Sagte die kluge Frau.« Er sieht mir fest in die Augen, hebt das Glas, und wir stoßen an.

»Auf viele Happy Ends.«

Wir lächeln einander an und nippen am Wein, der auf meiner Zunge wie Backpflaumen und Rauch schmeckt. Es ist ein magischer Moment, und für eine lange Minute stehen wir einfach nur da, fühlen uns schweigend wohl miteinander. Und ich kann beim besten Willen nicht aufhören, ihn anzusehen. Ich kann nicht aufhören zu lieben, was ich sehe. Ich möchte diesen Moment für immer und ewig festhalten.

»Gibt es eine Chance, dass du jetzt Kapazitäten frei hast und mich unterstützen kannst?«, frage ich.

»Ich schließe meinen Fall morgen ab.« Er stellt sein Weinglas auf die Ablage, nimmt zwei Topflappen und gießt die dampfende Pasta in ein Sieb. »Wie ist der Stand bei dir?«

»Null Fortschritt.«

»Das ist eine harte Nuss.« Doch wir wollen beide nicht, dass die zwei Morde sich jetzt zwischen uns drängen, und wortlos einigen wir uns, sie noch für ein paar Minuten aus unserem Leben herauszuhalten. Wir werden nicht zulassen, dass sie diesen Moment überschatten.

Wir füllen unsere Teller mit Pasta und Soße, tragen sie zum Tisch und beginnen zu essen. Erst dann bringe ich ihn auf den aktuellen Stand beider Ermittlungen.

»Glaubst du, es gibt einen Zusammenhang zwischen den beiden Morden?«, fragt er.

»Zwei Morde innerhalb weniger Tage …« Ich seufze. »Ich kann mir nicht vorstellen, dass sie nichts miteinander zu tun haben. Aber wo ist die Verbindung? Karn und Rossberger waren total unterschiedlich. Sie war englisch, er amisch. Sie haben nicht in den gleichen Kreisen verkehrt, hatten nicht die gleichen Kontakte und wohnten eine Stunde voneinander entfernt. Ich hab noch nicht eine Person finden können, die beide kannte, auch in den sozialen Medien gibt es nichts, was sie miteinander verbindet.«

Er trinkt einen Schluck Wein, stellt das Glas ab. »Erzähl mir von Karn.«

»Er stammte aus einer guten Familie, war beliebt, arbeitete hart, hatte keine Vorstrafen und nie auch nur einen Strafzettel bekommen. Laut allen, mit denen ich gesprochen habe, war er der Inbegriff eines guten Jungen. Jedenfalls bis gestern.« Ich berichte ihm vom Gespräch mit Christina Weaver.

»Das ist eine interessante Entwicklung. Glaubst du ihr?«

»Ja. Sie war erst fünfzehn Jahre alt, als es passiert ist. Sie wollte überhaupt nicht darüber reden und es nicht melden. Wenn ich sie nicht gedrängt und ihre Mutter sie nicht aufs Revier gebracht hätte, würde ich bis heute nichts davon wissen.«

»Das wirft bestimmt ein schlechtes Licht auf Karns Ruf als guter Junge, nicht wahr?«

»Und öffnet auch einige Türen, was das Mordmotiv angeht.«

Tomasetti schneidet eine Scheibe Brot ab und reicht sie mir. »Du hast die männlichen Bezugspersonen des Mädchens überprüft?«, fragt er. »Vater, Onkel, Großvater, Freunde?«

»Die Mutter weiß als Einzige, was passiert ist.«

»Ist es möglich, dass sie …«

»Nein.«

»Das ist ein enormes Maß an Gewalt gegenüber einem fünf-zehnjährigen Mädchen«, sagt er langsam, denkt laut. »Und wenn es kein Einzelfall war, sondern ein Muster?«

Ich nippe am Wein, überrascht, dass meine Erschöpfung verflogen ist und mein Verstand auf Hochtouren läuft. »Wenn so ein Verhalten in einer Kleinstadt wie Painters Mill ein Muster darstellen würde, hätte ich da nicht Wind davon bekommen müssen?«

»Einundzwanzig ist jung. Er war gerade erst auf den Geschmack gekommen.«

»Vielleicht.« Doch in Gedanken bin ich schon bei einer weiteren Möglichkeit. »Wir dürfen nicht vergessen, dass er amisch war. Das ist wichtig, denn selbst wenn andere in der Gemeinde wussten, was Karn gemacht hat, ist die Chance groß, dass sie es der Polizei nicht gemeldet haben.«

»Warum nicht?«

»Wenn man amisch ist«, sage ich, »und Mist gebaut hat

208

oder etwas tut, was als Sünde gilt, hat man mehr Angst vor Gott und der Kirchengemeinde, als davor, festgenommen zu werden. Und wenn du deine Sünde vor der Gemeinde gestehst, wird dir vergeben.«

»Und schon sind die Cops überflüssig«, sagt er sarkastisch.

»Das geht natürlich nicht immer so, aber es ist machbar.«

»Wenn man diese Denkweise berücksichtigt, ist die Wahrscheinlichkeit größer, dass Frauen oder Mädchen, denen etwas angetan wurde, sich nicht melden.« Er schwenkt den Wein in seinem Glas. »Wenn Karn ein Sexualstraftäter war und sein Verhalten ein Muster darstellt, hat vielleicht eines seiner Opfer beschlossen, sich zu rächen.«

»Wobei die Armbrust für eine Frau nicht gerade die bevorzugte Waffe sein dürfte.«

»Vielleicht war es ein Freund, ein Bruder oder ein Vater.«

»Eine brauchbare Theorie, aber außer Weaver hat sich keine Frau gemeldet.« Ich schüttele frustriert den Kopf. »Verdammt.«

Er denkt kurz nach, hebt den Kopf und sucht meinen Blick. »Vielleicht ist Karns widerliches Verhalten gegenüber Frauen das fehlende Verbindungsstück.«

Ich brauche einen Moment, um zu verstehen, was er meint. Als der Groschen fällt, habe ich das Gefühl, der Lösung des Rätsels ein Stück näher gekommen zu sein. »Rossberger war eine Prostituierte.«

»Karn hat sie irgendwo aufgerissen, nach Painters Mill mitgenommen und für Sex bezahlt.«

Ich denke über den Ablauf und die beteiligten Akteure nach, und mir wird klar, dass die Theorie stimmen könnte. »Und warum sind beide jetzt tot? An unterschiedlichen Orten und auf unterschiedliche Weise getötet?«

»Wenn man bedenkt, was Karn mit Christina Weaver gemacht hat, ist er vielleicht grob geworden, hat die Beherrschung verloren und ist zu weit gegangen.«

Ich starre ihn an, von einer Schockwelle durchströmt. »Willst du damit sagen, Karn hat Rossberger umgebracht?«

»Ich weiß, das klingt erst einmal abwegig, aber als Theorie sollte man es nicht ausschließen.«

Diese Möglichkeit ist so weit von allem entfernt, was ich bislang über die beiden Fälle gedacht habe, dass ich es mir nur schwer vorstellen kann. Trotzdem spinne ich den Gedanken weiter. »Okay, nehmen wir also an, die beiden waren zusammen. Er wurde ihr gegenüber grob.« Ich blicke auf den Tisch, wieder zu Tomasetti. »Rossbergers Mutter hat mir erzählt, ihre Tochter hätte sich nichts gefallen lassen.«

»Vielleicht mochte sie nicht, was er gemacht hat, mochte ihn nicht und hat gesagt, er soll sich verpissen.«

»Er ist ausgerastet und hat sie umgebracht.« Ich schüttele den Kopf. »Das scheint mir zu weit hergeholt. Und wer hat dann Karn getötet?«

Er hebt die Schultern, lässt sie sinken. »Vielleicht hatte sie doch einen festen Freund. Oder einen Zuhälter. Der hat rausgefunden, was passiert ist, und hat Karn erledigt.«

Ich nicke, aber in meinem Kopf geht es drunter und drüber. Denn auch wenn an der Theorie wirklich etwas dran sein kann, können wir sie noch lange nicht beweisen. »Es ist vielleicht an der Zeit, noch mal mit den Leuten zu reden, die ihm nahestanden.«

»Zum Beispiel?«

»Seiner Verlobten, den Eltern, dem besten Freund.« Ich überlege kurz. »Und mit Rossbergers Mutter.«

Wir haben fertig gegessen, unsere Weingläser sind leer, und mein Kopf ist angenehm benebelt. Aber ich bin auch erschöpft.

Ich sehe Tomasetti an. »Hat dir schon mal jemand gesagt, dass du das wirklich gut kannst?«

»Spaghetti kochen?«

»Das auch.« Ich stehe auf, gehe zu ihm, beuge mich vor und fahre mit meinem Mund über seine Wange. »Du bist ein sehr guter Gesprächspartner. Danke für dein Mitdenken.«

»Das sind die seltenen Momente, in denen ich mein Geld wert bin.«

»Eines Tages wird sich ein Mädchen dich schnappen, und die kann sich glücklich schätzen.« Ich greife nach unseren Tellern.

Er legt seine Hand auf meine und stoppt mich. »Das muss warten.«

Er steht auf, nimmt meine Hände in seine und zieht mich an sich. »Was hältst du davon, wenn wir die beiden Fälle ein paar Stunden lang vergessen?«

»Tomasetti, das ist der beste Vorschlag, den ich heute gehört habe.«

18. KAPITEL

Was wir in unseren prägenden Jahren lernen, beeinflusst unsere Vorstellungen und Werte ein Leben lang. Ob richtig oder falsch, formen die Lektionen in der Jugend unsere Weltsicht als Erwachsene. Ich bin amisch aufgewachsen und wurde dazu erzogen, nur das Beste von den Menschen zu denken. Die meiste Zeit ist so ein Weltbild nützlich, weshalb ich noch immer glaube, dass die Mehrheit der Menschen grundsätzlich gut ist. Mir als Polizistin ist allerdings bewusst, dass viele es nicht sind.

Es ist kurz vor acht Uhr morgens, ich sitze im Explorer auf dem Parkplatz von *Mast Tiny Homes* und warte darauf, dass Wayne Graber an seinem Arbeitsplatz auftaucht. Zwar habe ich gestern Abend ein paar schöne Stunden mit Tomasetti verbracht, aber kaum geschlafen. Nach mehreren Stunden, in denen ich mich im Bett hin und her gewälzt, eine halbe Kanne Kaffee getrunken und geduscht hatte, war ich schließlich aufs Revier gefahren. Um sieben Uhr dreißig hatte ich mich dann auf dem Weg nach Millersburg gemacht.

Graber fährt zwei Minuten vor acht auf den Parkplatz und verschwindet schnurstracks in der Werkstatt. Ich gebe ihm zehn Minuten, dann gehe ich hinterher. Die Luft in der großen Halle duftet nach frisch geschnittenem Holz und Lack, und der Geräuschpegel ist enorm, da bereits ein halbes Dutzend Männer mit Sägen und Nagelpistolen arbeitet. Ich entdecke Graber vor dem Pausenraum, wo er Kaffee aus einem Pappbecher trinkt und sich mit einem Mann unterhält. Neugierige Blicke folgen mir, als ich zu ihm gehe.

»Wayne?«

Er dreht sich um, wirkt überrascht. »Chief Burkholder.«

Der Mann, mit dem er gesprochen hat, nickt mir kurz zu und geht weg.

»Ich weiß, das ist jetzt kein guter Zeitpunkt.« Ich reiche ihm die Hand zur Begrüßung, um ihm zu zeigen, dass mein Besuch freundlicher Natur ist. »Ich habe nur noch ein paar kurze Fragen.«

»Einen Moment habe ich Zeit.« Er nimmt sich die Fünf-Liter-Lackdose und den Eimer mit den Arbeitsutensilien – Farbrolle, Farbwanne, Plastikfolie, mehrere Pinseln und ein Bündel Rührstäbe – und weist mit dem Kopf zur Hintertür. »Ich bin schon eingestempelt, können wir reden, während ich arbeite?«

»Sicher.« Ich blicke zu den Utensilien. »Sieht aus, als würden Sie heute wieder streichen.«

»Die Jungs hier bauen die Häuser genauso schnell, wie ich sie beizen und lackieren kann.«

Wir treten durch die Tür auf den Hof hinter der Werkstatt. Ich folge ihm zwischen zwei Hütten hindurch, vor einer dritten, die aus unbehandeltem Holz besteht, bleibt er stehen.

»Das sieht wirklich schön aus«, sage ich betont bewundernd.

»Ist eine Sonderanfertigung«, sagt er. »Eine Art modernes Farmhaus, nur in kleinerem Maßstab.«

»Gibt es auch eine zweite Etage?«, frage ich.

»Einen Dachboden.«

»Lack oder Beize?«

»Das hier wird lackiert.« Er hebelt den Deckel der Dose auf. »Haben Sie schon herausgefunden, wer Aden umgebracht hat?«

»Wir ermitteln noch«, sage ich. »Mich interessiert Ihr Eindruck von seiner Beziehung zu Emily Byler. Sie hatten ja geplant zu heiraten. Haben sie sich gut verstanden?«

»Sicher, sie waren echt eng.« Er gießt Lack in die Farbwanne. »Er war verrückt nach ihr, und ich bin ziemlich sicher, das war gegenseitig.«

»Das habe ich auch gehört«, sage ich. »Hatte Aden vor Emily schon andere Freundinnen?«

»Er hat mit ein paar Mädchen geflirtet, aber es war nie was Ernstes.«

»Auch während er Emily den Hof machte? Ich meine, ab und zu?«

»Aden war ein gutaussehender Typ, volljährig und unverheiratet.« Er hält mit seiner Arbeit inne und sieht mich an, als wäre ihm gerade bewusst geworden, worauf ich mit meinen Fragen hinauswill. »Ich weiß wirklich nicht, was Sie von mir hören wollen, Chief Burkholder. Er war mein bester Freund. Es scheint mir nicht richtig, schlecht über ihn zu reden, wenn er sich nicht einmal verteidigen kann.«

»Wayne, es geht hier nicht um Adens Privatleben«, sage ich. »Es geht darum, seinen Mörder zu finden.«

Er nimmt die Farbrolle, taucht sie in die Farbwanne und beginnt zu streichen. Ich sehe ihm an, dass er überlegt, was er antworten soll. Er will nichts Falsches sagen. Schließlich stößt er einen Seufzer aus. »Sie wollen von mir hören, dass mein bester Freund seine Verlobte betrogen hat, oder?«

»Ich will nur die Wahrheit herausfinden.« Ich warte einen Moment. »Hat er das?«

Er sieht mich düster an. »Emily ist jung. Sie wollte nicht …« Er bricht den Satz ab, sucht nach den richtigen Worten. »Also sie haben nicht miteinander geschlafen, okay? Sie ist amisch, und das heißt, man wartet bis zur Hochzeit.«

»Ich weiß.«

»Aber Aden mochte Sex, und er mochte Frauen. Sehr sogar. Also ist er gelegentlich losgezogen. Mehr kann ich dazu nicht sagen, weil ich nämlich nicht weiß, was er hinter verschlossenen Türen gemacht hat.«

»Haben diese Frauen auch Namen?«

»Keine Ahnung, ich kannte ja keine davon. Meistens hat er sich mit ihnen in einer Bar getroffen, in die Amische nicht gehen würden. Emily sollte ja nichts davon erfahren, okay?« Er lacht. »Und es wäre nicht gerade gut rübergekommen, wenn der Bischof rausgefunden hätte, dass er seine Verlobte betrügt.«

»Wie viele Frauen waren es?«

Er schüttelt den Kopf. »Aden ist tot, und Sie wollen, dass ich seinen guten Ruf beschmutze?«

»Ich stelle nur die Fragen, die gestellt werden müssen«, sage ich. »Es macht mir kein Vergnügen, und ich verfolge keine Absichten. Ich will einfach nur die Wahrheit herausfinden.«

Er seufzt. »Zu viele, okay?«

»Und wo hat er sie getroffen?«, frage ich.

»Brass Rail«, stößt er aus. »Mehr weiß ich nicht.«

Ich hole das ausgedruckte Foto von Paige Rossberger aus der Tasche, falte es auseinander und zeige es ihm. »War er auch mal mit ihr zusammen?«

Neugierig geworden, reckt er den Hals und betrachtet das Foto eingehend. »Im Haus hab ich sie nie gesehen, und auch nicht im Rail.« Er sieht mich an. »Das ist die, die umgebracht wurde, oder?«

»Ja.«

Jetzt sieht er mich aus zusammengekniffenen Augen an, als wäre ihm gerade bewusst geworden, dass ich es ernst meine. »Warum fragen Sie mich nach ihr? Was hat sie mit Aden zu tun?«

Ich ignoriere seine Fragen und halte ihm stattdessen meine

Visitenkarte hin. Er lässt sie unbeachtet, wendet sich ab und widmet sich wieder seiner Arbeit.

»Wenn Sie etwas wüssten, was uns helfen würde, den Mörder zu finden, dann würden Sie das sagen, nicht wahr?«

»Das wissen Sie doch.«

Ich wende mich ab und bin auf halbem Weg zurück zur Werkstatt, als er meinen Namen ruft.

Ich drehe mich wieder um, hebe die Augenbrauen, warte.

»Diese leichten Mädchen haben ihm nichts bedeutet«, sagt er. »Es ging immer nur um Sex. Er hat Em geliebt, es würde ihr das Herz brechen, wenn sie herausfände, dass er mit anderen rumgemacht hat. Ich will nicht, dass er als so einer in Erinnerung bleibt.«

»Danke für Ihre Zeit«, sage ich und gehe.

* * *

Wenn ein Fall ins Stocken gerät, weiß eine gute Ermittlerin, dass es an der Zeit ist, um die Ecke zu denken. Manchmal finden sich die nützlichsten Informationen gerade dort, wo man sie am wenigsten vermutet, was während einer laufenden Ermittlung ein echtes Geschenk ist. Ich kenne Jimmie Baines, den Barkeeper im Brass Rail, seit mehr oder weniger zwanzig Jahren, jedoch nicht sehr gut, nicht auf einer persönlichen Ebene. Er bekommt eine Menge mit und hat den Ruf, verschwiegen zu sein, weshalb die Leute mit ihm reden. Er stand schon hinter der Theke, da durfte ich noch keinen Alkohol trinken, aber als ich dann siebzehn war, hat er mir meinen ersten Gin Tonic gemixt. Er hat den Finger am Puls der – zugegebenermaßen kleinen – Unterwelt von Painters Mill und ist clever genug, seine Talente so zu nutzen, dass die örtliche Polizei ihn in Ruhe lässt.

Es ist kurz nach zehn Uhr, als ich wieder zurück auf dem

Revier bin, normalerweise eine ruhige Tageszeit, um liegengebliebenen Papierkram zu erledigen oder notwendige Anrufe zu tätigen. Doch heute Morgen haben es die zwei ungeklärten Mordfälle in ein Irrenhaus verwandelt. Lois steht mit dem Headset auf dem Kopf und wildem Blick am Empfang und deutet auf mich, als ich reinkomme, hat aber einen Anrufer in der Leitung, den sie offensichtlich nicht unterbrechen kann, so dass ich keine Ahnung habe, was sie will. Also schenke ich mir an der Kaffeetheke einen Kaffee ein und gehe damit zu den Arbeitsnischen, wo Mona auf ihrem Platz sitzt und aufs Telefon starrt.

»Sie sind noch da?«, frage ich. Sie hatte letzte Nacht Dienst und ist danach offensichtlich nicht nach Hause gegangen.

Sie zuckt zusammen, legt den Telefonhörer hin. »Ja, Ma'am.«

»Ich brauche die Führerschein-Infos von Jimmie Baines.« Ich buchstabiere den Nachnamen.

Sie wendet sich dem Computer zu und beginnt zu tippen.

»Lassen Sie ihn auch durch LEADS laufen«, füge ich hinzu.

Ihre Finger fliegen über die Tastatur. »Was hat er gemacht?«, fragt sie.

»Hoffentlich nichts. Ich muss nur mit ihm reden, aber bevor ich an seine Tür klopfe, ist es als Cop gut zu wissen, ob irgendetwas gegen ihn vorliegt.«

Sie nennt eine örtliche Adresse, die ich mir merke.

»Haben Sie gerade etwas zu erledigen?«, frage ich.

Sie grinst.

* * *

Jimmie Baines wohnt auf einem zirka drei Hektar großen Grundstück ein paar Meilen außerhalb von Painters Mill. Ich fahre in die Schottereinfahrt und parke unweit eines rostigen Wellblechgebäudes, dessen Rolltor schief halb offen steht, so als wäre es aus der Schiene gesprungen. Das Haus ist ein älterer Bungalow mit einer Holzterrasse davor, die nicht ganz eben ist.

Neben mir liest Mona die Infos von den verschiedenen Polizeidatenbanken vor. »Sechsundfünfzig Jahre alt, geschieden; 1997 Trunkenheit am Steuer, 1998 Ruhestörung, Anklage fallengelassen; 1999 Besitz von Rauschgift, Anklage fallengelassen; 2001 häusliche Gewalt.« Sie scrollt weiter. »Sieht aus, als wäre er seitdem sauber.«

»Dann werden wir jetzt mit Mr. Sauber plaudern, mal sehen, ob ihm etwas Interessantes zu Aden Karn einfällt.«

Wir gehen einen kaputten Plattenpfad entlang zum Haus und die knarrenden Holzstufen zur Terrasse hoch, wo ich die Sturmtür öffne und klopfe.

Er lässt uns nicht warten. Die Tür geht schwungvoll auf, und mir gegenüber steht ein spärlich bekleideter Jimmie Baines, von dem ich mehr sehe, als ich jemals sehen wollte. Er hat ein schwarzes Muskelshirt an und um den Hals eine schwere lange Goldkette; gebräunt sind nur sein Nacken und seine muskulösen Arme, und ob er Shorts, eine Pyjamahose oder Unterwäsche trägt, ist schwer zu sagen, weshalb ich mich auf seinen Kopf konzentriere, wo die Haare an einer Seite abstehen. Auf der linken Wange ist der faltige Abdruck eines Kopfkissens zu erkennen, und selbst sein Kinnbart ist zerzaust.

»Wenn das mal keine Überraschung ist.« Er sieht mich mit zusammengekniffenen Augen an, zu cool, um sich aus der Fassung bringen zu lassen. »Wie spät ist es?«

Ich blicke auf meine Uhr. »Zehn Uhr dreißig.«

»Bin erst um vier nach Hause gekommen«, sagt er.

»Tut mir leid, Sie so früh stören zu müssen.«

Da er keine Anstalten macht, uns hereinzubitten, und nur locker und relaxed dasteht, füge ich hinzu: »Ich ermittle im

218

Aden-Karn-Fall, Jimmie. Wenn Sie einen Moment Zeit haben, würde ich Ihnen gern ein paar Fragen stellen. Können wir reinkommen?«

Er zögert, wobei er im Geiste bestimmt den Zustand des Hauses überprüft und sich zu erinnern versucht, ob irgendetwas offen rumliegt, was ich besser nicht sehen sollte. Er braucht eine halbe Minute für die Entscheidung. »Ich denke, das ist okay.« Er wirft Mona einen Blick zu.

»Hey, Jimmie.« Sie lächelt.

Als er sie wiedererkennt, geht einer seiner Mundwinkel hoch, und mir wird klar, dass Mona schon öfter im Brass Rail war und er ihr Drinks serviert hat.

Er führt uns in ein kleines Wohnzimmer mit Sofa und Sessel und einem gigantischen Fernseher. Mit einer Handbewegung gibt er uns zu verstehen, auf dem Sofa Platz zu nehmen, er selbst geht zum Sessel, nimmt die Jeans von der Armlehne, dreht uns den Rücken zu und zieht sie an, murmelt: »Sorry.«

Mona und ich blicken weg, doch ich spüre, wie sie mir ein kurzes Grinsen zuwirft, sehe sie aber nicht an.

»Also, was wollen Sie wissen?«

Ich drehe mich zu ihm hin und sehe gerade noch, wie er ohne jede Spur von Verlegenheit den Reißverschluss zuzieht.

»Sie wissen, wer Aden Karn ist?«

»Ja, weiß ich.« Als er dann auch den Hosenknopf zugemacht hat, setzt er sich in den Sessel. »Er wurde gerade umgebracht.«

Ich setze mich aufs Sofa, beuge mich vor, die Ellbogen auf den Knien. »Haben Sie irgendetwas darüber gehört?«

»Nicht wirklich. Meistens sind die Leute überrascht.«

»Wie gut kannten Sie ihn?«

»Hab ihn immer nur in der Bar gesehen, er war seit ungefähr sechs Monaten Stammgast. Hat eine Menge Heineken getrunken und gern getanzt. Poolbillard hat er auch gespielt und draußen am Hinterausgang geraucht.«

»Haben Sie ihn mal mit jemandem zusammen gesehen?«

»Ein- oder zweimal ist er mit seinen Kumpels vom Bau gekommen.«

»Auch mal mit anderen Leuten?«

»Manchmal mit Amischen. Die waren zwar nicht wie Pilger angezogen, aber es war klar, dass sie amisch waren.« Verkniffen lächelnd fährt er sich mit der Hand durch die Haare. »Die mit ihren bescheuerten Frisuren, kaum auszuhalten.«

»Haben Sie ihn auch mal mit einer Frau gesehen?«

»Ich hab ihn mit einer Menge Frauen gesehen. Ist zwar nie mit einer reingekommen, aber nie ohne eine wieder gegangen.«

Ich muss an Wayne Grabers Widerwillen denken, darüber zu reden. »Englische?«

»Jedes Mal eine andere.«

»Gab es jemals Probleme mit ihm? Auseinandersetzungen oder Prügeleien?«

Der Barkeeper sieht mich durchdringend an. »Also drinnen hab ich nie was mitgekriegt. Ich stehe ja größtenteils hinter der Theke und bin immer ziemlich beschäftigt. Die meisten Kerle, die reinkommen, benehmen sich, besonders die Amischen.«

An der Art, wie seine Augen weghuschen, kann ich erkennen, dass da noch mehr ist. Er gibt sich keine Mühe, es zu verbergen, aber er will, dass ich mich anstrenge, um die Information zu bekommen. »Und draußen vor der Bar?« Dass es da immer mal wieder Probleme gibt, ist mir bekannt, ich war schon ein paarmal selber wegen einer Schlägerei dort.

»Sie erwarten jetzt aber nicht, dass ich das Schweigegelübde des Barkeepers breche, oder?«

Neben mir räuspert sich Mona.

Ich weiche seinem Blick nicht aus, warte.

Jimmie sieht weg, überlegt kurz und nickt dann. »Karn hat zu viel getrunken und hat den Alkohol nicht vertragen. Er war regelmäßig besoffen, genauso wie die Frauen, die bei ihm waren. Meistens war es harmlos. Junge Leute, die sich albern verhalten, ihre Drinks verschütten, auf der Toilette rauchen oder auf der Tanzfläche ihre Unterleiber aneinanderreiben.« Er seufzt. »Aber vor ein paar Wochen ist draußen auf dem Parkplatz was aus dem Ruder gelaufen, hab ich gehört.«

»Was ist passiert?«

»Er ist mit einem Mädchen rausgegangen, und sie haben dann im Auto eines Kumpels angefangen rumzumachen.«

Neben mir beugt Mona sich näher heran.

»Sie meinen, sie hatten Sex?«, frage ich.

»Vielleicht hatte es so angefangen, keine Ahnung, aber geendet hat es in einer Prügelei. Anscheinend wollte sie nicht mehr oder hatte es sich anders überlegt, jedenfalls wurde Karn sauer.« Er verzieht das Gesicht. »Richtig sauer. So wie Jekyll und Hyde. Das Mädchen kam mit halb runtergerissenem T-Shirt in die Bar gerannt. Sie war betrunken, hat geweint und ihr Gesicht war völlig verschmiert. Sie hatte einiges abgekriegt.«

»Was genau?«

Er zuckt mit den Schultern. »Sah aus wie Kratzwunden, wahrscheinlich hatte er sie unsanft angefasst.«

»Hatte er sie auch geschlagen?«

»Ich hab sie gefragt, sie hat nein gesagt. Aber die Spuren in ihrem Gesicht waren nicht zu übersehen.«

»Blaues Auge, aufgeplatzte Lippe?«

»Das hab ich nicht gesehen. Aber als ich nachgehakt hab, wurde sie feindselig, und da hab ich aufgehört.«

»Er hat sie also tätlich angegriffen?«, fragt Mona.

Jimmie sieht sie an. »Gesehen habe ich es nicht, und niemand wollte was dazu sagen, aber so, wie sie ausgesehen hat, hat er ziemlich hart zugelangt.«

»Haben Sie mit Karn geredet?«, frage ich.

Jetzt blickt er düster drein. »Hören Sie, ich weiß, dass er tot ist, und ich bin keiner, der schlecht über Tote spricht. Aber wenn er getrunken hatte, war von dem netten jungen Mann nichts mehr übrig. Ich hab im Leben schon einiges gesehen, und ich hab eine Menge Toleranz für eine Menge Scheiße. Ich lasse die Leute machen und mische mich nicht ein. Aber es gibt eine Sache, die ich nicht dulde, und das ist, wenn ein Mann bei einer Frau handgreiflich wird. Also ja, ich bin raus auf den Parkplatz und hab mir den Mistkerl vorgeknöpft.«

»Und wie hat er reagiert?«, frage ich.

»Er hat sich echt schnell beruhigt.« Er blickt vielsagend nach rechts in den Flur, der in den hinteren Teil des Hauses führt.

Ich folge seinem Blick zu einem Baseballschläger, der dort an der Wand lehnt. In sein Holz ist etwas geschnitzt, das wie der Kopf eines Wasserspeiers aussieht.

»Wissen Sie, wie die Frau heißt?«, frage ich.

»Ich habe rumgefragt, und eine der Kellnerinnen meinte, sie würde Mandi Yoder heißen.«

Ich notiere den Namen, der mich an etwas erinnert. Vor ein paar Monaten hatte einer meiner Officer einen Notruf entgegengenommen, bei dem es um eine amische Frau ging, die im Dunkeln den Highway 62 entlanggelaufen und von einem Auto angefahren worden war. Sie war nicht schlimm verletzt, und er hatte sie im Streifenwagen ins Krankenhaus gebracht. Erst später hatte sich herausgestellt, dass es sich möglicherweise um einen Selbstmordversuch gehandelt hatte.

»Amisch?«, frage ich.

»Sie war zwar nicht amisch gekleidet, wirkte aber irgendwie so.«

»Alter?«

»Zu jung, um allein mit einem Drecksack wie Karn im Auto zu sein.«

Es wird gesagt, dass Jimmie einen furchteinflößenden Blick hat. Dass er nicht mit der Wimper zuckt, wenn sich eine Situation zuspitzt, nicht wegguckt oder klein beigibt. Wenn mir einer erzählen würde, jemand könnte einem mit dem Blick das Herz durchbohren, würde ich sofort an Jimmie denken.

»Wurde Karn deswegen angegangen?«, frage ich.

»Nicht, dass ich wüsste.«

»Hatte es solche Szenen noch mit anderen gegeben?«, frage ich. »Anderen Frauen?«

»Davon weiß ich nichts, aber das Brass Rail ist groß, besonders der Parkplatz. Im Rail machen wir alles für unsere Kundschaft, wenn Sie wissen, was ich meine. Wir halten es da draußen auf dem Parkplatz nicht ohne Grund dunkel.«

* * *

»Jimmie hat eine etwas andere Meinung von Karn, nicht wahr?«, sagt Mona auf dem Weg zum Explorer.

»Barkeeper sehen die Menschen von ihrer schlimmsten Seite«, erwidere ich, öffne die Autotür und schiebe mich hinters Lenkrad. »In der Beziehung sind sie wie Cops.«

Als ich auf die Straße einbiege, berichte ich ihr von meinem Gespräch mit Christina Weaver.

»Heiliger Strohsack.« Mona schüttelt den Kopf, als suche sie darin einen geeigneten Platz für die Information. »Ich hätte nie erwartet, so was über Karn zu hören.« Sie blickt mich an. »Glauben Sie ihr?«

»Ja.«

»Wenn Karn gegenüber Frauen also bösartig und gewalttätig wurde, wenn er getrunken hat …« Mona überlegt, wie die für sie neuen Infos über Karn in das Gesamtbild passen. »Möglicherweise findet sich da irgendwo ein Motiv.«

»Jedenfalls lohnt es sich, in der Richtung etwas tiefer zu bohren.«

Sie nickt. »Einer fasst deine Schwester oder Freundin an, du wirst stinksauer und beschließt, etwas dagegen zu unternehmen.«

Ich sehe zu ihr hinüber. »Rufen Sie Lois an, sie soll Yoder durch LEADS laufen lassen, ob etwas gegen sie vorliegt. Und ihre Adresse brauchen wir auch.«

Mona zieht bereits ihr Mobiltelefon aus der Tasche.

* * *

Mandi Yoder wohnt in Painters Mill zwei Blocks vom Schlachthof entfernt in einem Gebäude mit vier Mietparteien. Während die weiße Farbe des zweistöckigen Hauses bereits abblättert, hat ein kreativer Geist die kunstvoll verzierte Tür in einem schönen Türkiston gestrichen. Mona und ich laufen über einen rissigen Bürgersteig zur Tür, die nur angelehnt ist. Ich drücke sie auf, und wir betreten einen kleinen Eingangsbereich. Weil die Nummern der beiden Wohnungen, die sich hier befinden, nicht mit der übereinstimmen, die ich habe, nehmen wir die Treppe hinauf in den ersten Stock.

Hier oben ist es unangenehm warm, und es riecht nach Zigarettenrauch, ranzigem Hackbraten und Kot. »Jemand hat vergessen, den Müll rauszubringen«, murmelt Mona.

»Oder das Katzenklo sauber zu machen.«

Ich will gerade an die Tür klopfen, als sie aufgeht. Mandi Yoder schreckt zusammen, als sie uns sieht, schlüpft aber umgehend in die Rolle der toughen Frau. Sie ist so groß, dass ich aufblicken muss, um ihr in die Augen zu sehen. Zudem ist sie spindeldürr, ihre Unterarme sind voller Tattoos, und aus dem Mundwinkel hängt eine Zigarette. Sie betrachtet mich mit einer Mischung aus Überraschung und Geringschätzung.

»Kann ich Ihnen helfen?«, fragt sie.

Ich halte meine Polizeimarke hoch. »Mandi Yoder?«

»Ja.«

»Ich muss Ihnen ein paar Fragen stellen zu einem Fall, in dem ich ermittele«, sage ich.

»Eigentlich bin ich gerade auf dem Weg zur Arbeit und –«

»Es dauert nur ein paar Minuten.«

Sie schaut erst zu mir, dann zu Mona, als müsse sie entscheiden, wem von uns beiden sie zuerst eine reinhauen soll.

»Egal.« Sie dreht sich auf dem Absatz um und geht zurück in ihr Apartment. »Sie haben zwei Minuten, also machen Sie schnell.«

Wir folgen ihr in ein unordentliches Wohnzimmer mit hoher Decke, dreckigen Wänden und schäbigem Mobiliar. Auf der unteren Ablage eines Beistelltisches liegt eine Wasserpfeife, aus dem Erdgeschoss dröhnt ein alter Rush-Song herauf. Der Katzenklogestank hängt schwer in der Luft.

Da sie uns nicht anbietet, uns zu setzen, bleiben wir neben dem Couchtisch stehen, auf dem sich ungeöffnete Briefe stapeln. Die meisten davon sehen aus wie Mahnungen.

»Sie sind in der *Rumspringa*?«, frage ich.

»Falls Sie es noch nicht bemerkt haben, ich bin nicht mehr amisch.« Sie zeigt auf ihr Augenbrauen-Piercing. »Die mögen keine lebenslustigen Menschen, somit also bin ich hier.«

Ich nicke. »Ich untersuche den Mord an Aden Karn.«

»Hab davon gehört.«

»Jemand hat mir erzählt, Sie hätten ihn gekannt.«

»Der Jemand hat Ihnen Mist erzählt.«

225

»Aber begegnet sind Sie ihm schon, ja?«, frage ich. »Und haben Zeit mit ihm verbracht?«

»Ich bin ihm ein- oder zweimal über den Weg gelaufen, das kann man wohl kaum Zeit miteinander verbringen nennen, oder?«

»Im Brass Rail soll es einen Vorfall zwischen Ihnen und Karn gegeben haben.«

»Daran erinnere ich mich nicht.«

»Es ist ein paar Monate her«, sage ich. »Auf dem Parkplatz.«

Sie lacht. »Sie glauben aber jetzt nicht, ich hätte ihn umgebracht, oder? "

»Ich hab gehört, er hätte Sie unsanft angefasst.«

»Wieder falsch. Ich hab den Typ kaum gekannt. Ende der Geschichte.«

»Mandi, wir wollen einfach nur wissen, was passiert ist«, sage ich. »Sie sind nicht in Schwierigkeiten.«

»Gut zu hören, ich hab nämlich nichts gemacht.«

»Sie waren an dem Abend in Adens Wagen«, sagt Mona. »Sie haben sich gestritten.«

Mandi Yoder stößt einen gelangweilten Seufzer aus, nimmt das Ganze nicht so ernst, wie sie sollte. »Jimmie Baines ist ein verdammter Kokser. Glauben Sie mir, ich weiß das. Sie können ihm ruhig sagen, dass ich Ihnen das gesagt habe.«

»Es wäre wirklich enorm hilfreich, wenn Sie uns einfach nur erzählen, was passiert ist«, sage ich.

Sie rollt theatralisch mit den Augen. »Ich sag's doch, nichts ist passiert. Es gab keinen Vorfall, niemand war in irgendwas verwickelt. Und Jimmie Baines redet nur Scheiße.« Sie betont die Worte, als würde sie mit einer Zweijährigen reden, beugt sich zu mir hinab und flüstert: »Würde es helfen, wenn ich es auf *Deitsch* sagte? Hab gehört, Sie hätten es bei den Amischen auch nicht ausgehalten.«

226

»War an dem Abend sonst noch jemand da, mit dem wir reden könnten?«, frage ich. Sie blickt uns düster an, als wären wir zwei dürre Straßenköter, die um Futter betteln. Dann zeigt sie zur Tür. »Raus.«

»Mandi –«, setze ich an.

Sie fällt mir ins Wort. »Verschwinden Sie.«

Ich nehme meine Visitenkarte aus der Jackentasche, lasse mir Zeit, meine Handynummer auf die Rückseite zu schreiben. »Rufen Sie an, wenn Sie Ihre Meinung ändern.«

»Aber sicher.« Sie nimmt die Karte und wirft sie wie eine Spielkarte auf den Boden. »Verschwinden Sie jetzt, oder ich reiche eine Beschwerde ein.«

* * *

Zurück im Explorer sitzen Mona und ich einen Moment lang da, ohne zu sprechen.

»Wie es aussieht, werden wir aus Yoder wohl nichts rausbekommen«, bemerkt sie nach einer Weile.

Ich lasse den Motor an. »Ich glaube auch nicht, dass sie jemals bei uns aufkreuzt.«

Sie stößt einen Seufzer aus. »Und jetzt, Chief?«

Ich blicke zu ihr hinüber. »Wann haben Sie das letzte Mal geschlafen?«

»Hm …«

»Gehen Sie nach Hause, stellen Sie sich unter die Dusche, und schlafen Sie eine Runde. Wenn Sie zurückkommen, schließen Sie sich mit Pickles kurz. Ich möchte, dass Sie beide die Suche nach Läden, die Armbrüste verkaufen, ausweiten. Schließen Sie Wooster mit ein, und wenn Sie noch entlegenere Sportgeschäfte finden, die auch. Es ist wird einige Zeit dauern, aber … besser als nichts.«

227

19. KAPITEL

Früher war ich überzeugt, dass die Menschen, die einen anderen Menschen lieben, diejenigen sind, die ihn auch am besten kennen. Dass es in Wahrheit oft ganz anders ist, habe ich erst nach vielen Jahren Lebenserfahrung gelernt. Manchmal sind gerade die Menschen, die einen anderen Menschen lieben, die letzten, die von dessen Fehler oder Schwächen erfahren – oder sie sich eingestehen. Das gilt insbesondere für Amische.

Aden Karn wurde heute Morgen zu Grabe getragen. Die Trauerfeier fand auf der Farm der Bylers statt, hauptsächlich deshalb, weil die Scheune groß genug ist, um eine riesige Menge an Leuten aufzunehmen. Ich habe nicht teilgenommen, denn es ist die Zeit, die den liebenden Menschen und der Familie gehört. Ich respektiere das, sie haben es verdient. Allerdings habe ich am Ende der Straße auf dem Seitenstreifen geparkt und mir die Prozession der Buggys angesehen. Die Amischen kamen zu Hunderten.

Während ich der Trauerfeier ferngeblieben bin, habe ich später der Beisetzung auf dem *graabhof*, dem Friedhof, beigewohnt. Ich habe mich abseits gehalten, um nicht zu stören, und die Trauergäste aus der Ferne beobachtet, nach ungewöhnlichem Verhalten Ausschau gehalten – ob jemand eine Szene macht oder übermäßig weint. Aber da war nichts Ungewöhnliches. Ich habe keine Fremden bemerkt, und mir ist auch niemand durch Abwesenheit aufgefallen. Angela und Lester Karn standen mit niedergeschlagener und stoischer Miene am Grab. Emily Byler, schwarz gekleidet und gegen

Tränen ankämpfend, stand bei ihren Eltern. Wayne Graber war einer der Sargträger. Selbst die jungen Männer von der Tankstelle waren da und trugen ihre beste amische Garderobe.

Obwohl ich die Karns sehr ungern am Tag der Beerdigung ihres Sohnes belästige, muss ich ihnen dringend einige Fragen stellen und kann nicht länger damit warten. Und so fahre ich am Nachmittag zum *The Gentle Cobbler*. Dass im Laden Licht brennt, überrascht mich kaum. In solchen Situationen brauchen manche Menschen ein Gefühl von Normalität, die sie im Gewohnten finden – im Trost von Ritualen oder auch in der Arbeit, die viel Raum im amischen Leben einnimmt.

Im Fenster hängt zwar ein Geschlossen-Schild, aber als ich den Bürgersteig überquere und zur Eingangstür gehe, sehe ich jemanden im Laden umherlaufen. Ich klopfe an die Scheibe und warte, kurz darauf erscheint Lester Karn und öffnet die Tür, der Gesichtsausdruck düster und der Blick in den Augen hart. In den letzten Tagen scheint er um zehn Jahre gealtert zu sein. Mit den hochgezogenen Schultern, der eingesunkenen Brust und den ausgehöhlten Wangen gibt er ein Bild des Jammers ab.

»Ich weiß, dass heute ein schwerer Tag für Sie ist.« Ich sehe an ihm vorbei zu Angela, die hinter dem Ladentisch an der Kasse steht. »Ich mache es kurz.«

Kopfnickend willigt er ein und bittet mich mit einer Handbewegung in den Laden.

Es riecht angenehm nach Leder, Kaffee und Schuhcreme, als ich ihm zum Ladentisch folge, wo Angela die Registrierkasse für die heutigen Verkäufe vorbereitet. »Gott gibt uns die Kraft für jeden Berg, den wir erklimmen müssen«, murmelt sie.

»Ich war vorhin auf dem *graabhof*«, sage ich in *Deitsch*. »Es war ein beeindruckender Gottesdienst.«

»*Er hot en iwwerflissich leve gfaahre*«, sagt Angela. Er hat ein erfülltes Leben gehabt.

»Der Diakon sagt, es seien fast dreihundert Trauergäste gekommen«, bemerkt Lester ausdruckslos.

»Auf Amische kann man sich verlassen«, sage ich. »Immer.«

»Alle haben ihn geliebt.« Angela bewegt sich wie ein Geist hinter dem Ladentisch hervor. »Haben Sie Neuigkeiten für uns, Kate Burkholder? Sie wissen, wer ihn uns genommen hat?«

»Momentan habe ich nur ein paar weitere Fragen.« Ich hole Notizbuch und Stift hervor. »Besitzt einer von Adens Freunden eine Armbrust?«

Lester zieht die Augenbrauen zusammen, scheint zu überlegen. »Nicht, dass ich wüsste.«

Ich sehe beide an, bin mir ihres Schmerzes bewusst und weiß auch, dass ihnen einige der Fragen, die ich gleich stellen werde, nicht gefallen werden. »In den letzten Tagen habe ich mit vielen Leuten gesprochen, die Aden kannten oder mit ihm zu tun hatten. Dabei habe ich einiges erfahren, was neue Fragen aufwirft.«

Lester legt den Kopf schief, blickt mich durchdringend an. »Was für Fragen?«

Ich weiche seinem Blick nicht aus. »Mr. und Mrs. Karn, was ich jetzt frage, werden Sie nicht gern hören oder beantworten. Deshalb bitte ich Sie, meine Fragen nicht falsch zu verstehen. Ich gehe nur den Informationen nach, die ich erhalten habe. Bitte haben Sie Verständnis dafür.«

Das Ehepaar blickt sich beunruhigt an. »War Aden ein Hitzkopf?«, fahre ich fort.

Angela stößt einen Laut aus, der einem Lachen ähnelt. »Was hat das denn damit zu tun?«

Ich blicke Lester an, wiederhole die Frage.

Der amische Mann schüttelt den Kopf. »Nein.«

»Hat er mal jemanden geschlagen? Oder sich geprügelt?«

Aus dem Augenwinkel sehe ich, dass Angela die Hand auf ihren Mund presst.

»Natürlich nicht«, sagt Lester schnell. »So etwas tun wir Amischen nicht.«

»Hatte er mit einer seiner Freundinnen mal Probleme oder sich gestritten?«

»Freund*innen*?« Angela sieht mich fragend an. »Sie meinen Emily?«

»Frauen oder Mädchen im Allgemeinen«, spezifiziere ich.

»Nein«, sagt Lester.

»Waren Sie jemals besorgt über die Art und Weise, wie er Frauen wahrgenommen hat?«, frage ich. »Oder wie er Frauen behandelt hat?«

»Ich verstehe die Fragen nicht«, sagt Angela mit erhobener Stimme. »Aden war ein guter Junge. Worauf wollen Sie eigentlich hinaus?«

Ich ignoriere ihre Frage. »Hat Aden sich mit Emily gut verstanden?«

»Natürlich hatte er das«, sagt die amische Frau. »Er wollte sie heiraten.«

»Hatte er noch andere Freundinnen?«, frage ich.

»Nein!«, zischt Angela.

»Ist er vor Emily schon mit anderen Mädchen ausgegangen? Oder während seiner *Rumspringa*?«

Die Frau starrt mich an, blinzelt. »Nein.«

Ich halte inne, gebe ihnen einen Moment, um meine Fragen zu verdauen. »Hatte er jemals Probleme mit der Impulskontrolle?« Die Frage lässt sich von der englischen Denkweise nur schwer auf die amische Haltung übertragen, aber trotzdem müssen wir da jetzt durch. »Als Jugendlicher oder als Erwachsener?«

»*Sell is nix as baeffzes.*« Das ist nichts als belangloses Gerede. Hilflos blickt Angela zu ihrem Mann.

»Chief Burkholder, was hat das mit dem Tod unseres Sohnes zu tun?«, fragt Lester.

»Es klingt, als wollten Sie ihm die Schuld dafür geben, was passiert ist«, sagt Angela.

»Nein, das tue ich nicht.« Ich schweige kurz, sehe sie beide an. »Ich gehe einigen Informationen nach – «

»Welchen Informationen?«, fährt die amische Frau mich an. »Von wem?«

»Wenn Aden einen Fehler gemacht hat oder in irgendeiner Weise zu weit gegangen ist«, sage ich, »oder wenn er sich schlecht benommen hat, könnte er jemanden verärgert haben.«

Lester reißt die Augen auf. »Den Mörder?«, flüstert er.

Ich nicke. »Mich interessiert nicht, was Aden getan hat, sondern wen er möglicherweise verärgert hat. Wenn es so jemanden gibt, muss ich ihn finden.« Ich sehe von Lester zu Angela. »Wenn es irgendetwas gibt, was Sie mir sagen können, auch wenn Sie nur ungern darüber sprechen – bitte, ich bin auf Ihre Hilfe angewiesen.«

»Er war ein guter Junge.« Angela hebt die Hand, als wollte sie sich gegen einen körperlichen Angriff verteidigen. »Wie können Sie es wagen, hierherzukommen und unseren Sohn in ein schlechtes Licht zu rücken? Wie können Sie es wagen? Wie können Sie es wagen.«

Sie macht einen Schritt zurück, stolpert, Lester und ich greifen gleichzeitig nach ihr, aber sie schlägt unsere Hände weg. »Ich werde nicht zulassen, dass Sie sein Andenken beschmutzen.«

Ich sehe Lester an, und er schüttelt den Kopf.

Angela ist noch nicht fertig. »Kein Wunder, dass Sie nicht

mehr amisch sind. Sie waren nie eine von uns. Sie waren unerwünscht, nicht wahr, Kate Burkholder? Niemand will eine *maulgrischt*.« Keine echte Christin. Sie zeigt zur Tür. »Gehen Sie jetzt. Und kommen Sie nie wieder.«

Ich sehe zu Lester, doch er senkt den Blick. »Wenn Sie Ihre Meinung ändern, wissen Sie, wo ich zu finden bin.«

»Wir haben Ihnen nichts zu sagen«, zischt sie.

Ich gehe, schließe die Tür leise hinter mir. Auf halbem Weg zum Explorer und während ich mich noch über mich selbst ärgere, sie am Tag der Beerdigung ihres Sohnes aufgesucht zu haben, höre ich hinter mir die Glocke der Ladentür. »Chief Burkholder!«

Ich bleibe stehen, drehe mich um. Lester kommt auf mich zugelaufen. Als er mich erreicht, stehen wir uns in der warmen Nachmittagssonne sekundenlang wortlos gegenüber. Er ringt um Fassung, aber sein Gesicht verrät sein ganzes Elend. »Sie ist aufgebracht.«

»Das ist verständlich«, sage ich. »Ich weiß, wie schwer das alles ist.«

Er blickt weg, schiebt die Hände in die Taschen. »Aden hat noch bei uns gewohnt, als er mit der *Rumspringa* anfing. Gelegentlich ist er in den frühen Morgenstunden nach Hause gekommen. Er hat nach Alkohol gerochen, und in seinen Augen stand die Sünde.« Er atmet tief durch, blickt die Straße hinunter. »Er war ein Hitzkopf.«

Ich nicke.

»Meine Frau …« Er flüstert, als wäre ihm die Luft ausgegangen. »Einmal hat sie beim Waschen … Blut gefunden.«

»An seiner Kleidung?«

Er schweigt lange, blickt weiter in die Ferne. »Das erste Mal hatte sie nichts gesagt, aber beim zweiten Mal … ist sie zu mir gekommen.«

»Sein eigenes Blut?«, frage ich. »Von jemand anderem?«

Erneutes Schweigen, aber diesmal lässt er den Blick schweifen, also suche er in der Umgebung eine mentale oder emotionale Zuflucht. Seine Lippen zittern. »Es war an seiner … Unterwäsche. Er hatte die englische Sorte an, weiß … Und da war Blut.«

Ein Dutzend harmlose Erklärungen gehen mir durch den Kopf – eine Schnittwunde am Finger, ein aufgekratzter Pickel. »Haben Sie ihn danach gefragt?«

Er schüttelt den Kopf. »Nein.«

»Haben Sie – «

»Nein!« Er schneidet mir das Wort ab. »Ich habe alles gesagt, Kate Burkholder. Das muss genügen. Keine Fragen mehr. Nicht über Aden, nicht über irgendetwas anderes. Und wir wären Ihnen dankbar, wenn Sie nicht wiederkämen.«

20. KAPITEL

»Einen Schritt vor und zwei verdammte Schritte zurück.« Sheriff Rasmussen steht mit verschränkten Armen an die Wand gelehnt, wirkt erschöpft und bereit, den Feierabend einzuläuten.

Es ist zweiundzwanzig Uhr, und ich sitze am Tisch unserer zum Besprechungszimmer umfunktionierten Abstellkammer, von Mona liebevoll Kommandozentrale genannt. Tomasetti sitzt mir gegenüber und tippt auf seinem Laptop herum, meine anderen Officer sowie ein Streifenpolizist der Ohio State Highway Patrol sind nach einer unproduktiven Besprechung vor einer Stunde frustriert gegangen. Das Whiteboard an der Wand ist mit Informationsfetzen übersät, die notiert, gelöscht und wieder notiert wurden, so dass das verschmierte Blau des Stifts das Board wie ein Bluterguss überzieht.

In den letzten Stunden sind wir drei die Mordakte Aden Karn zweimal durchgegangen, haben kaum neue Erkenntnisse gewonnen, dafür viel diskutiert. Jetzt liegt Paige Rossbergers Akte aufgeschlagen vor mir; der Tisch ist mit Berichten, Fotos, offiziellen Formularen und handschriftlichen Notizen übersät. Seit wir hier zusammensitzen, hat sich alles zu einer enormen Datenflut verdichtet.

»Ich sehe keinen Zusammenhang.« Rasmussen seufzt. »Es gibt keine Verbindung zwischen den Opfern. Karn war amisch, ein Farmjunge aus Painters Mill. Rossberger war englisch, hat im Lebensmittelladen und als Teilzeit-Nutte gejobbt und in Massillon gewohnt. Ich glaube nicht, dass die beiden Morde etwas miteinander zu tun haben.«

»Zu viel Zufall, um nichts miteinander zu tun zu haben«, murmelt Tomasetti.

»Irgendetwas muss da sein«, sage ich.

Rasmussen wirft uns einen verdrossenen Blick zu. »Laut den Genies, die uns heute Abend beehrt haben, sind uns die Ideen ausgegangen.«

Ich blicke auf meine Tasse, der Kaffee darin ist schon lange kalt. Ich will nicht nach Hause gehen, ohne etwas – irgendetwas – gefunden zu haben, was die Ermittlungen voranbringen könnte.

Ich schiebe die Tasse beiseite und greife nach den Notizen, die Glock und ich bei der Befragung von June Rossberger gemacht haben. Die Worte verschwimmen mir fast vor den Augen.

Keine Verbindung zu Painters Mill
Wurde gefeuert
Arbeitet möglicherweise immer noch als Prostituierte
Reagiert nicht auf Anrufe oder Textnachrichten
Keinen festen Freund
Keine guten Freunde / Bekannte
Keine Feinde bekannt
Fahrzeug vermisst – roter Altima – SUCHMELDUNG!!!
»Wenn ich eine Vermutung anstellen müsste, würde ich sagen, es war einer ihrer Männer.«
»Sie macht's nur mit Typen, bei denen sie sich sicher fühlt.«

Ich knalle die Blätter mit den Notizen so heftig auf den Tisch, dass beide Männer mich neugierig ansehen.

»Paige Rossbergers Mutter hat gesagt, ihre Tochter hätte es nur mit Männern gemacht, bei denen sie sich sicher fühlte«, sage ich.

Rasmussen seufzt. »Ich glaube einfach nicht an die Theorie vom amischen Jungen, der eine Nutte anruft.«

»Möglich ist es aber«, wirft Tomasetti ein.

»Paige Rossberger war vorsichtig bei der Wahl der Männer, mit denen sie Sex hatte.« Ich sehe von einem Mann zum anderen. »Sie hätte Karn, einen amischen, einundzwanzigjährigen Farmjungen, bestimmt als sicher eingestuft. Er hat telefonisch ein Date mit ihr verabredet, und sie ist gekommen.«

»Okay, eine mögliche Verbindung.« Rasmussens Skepsis nimmt ab. »Wenn Sie auf Grundlage dieser Theorie weiterermitteln wollen, müssen Sie die mit irgendetwas untermauern!«

Zwar habe ich nichts Konkretes, will aber trotzdem in diese Richtung weiterermitteln, wenn auch nur, um zu sehen, ob außer einem Schuss in den Ofen noch irgendetwas anderes dabei herauskommt. »Laut Karns Mitbewohner weigerte sich Karns Freundin, vor der Ehe Sex mit ihm zu haben. Aber Karn mochte Frauen, mochte Sex und wollte nicht warten. Gehen wir mal davon aus, dass er Rossberger kontaktiert hat.«

»Er hatte keinen Wagen«, gibt Rasmussen zu bedenken.

»Aber sie«, entgegne ich. »Den roten Altima, der übrigens noch immer verschwunden ist. Sie könnte also von Massillon nach Painters Mill gefahren sein und sich mit ihm getroffen haben.« Ich erinnere an die Sexspielzeuge, die ich bei Karn gefunden habe. »Laut Wayne Graber hat Karn mit anderen Frauen Sex gehabt, obwohl er verlobt war. Es ist also durchaus möglich, dass sie sich verabredet haben.«

»Mögliche Szenarien?«, sagt Tomasetti.

Rasmussen beginnt. »Wo haben sie sich getroffen?«

»In Karns Wohnung«, sage ich. »Von Wayne Graber weiß ich, dass Karn gelegentlich Frauen mitgebracht hat.«

»Wir sollten auch die Buchungen im Willowdell Motel checken«, wirft Tomasetti ein.

Ich mache mir eine Notiz. »Ich kümmere mich darum.«

»Sexspielzeuge und Nutten – ist das nicht riskant für einen amischen Jungen?«, fragt Rasmussen.

»Passt aber zum Profil, das wir von Karn erstellt haben.« Tomasetti drängt weiter. »*Wann* haben sie sich getroffen?«

Ich blättere die Seite im Notizbuch um. »Ich versuche an Karns Arbeitsplan zu kommen und rede mit seinem Mitbewohner. Vielleicht ergeben sich ja Zeitfenster, an denen er frei war. Die vergleichen wir dann mit dem Todeszeitpunkt, den der Leichenbeschauer bestimmt hat.«

Unversehens sind wir mitten im Brainstorming – verbale freie Assoziation, ohne Richtungsvorgabe, ohne Selbstzensur. Eine Technik, um neue Ideen zu entwickeln oder eine Ermittlung in eine andere Richtung zu lenken. Theorien werden aufgestellt, auch wenn sie noch so weit hergeholt scheinen. Unbrauchbares wird verworfen, Brauchbarem wird nachgegangen.

Tomasetti nimmt den Faden auf. »Rossberger wurde zuerst getötet. Sie wurde sexuell missbraucht, stranguliert, erstickt.«

»Ab dem Punkt greift unserer Theorie nicht mehr.« Rasmussen nimmt die Brille ab und reibt sich die Augen. »Der Sprung ist einfach zu groß. Karn ist ja nicht mal vorbestraft.«

Ich erinnere ihn an mein Gespräch mit Christina Weaver. »Sie ist glaubwürdig, Mike. Ich hab zwar nicht alle Einzelheiten aus ihr rausbekommen, aber der Vorfall war extrem brutal. Ihre Mutter musste sie zum Arzt bringen. Mehr wollten sie nicht sagen.«

Als der Sheriff sich das bewusst macht, sieht er aus, als hätte er in etwas Ranziges gebissen. »Jesus!«

»Ich glaube, unser Musterjunge hatte eine dunkle Seite«, sagt Tomasetti. »Er trifft sich mit Rossberger, nimmt sie mit an einen Ort, an dem sie allein sind, vergewaltigt und tötet sie. Wickelt ihre Leiche in Plastik und entsorgt sie im Fluss.«

Der Sheriff wirft beide Hände in die Luft. »Okay, wir setzen also einen toten Mann auf unsere Liste der Verdächtigen?«

Tomasettis Lachen klingt nicht lustig. »Was uns natürlich mit einer dicken fetten Frage konfrontiert.«

»Wer hat Karn umgebracht?«, murmele ich.

»Da könnten die Nachforschungen in Richtung Zuhälter oder Freund tatsächlich am vielversprechendsten sein«, sagt Rasmussen.

Ich presche vor. »Nehmen wir an, der Freund ist ihr gefolgt. Bekommt mit, dass sie mit einem anderen Sex hat, lauert ihr auf, ermordet sie und entsorgt ihre Leiche. Am nächsten Tag erledigt er Karn.«

»Auch dieses Szenario setzt ein gewisses Maß an Abgeschiedenheit voraus«, gibt Rasmussen zu bedenken.

Tomasetti schaltet sich ein. »In der Gegend sind mehrere verlassene Grundstücke. Leerstehende Scheunen. Zudem ist da viel Wald.«

»Was ist mit Überwachungskameras?«, frage ich. »Wildkameras? Läden oder Privathäuser, in denen wir nachfragen können?«

»Sowie es morgen hell ist, schicke ich ein paar Deputys los.« Rasmussen tippt eine Notiz in sein Mobiltelefon. »Haben wir schon irgendwelche Infos über Rossbergers Handy?«

»Die Anfrage beim Provider läuft«, sagt Tomasetti. »Wir warten noch auf eine Antwort. Wenn bis morgen früh nichts kommt, mache ich Druck.«

»Was ist mit ihrem Auto?«, frage ich.

»Suchmeldung ist draußen«, sagt Rasmussen. »Die State Highway Patrol ist dran, aber bis jetzt nichts.«

»Haben Sie irgendetwas von Karns Nachbarn erfahren?«, fragt Rasmussen.

»Bei der Befragung der Anwohner rund um den Tatort ist

nichts herausgekommen«, sage ich. »Aber wir haben auch nicht gezielt nach einer Frau oder einem roten Fahrzeug gefragt. Ich kümmere mich gleich morgen früh darum.«

Der Sheriff blickt auf seine Uhr. »Ich glaube nicht, dass wir heute Nacht noch groß weiterkommen. Mein Hirn braucht eine Auszeit. Lasst uns darüber schlafen und morgen weitermachen.« Er nimmt seine Jacke von der Stuhllehne. »Ich gehe ins Bett.«

21. KAPITEL

Ich habe keine Ahnung, ob meine Theorie über Aden Karn der Realität auch nur ansatzweise nahekommt oder ob ich komplett danebenliege. Es gibt keine einzige konkrete Verbindung zu Rossberger und keine stichhaltigen Beweise. Rasmussen glaubt, dass Rossberger einen bislang unbekannten festen Freund hatte. Der hat herausgefunden, dass sie sich prostituierte, ist ausgeflippt und hat sie umgebracht. Und dann später hat er dann den Mann getötet, der sie für Sex bezahlte. Wir haben jetzt zwar mehrere Theorien, denen wir nachgehen können, aber immer noch keinen Verdächtigen.

Wenn Christina Weavers Geschichte stimmt, gibt es keinen Zweifel, dass Karn eine dunkle Seite hatte. Doch spielte diese dunkle Seite eine Rolle bei seiner Ermordung? Ein Cop sollte einem Opfer niemals die Schuld am eigenen Tod geben. Das wäre in jeder Hinsicht falsch, beruflich unethisch und moralisch eine Bankrotterklärung. Gleichwohl muss ein Ermittler die Kaltschnäuzigkeit besitzen, ein Opfer, das ein risikoreiches Verhalten an den Tag gelegt oder einen rücksichtslosen Lebensstil gepflegt hat, genauer unter die Lupe zu nehmen. Beides kann die Wahrscheinlichkeit erhöhen, Opfer eines Verbrechens zu werden.

Aus dem Grund habe ich Mona heute Morgen ins Willowdell Motel geschickt habe, um anhand der Buchungen herauszufinden, ob Karn oder Rossberger in den Tagen vor ihrer Ermordung ein Zimmer gemietet hatten; aus dem gleichen Grund befragt Glock die Nachbarn in der näheren Umgebung von Karn, ob sie Rossbergers Auto oder eine Frau gesehen haben, die auf Paiges Beschreibung passt. Und Skid ist auf dem Weg zu Buckeye Construction, um sich Karns Arbeitszeiten bestätigen zu lassen und herauszufinden, ob er sich vielleicht mal freigenommen hatte oder früher gegangen war. Ich erwarte keine weltbewegenden neuen Informationen, aber wenigstens sitzen wir nicht hier rum und drehen Däumchen.

Ich selbst fahre heute Vormittag zu der Farm der Bylers. Als ich eintreffe, sitzen sich Clara und ihr Mann Andy am Gartentisch gegenüber, eine beschlagene Karaffe mit etwas, das aussieht wie Limonade, zwischen sich.

»*Guder mariye*«, rufe ich beim Näherkommen. Guten Morgen.

»Hi, Chief Burkholder«, sagt Clara sichtlich erschöpft.

Ich erreiche den Tisch. »Ich habe gehört, die Trauerfeier gestern sei sehr schön gewesen.«

»Das stimmt«, sagt sie.

»Zumindest war sie tröstlich.« Andy legt den Kopf schief. »Haben Sie Neuigkeiten für uns?«

»Eigentlich hatte ich gehofft, kurz mit Emily sprechen zu können. Ist sie da?«

»Sie ist im Haus, ich glaube, sie hat sich hingelegt.« Die amische Frau sieht mich streng an. »Die letzten Tage waren schlimm für sie, gelinde gesagt. Das Beste wäre, wenn sie ein oder zwei Tage in Ruhe gelassen würde.«

Ich blicke zu Boden, dann sehe ich ihr in die Augen. »Ich weiß, dass es eine schwere Zeit für Sie alle ist. Ich hätte gewartet, wenn es nicht so wichtig wäre.«

Andy hebt an, etwas zu sagen; seine Augen drücken Protest aus, aber seine Frau legt ihm die Hand auf die Schulter und steht auf. »*Kumma inseid.*« Kommen Sie rein. »Ich bringe Sie zu ihr.«

Ich folge ihr die Verandatreppe hinauf und in eine Küche, in der es viel zu heiß ist und riecht, als ob jemand den ganzen Morgen darin gekocht hätte. Clara bittet mich mit einer Handbewegung, am Tisch Platz zu nehmen, sie selbst geht weiter ins Wohnzimmer und dann in den Flur, wo sie die erste Tür aufstößt und ins dahinterliegende Zimmer späht. »Chief Burkholder ist hier und möchte mit dir sprechen«, sagt sie auf *Deitsch*.

Längeres Schweigen, dann fragt Emily flüsternd: »Was will sie?«

»Wohl nur ein paar Fragen stellen. Sagt, es sei wichtig. Reiß dich zusammen und komm jetzt raus. Hörst du?«

Clara kommt zurück in die Küche, sieht mich an. »*Sis unvergleichlich hees dohin.*« Hier ist es furchtbar heiß. Sie geht zu dem mit Propangas betriebenen Kühlschrank und nimmt eine Plastikkaraffe heraus. »Ich habe noch ein bisschen Pfefferminztee.«

»*Danki*«, sage ich.

Die Frau stellt zwei Gläser auf den Tisch, füllt sie mit Tee und geht zur Hintertür hinaus.

Ich habe gerade den ersten Schluck getrunken, als Emily in die Küche kommt. Sie trägt ein schwarzes, zerknittertes Kleid, eine schwarze Haube über der *Kapp*, Strumpfhosen und schwarze Schnürschuhe. Obwohl sie und Aden Karn noch nicht verheiratet waren, wird sie in der Trauerzeit wohl mehrere Monate lang schwarz tragen. Ihr unordentliches Äußeres signalisiert, dass etwas nicht stimmt: Haarsträhnen haben sich unter der *Kapp* gelöst und hängen ihr ins Gesicht, die Strumpfhose schlägt Falten um die Knöchel, aber am schlimmsten ist der hohläugige Blick ihrer Augen, den sie bei unserem letzten Gespräch nicht hatte.

»Ich weiß, dass die letzten Tage sehr schlimm für dich waren«, beginne ich. »Ich mache es kurz.«

»Ist okay«, erwidert sie mit monotoner Stimme.

Wie in Trance geht sie zum Schrank neben der Spüle, nimmt ein Glas heraus und füllt es mit Leitungswasser, setzt sich damit an den Tisch. Den Tee, den ihre Mutter ihr hingestellt hatte, hat sie nicht registriert – es kommt mir vor, als wäre sie nicht ganz da.

Einen Moment lang überlege ich, aus Rücksicht das Gespräch zu verschieben. Aber dann mache ich mir bewusst, wo wir mit unseren Ermittlungen gerade stehen, und schiebe mein Mitgefühl beiseite.

»Haben Sie herausgefunden, wer das gemacht hat?«, fragt sie schließlich.

»Wir sind noch dabei.«

»Ich kann noch immer nicht glauben, dass er tot ist. Es ist so furchtbar, ich verstehe es nicht«, flüstert sie. »Wer macht denn so etwas?«

»Schwer zu sagen.« Ich zucke mit den Schultern. »Jemand, der extrem aufgebracht und wütend war.«

Sie blickt auf die beiden Gläser vor sich, als versuche sie, sich zu erinnern, warum sie da stehen.

»Fällt dir jemand ein, auf den das zutreffen könnte?«, frage ich.

»Niemand war wütend auf ihn.« So wie sie den Kopf schüttelt, weiß ich, dass ich jetzt das Gleiche hören werde wie unzählige Male zuvor. »Alle haben Aden geliebt. Er war so nett. Er brachte die Leute zum Lachen und half ihnen, wenn sie Hilfe brauchten.«

Ich denke an Christina Weaver und an die Szene auf dem Parkplatz des Brass Rail, von der Jimmie Baines erzählt hat, und muss meine Ungeduld zügeln – und meine nächste Frage auf eine Weise stellen, die Emily nicht gegen mich aufbringt. »Ich habe mit vielen Leuten gesprochen, die Aden kannten«,

244

sage ich. »Einige von ihnen hatten den Eindruck, dass er ein Hitzkopf war.«

»Das ist völliger Unsinn«, sagt sie. »Er hatte die Geduld eines Heiligen und ist kaum jemals wütend geworden.« Doch trotz der Gewissheit in ihrer Stimme weicht sie meinem Blick jetzt aus.

Da ist etwas, flüstert eine kleine Stimme in mein Ohr.

»Habt ihr zwei euch jemals wegen irgendetwas gestritten«, frage ich. »Oder wart euch mal uneinig?«

»Nie.«

»Das klingt, als wäre eure Beziehung sehr harmonisch gewesen.«

»Das war sie auch«, sagt sie, und ihr Stimme wird sanft. »Er war ein guter Mann. Er wäre auch ein guter Ehemann und Vater geworden.«

Mit der nächsten Frage lasse ich mir Zeit, nehme mein Glas und trinke einen Schluck. »Hat Aden vor dir auch schon anderen Mädchen den Hof gemacht?«

»Er war vielleicht ein- oder zweimal auf einer Party.« Jetzt sieht sie mich wieder an. »Aber es hat nie ein anderes Mädchen gegeben, mit dem es ihm ernst war.«

»War er dir immer treu, Emily?«

Sie zuckt zurück, ist beleidigt. »Treu? Natürlich war er treu. Warum fragen Sie mich das?«

»Er war in der *Rumspringa*«, erinnere ich sie. »Manchmal war Alkohol im Spiel. Menschen machen Fehler – «

»Er wollte nur mich«, sagt sie bissig. »Das hat er mir gesagt.«

Bevor ich hierhergekommen war, hatte ich im Revier noch ein Archivfoto von einem roten Altima wie dem von Paige Rossberger ausgedruckt. Und in der Hoffnung, jemand würde sie wiedererkennen, auch einige Fotos von Rossberger selbst, die ich in einem ihrer Social-Media-Accounts gefunden hatte.

Zuerst zeige ich ihr das Foto des Wagens. »Hast du jemals gesehen, dass dieses Auto vor Adens Haus geparkt hat?«

Ihr Blick huscht zu dem Foto. »Nein.«

Ich lege ein Foto von Paige Rossberger vor sie auf den Tisch. »Kennst du die Frau?«

Sie starrt auf das Foto, und zum ersten Mal bemerke ich Schweiß auf ihren Wangen und der Oberlippe. »Wer ist das?«

»Ihr Name ist Paige. Sie wurde auch umgebracht, und ich will herausfinden, wie das passiert ist.«

»Was hat das mit Aden zu tun?«

»Das will ich ebenfalls herausfinden.«

Wieder blickt sie auf das Foto, dann zu mir. »Sie versuchen, ihn als schlechten Menschen hinzustellen.«

»Ich stelle Fragen, die gestellt werden müssen«, sage ich.

Keine Reaktion. Sie sitzt mit verschränkten Armen stocksteif auf dem Stuhl und starrt auf ihr Glas.

»Und du bist sicher, dass Aden immer nett zu dir war?«, dränge ich weiter.

Abrupt schiebt sie den Stuhl zurück und springt auf. »Ich will nicht mehr mit Ihnen reden.«

Ich erhebe mich langsam. »Wenn etwas passiert ist oder wenn du etwas weißt, sprich bitte mit mir«, fordere ich sie mit ruhiger Stimme auf.

Aber meine Worte erreichen Emily nicht mehr. Sie ist an ihre Belastungsgrenze gestoßen, bricht aber nicht zusammen, sondern schlägt zurück.

Als unsere Blicke sich treffen, sehe ich in ihren Augen Verwirrung und Leid – und Wut. »Sie haben kein Recht, hierherzukommen und so über ihn zu reden«, schreit sie. »Schlecht über Tote zu sprechen! Lassen Sie mich in Ruhe!«

Sie blickt wild um sich, nimmt das Glas Tee und wirft es nach mir.

Ich trete zur Seite, bin aber nicht schnell genug. Das Glas streift meine Schulter, und kalter Tee spritzt mir ins Gesicht und läuft über meine Bluse. Dann fällt es krachend zu Boden und zerbricht.

»Verschwinden Sie!«, schreit sie. »*Verschwinden Sie!*«

Ich hebe die Hände, bewege mich in Richtung Tür. »In Ordnung.«

»Böse Frau! Kommen Sie nie wieder!«, schreit sie. »Raus hier. *Raus!*«

Gerade will ich zum Türknauf greifen, als die Tür aufgeht.

Clara tritt in die Küche, reißt beim Anblick ihrer Tochter die Augen auf. »Ach du lieber Himmel!« Ihr Blick eilt von Emily zu mir und dem dunklen Teefleck auf meiner Bluse, dem zerbrochenen Glas am Boden.

»Alles okay«, sage ich. »Sie ist aufgebracht, und ich wollte gerade gehen.«

Die amische Frau zeigt auf ihre Tochter. »*Hoch dich anne*«, sagt sie bestimmt. Setz dich.

»Sie ist *fagunna!*« Emily benutzt das *deitsche* Wort für jemanden, der einem anderen Unglück wünscht. »Sie sagt schlimme Dinge über Aden!«

»Du beruhigst dich jetzt.« Die amische Frau wendet sich mir zu, wirkt erbost, aber beherrscht. »Wir haben gestern ihren Verlobten zu Grabe getragen, Chief Burkholder. Ich glaube, für heute hat sie sich genug Fragen angehört.«

Wir blicken uns sekundenlang in die Augen, dann wende ich mich Emily zu. »Wenn du reden willst, kannst du mich jederzeit anrufen. Tag und Nacht. Ich höre zu.«

Ohne eine Antwort abzuwarten, gehe ich hinaus.

***

Wayne Graber arbeitet bis siebzehn Uhr, ich warte also bis zum frühen Abend, um noch einmal mit ihm zu sprechen. Sein Wagen parkt unter dem Carport, und als ich auf dem Schotterweg mit knirschenden Schritten darauf zusteuere, fängt ein Schwarm Raben auf dem Maisfeld dahinter lautstark an zu krächzen.

»Chief Burkholder?«

Ich blicke zur Tür unter dem Garagenvordach, aus der gerade Graber mit einer Flasche Bier in der Hand heraustritt. Seine Haare sind noch feucht vom Duschen. »Ist alles in Ordnung?«, fragt er.

»Alles gut.« Ich gehe zu ihm hin, und wir schütteln uns die Hand.

»Sie arbeiten schon wieder spät«, sagt er.

»Ich wollte Sie nicht auf der Arbeit stören.« Als ein unbehagliches Schweigen einsetzt, füge ich hinzu: »Es gibt da noch ein paar Fragen, wenn Sie also einen Moment Zeit haben?«

»Sicher, legen Sie los.«

Ich hole das Foto des Autos heraus. »Ich wollte wissen, ob Sie diesen Wagen mal gesehen haben.«

Er beugt sich näher heran, scheint das Foto genau zu betrachten. »Sieht aus wie Baujahr 2012 oder um den Dreh.«

»2013«, sage ich.

»Ich glaube nicht, dass ich so einen schon mal gesehen habe.«

»Auch nicht hier vorm Haus?«, frage ich.

»Ich kann mich jedenfalls nicht daran erinnern.« Er sieht mich fragend an. »Wem gehört der?«

Anstatt ihm zu antworten, zeige ich ihm das Foto von Paige Rossberger. »Und diese Frau? Haben Sie sie jemals gesehen? Mit ihr gesprochen?«

Beim Anblick des Fotos versteift er sich. »Das ist die Frau, die umgebracht wurde.«

»Richtig.«

»Warum fragen Sie mich nach ihr? Was hat sie mit Aden zu tun?«

»Wir glauben, dass es da eine Verbindung gibt.«

»Was für eine Verbindung?«

Ich sage nichts.

Er presst die Lippen zusammen. »Sie versuchen aber nicht gerade, Aden den Mord an ihr anzuhängen, oder?«

»Wir hängen niemandem irgendetwas an. Ich will einfach wissen, ob die Frau – oder ihr Auto – jemals hier waren.« Ich halte ihm das Foto noch näher hin, will, dass er es sich genau ansieht. »Sind Sie sicher?«

»Bin ich.« Diesmal wirft er keinen Blick darauf. »Zu versuchen, Aden den Mord an irgendeinem Mädchen anzuhängen, ist echt beschissen. Nur, weil Sie nicht rausfinden –«

»Es war nicht irgendein Mädchen, sondern eine sechsundzwanzig Jahre alte Frau«, blaffe ich ihn an. »Sie hatte eine Familie, ein Leben. Es gab Menschen, die sie liebten –«

Er blickt ungerührt weg, sagt nichts.

Langsam schiebe ich das Foto zurück in die Tasche, lasse mir Zeit. »Hat es in der Woche vor Adens Tod eine Nacht gegeben, in der er nicht nach Hause gekommen ist? Oder eine Zeit, in der Sie ihn nicht erreichen konnten?«

»Er hatte kein Handy, wir haben uns also keine Nachrichen geschrieben oder so was.« Graber schüttelt den Kopf. »Ich glaube nicht, dass er eine Nacht weg war, wirklich nicht.«

»Wann hatte er das letzte Mal eine weibliche Besucherin hier im Haus?«

»Die Letzte …« Er blickt auf, als versuche er sich zu erinnern. »Vor ein paar Wochen? Keine Ahnung. Ich habe nicht mal mit ihr gesprochen. Nur gesehen, wie sie von seinem Zimmer ins Bad gegangen ist, als ich mich morgens für die Arbeit fertig gemacht habe.«

»Und Sie sind sicher, dass Sie nicht versuchen, Ihren Freund zu decken?«

Er blickt mich düster an. »Ich habe Ihnen alles gesagt, was ich weiß.«

Ich starre ihn so lange an, bis er wegschaut. Ich höre weiter die Raben im Maisfeld. Die Zeit läuft mir davon, und ich bin wieder in einer Sackgasse gelandet.

»Früher oder später werde ich herausfinden, wer Aden Karn umgebracht hat«, sage ich. »Und auch, wer Paige Rossberger getötet hat. Und ich werde herausfinden, wie das alles zusammenpasst.«

»Warum sagen Sie mir das?«

»Weil, wenn ich das tue, Sie sicher sein sollten, dass jedes Wort, das Sie mir gesagt haben, der Wahrheit entspricht. Denn wenn nicht, sind Sie auch dran. Haben Sie verstanden?«

Er schüttelt den Kopf, seufzt. »Hab's kapiert.«

»Einen schönen Tag noch«, sage ich und gehe.

22. KAPITEL

Ich schrecke aus einem undeutlichen und beunruhigenden Traum auf. Mein Herz trommelt hart gegen meine Rippen. Wegen des Traums? Oder wegen etwas anderem? Tomasetti schläft sanft atmend neben mir. Ich drehe mich um, greife nach meinem Handy auf dem Nachttisch, checke die Uhrzeit. Drei Uhr sechzehn. Ich habe zwei Stunden geschlafen. Im warmen Bett liegend, lausche ich, versuche herauszufinden, was mich geweckt hat. Regentropfen prasseln ans Fenster, Donnergrollen in der Ferne. Ich bin kurz davor, wieder einzunicken, als mich ein Klopfen hochfahren lässt.

Auch Tomasetti setzt sich auf, und wir sehen uns an. »Erwartest du jemanden?«

»Nicht um diese Zeit.«

Er rollt sich aus dem Bett, zieht die Nachttisch-Schublade auf und holt seine Kimber heraus. Ich stehe auf, schnappe mir die Jogginghose von der Rückenlehne des Stuhls und nehme die .38er vom Nachttisch.

Tomasetti bewegt sich bereits am Ende des Flurs lautlos ins Wohnzimmer, aber es ist zu dunkel, um viel zu erkennen. Ich bin drei Meter hinter ihm, als Licht durch das Fenster neben der Eingangstür fällt.

»Da ist jemand«, flüstert er.

»Mit einer Taschenlampe.« Sekunden später stehe ich ein Stück neben dem Fenster, schiebe mit dem Lauf der .38er die Gardine beiseite – und staune nicht schlecht, als mein Blick auf einen Mann mit flachkrempigem Hut und einer Laterne in der Hand fällt. Ein Amischer, stelle ich erstaunt fest, und er kommt mir bekannt vor. Die Gestalt neben ihm trägt ein dunkles Kleid und eine schwarze Winterhaube.

»Kennst du sie?«, fragt Tomasetti.

»Ich glaube, es ist Andy Byler.«

Tomasetti knipst das Verandalicht an, stellt sich seitlich neben die Tür und öffnet sie, späht hinaus. »Mr. Byler?«

Der amische Mann schaut Tomasetti düster an. »Wir müssen mit Kate Burkholder sprechen.«

Ich trete neben Tomasetti. Emily und ihr Vater sind pitschnass. Anscheinend sind sie den ganzen Weg von Painters Mill mit dem Buggy gekommen.

»Mr. Byler, Emily, kommen Sie herein.« Ich trete zurück und mache die Tür weit auf. »Ist alles in Ordnung?«

Der amische Mann schüttelt den Kopf. »Nein.«

Emily starrt zu Boden. Regenwasser tropft von ihrem Kinn, dem Saum ihres Kleides.

»Jetzt trocknen Sie sich erst einmal ab.« Ich lasse die drei im Wohnzimmer stehen und hole Handtücher aus dem Wäscheschrank, komme zurück und reiche eins Emily und eins ihrem Vater.

»Das ist keine gute Nacht, um unterwegs zu sein«, sage ich zu Andy.

Der amische Mann weist mit gesenktem Kopf auf seine Tochter, und in dem Moment wird mir bewusst, dass Nässe und Kälte seine geringsten Sorgen sind. Er ist verzweifelt, kann weder mich noch seine Tochter ansehen.

»Sie muss mit Ihnen reden«, sagt er. »Es kann nicht bis morgen warten.«

Als ich mich Emily zuwende, platze ich fast vor Neugier. Aber das Mädchen starrt noch immer zu Boden, das Handtuch unbenutzt in der Hand. Sie steht unter Schock, denke ich

252

und blicke zu ihrem Vater. Er schaut mich an, dann zu seiner Tochter. »Trockne dich ab, Em, und dann könnt ihr beiden miteinander sprechen. Du kannst Chief Burkholder sagen, was du zu sagen hast.«

Das Mädchen hebt den Kopf und blickt ihren Vater an, doch sie scheint ihn nicht wirklich zu sehen oder gar zu erkennen. Als sie schließlich mich anschaut und ich die Leere in ihren Augen sehe, wird mir das ganze Ausmaß ihres Elends bewusst. Dass sie zudem nass ist bis auf die Knochen und am ganzen Leib zittert, scheint sie weder zu bemerken noch macht es ihr etwas aus.

Vorsichtig nehme ich ihr das Handtuch ab, tupfe sanft ihre Wangen ab, reibe mit dem flauschigen Frottee über den Stoff ihrer Ärmel und lege es ihr zum Schluss über die Schultern.

»Ich mache uns Kaffee«, sage ich. »Gehen wir in die Küche.«

Andy schüttelt den Kopf. »Nein«, sagt er. »Das geht nur Emily und Sie etwas an. Ich warte draußen im Buggy.«

Ich blicke zu Tomasetti, er nickt und bittet den amischen Mann mit einer Handbewegung, sich aufs Sofa zu setzen. »Draußen ist es kalt und es regnet, Mr. Byler. Setzen Sie sich zu mir, und wir trinken hier Kaffee. Wie mögen Sie ihn? Schwarz? Milch und Zucker?«

Der amische Mann scheint sich etwas zu entspannen und nickt. »Schwarz, bitte.«

Während ich Emily in die Küche führe und ihr am Tisch einen Stuhl hinschiebe, damit sie sich setzt, gehe ich die möglichen Gründe für den nächtlichen Besuch im Kopf durch. Zumal die Fahrt mit dem Buggy von Painters Mill zu unserer Farm eine ganze Stunde dauert und im Dunkeln und bei strömendem Regen nicht ungefährlich ist. Beim Kaffeekochen mache ich Smalltalk, jedoch ohne Emily eine Antwort zu entlocken. Als der Kaffee dann fertig ist, bringe ich den Männern

253

zwei Tassen ins Wohnzimmer. Zurück in der Küche, schenke ich Emily und mir eine Tasse ein und setze mich ihr gegenüber an den Tisch.

»Er ist schön heiß«, sage ich und schiebe ihr eine Tasse hin. »Nimm einen Schluck, dann wird dir warm.«

Das Mädchen nimmt die Tasse, stellt sie, ohne zu trinken, wieder ab.

»Es muss etwas Wichtiges sein, wenn du und dein *Datt* bei dem Regen die lange Fahrt durch die Nacht auf euch nehmt«, sage ich.

Eine ganze Minute lang folgt Schweigen, dann sieht Emily mich an. »Ich habe Gott gefragt, was ich tun soll, und Er hat gesagt, ich soll die Wahrheit sagen.«

»Die Wahrheit zu sagen ist immer gut«, erwidere ich.

»Manchmal ist die Wahrheit so furchtbar, dass man sie nicht sagen kann.« Ihre Hand zittert, als sie die Kaffeetasse jetzt hochnimmt, so dass sie sie mit beiden Händen umfasst, zum Mund führt und trinkt. »Ich wollte, dass es weggeht, aber das tut es nicht.«

»Geht es um Aden?«, frage ich.

Sie nickt. »Er war ... alles für mich. Ich dachte, er wäre ...« Sie blickt auf den Tisch, nickt. »Ich dachte, er wäre gut. Ich meine, er *war* gut, aber ...« Sie schließt die Augen, und Tränen strömen über ihre Wangen. »Manchmal war er es nicht.«

»Hier sind nur wir beide, Emily«, sage ich mit sanfter Stimme. »Was immer du zu sagen hast, ich höre dir zu.«

Sie starrt weiter auf den Tisch. Ich höre den Regen ans Fenster über der Spüle prasseln, die leisen Stimmen von Tomasetti und Andy aus dem Wohnzimmer, das Knacken der abkühlenden Kaffeemaschine.

»Ich konnte es gar nicht glauben, dass er mir den Hof machen wollte. Ich bin keine Schönheit.« Ein Lächeln umspielt

ihre Mundwinkel. »Er war so nett, und so ein Gentleman. Sogar *Mamm* und *Datt* haben das gesagt.« Sie stößt einen Seufzer aus. »Wir haben ganz lange … na ja … nichts gemacht.
Auch nicht, wenn wir allein waren. Er war der Erste, den ich
jemals geküsst habe.«

»Ich verstehe.«

»Alles war perfekt. Er war perfekt. Wir wollten heiraten und
Kinder haben. Dann … vor ein paar Monaten, hat er mich mit
dem Buggy abgeholt und auf einen Hotdog und Root Beer
eingeladen.«

Ich höre erwartungsvoll zu und spüre, wie es dabei in meiner Brust immer enger wird. Ich habe dieses Gefühl oft genug
gehabt, um zu wissen, dass es eine Reaktion meines Körpers
auf die Befürchtung ist, gleich etwas zu hören, was ich eigentlich nicht hören will.

»Wir hatten Spaß zusammen. Hinterher haben wir richtiges
Bier getrunken, und dann hat er mich zu der alten Tankstelle
mitgenommen.«

»Wo Vernon Fisher wohnt?«, frage ich.

Sie nickt. »Ich wollte nicht dahin. Mir gefallen die Typen
dort nicht, sie sind so vulgär. Ich mag die Art nicht, wie sie
mich ansehen, ihre Witze. Als wollten sie mir schmeicheln,
nur ist es nicht schmeichelhaft.« Sie zuckt mit den Schultern.
»Aber Aden meinte, es wäre okay, wir würden nicht lange bleiben. Und da bin ich mitgefahren.«

Sie nimmt den Kaffee und trinkt. Nicht, weil er ihr schmeckt,
sondern weil sie nicht sagen will, was als Nächstes kommt …

Ich warte geduldig.

»Die ganzen Männer waren da und haben eine Flasche Tequila rumgehen lassen. Ich wollte nichts davon, aber ich wollte
auch nicht, dass sie mich für … ein Kind halten. Können Sie
das verstehen?«

Ich nicke wortlos, aber ich fühle, wie sich mir die Nackenhaare aufstellen. Ich ahne, wohin das führt, und es ist ein Ort,
an den ich nicht gehen möchte. Von dem ich wünschte, sie
hätte sich nie hingewagt.

»Am Anfang war es lustig, es gab Musik. Ich kam mir so
erwachsen vor. In meinem Kopf drehte sich alles, und Aden
lachte.« Sie lächelt wieder. »Ich dachte, ich hätte Spaß. Ich
dachte, es wäre okay.«

Ich nicke.

»Dann hat er … mich geküsst«, flüstert sie. »Vor den anderen. Und alle haben … zugeguckt. Sie haben geraucht und die
Flasche rumgehen lassen. Aden hat immer wieder gesagt, dass
Liebe so wichtig sei wie verheiratet sein. Er hat gesagt, Gott
sei Liebe und dass Er das okay finden würde, weil wir noch
nicht getauft seien. Und dann hat er mich mit ins Hinterzimmer genommen, wo die Matratze ist, und wir … Sie wissen
schon.«

Sie hält inne, blickt runter auf den Tisch, als würde ihr
schlecht, aber dann fährt sie fort. »Es hätte wunderschön sein
sollen. Ich meine, das war es auch, jedenfalls zuerst. Und ja,
ich weiß, es war eine Sünde, und ich habe Schuld auf mich
geladen, weil wir nicht verheiratet waren. Ich wusste das alles,
doch ich konnte nicht aufhören, so sehr habe ich ihn geliebt.«

Sie runzelt die Stirn. »Aber alles war so … verwirrend. Wegen des Alkohols. Ich hab zu viel getrunken … Und wir lagen
da, und auf einmal war noch jemand im Zimmer. Es war dunkel, und ich konnte nicht sehen, wer es war. Ich wusste nicht,
was gerade vor sich ging, aber ich wusste, dass Aden sich um
mich kümmern würde.« Sie kneift die Augen fest zusammen,
als würde das helfen, die Erinnerung in Schach zu halten. »Der
Mann legte sich zu uns auf die Matratze. Ich wollte gehen, aber
meine Kleider waren verschwunden. Und Aden … er sagte, es

wäre okay. Dann hab ich ihn nicht mehr gesehen und Angst gekriegt. Ich hab angefangen zu weinen … Und dann sind sie alle reingekommen, und sie …« Sie stößt einen schluchzenden Laut aus, ringt um Luft. »Ich kann nicht …«

Ihr keuchender Atem erfüllt den Raum, ich warte einen Moment, dann frage ich: »Emily, haben sie dich vergewaltigt?«

»Aden hat gesagt, das wäre was anderes«, erwidert sie schnell. »Er hat gesagt, dass ich es ja so gewollt hätte. Dass es meine Schuld war, weil ich sie in Versuchung geführt hätte. Ich hätte zu viel getrunken und es provoziert. Chief Burkholder, ich erinnere mich nicht mehr an viel.« Sie schließt fest die Augen und fängt wieder an zu weinen. »Und ich schäme mich so sehr. Ich wäre am liebsten gestorben.«

Ich trinke einen Schluck Kaffee, gönne ihr – und mir – eine Verschnaufpause. Die ich auch brauche, um meine Wut in den Griff zu bekommen, die mir sonst nur im Weg stehen wird.

Ich hole einen Notizblock aus der Schublade. »Kennst du die Namen der Männer, die in der Nacht dort waren?«

»Nein.« Sie blickt zum Fenster, hinaus in die Dunkelheit und den Regen, doch sie ist zu langsam, und mir entgeht nicht das Aufflackern der Lüge in ihren Augen.

»Wie viele sind ins Zimmer gekommen?«

»Ich weiß es nicht. Es war zu dunkel, um etwas zu erkennen.« Sie schließt fest die Augen. »Und alles hat sich gedreht.«

Mir ist übel, ich muss an den Mord an Aden Karn denken und frage mich, ob – oder wie – dieser Vorfall etwas damit zu tun hat.

»Hast du jemandem davon erzählt?«, frage ich.

Sie blickt mich an. »Was sollte ich denn erzählen? Dass ich mitgegangen bin, um zu sündigen, und dass man sich an mir versündigt hat? Ich war selber schuld.«

»Es war nicht deine Schuld«, sage ich.

Ihr bitteres Lachen zeigt mir, dass sie mir nicht glaubt und mir niemals glauben wird. »Es ist sowieso egal. Aden ist tot. Mein Leben ist … zerstört. Gott vergibt mir nicht, was ich getan habe, und ich kann mir selber auch nicht vergeben.«

»Gott vergibt alle unsere Sünden, wenn wir Ihn darum bitten.« Ich bin definitiv keine Expertin auf diesem Gebiet, aber ich muss das sagen – weil sie es hören muss.

Sie schweigt.

»Ist das nur ein einziges Mal passiert?«, frage ich.

Wieder drückt sie die Augen fest zu, schüttelt den Kopf. Ihre Scham ist fast greifbar, der Selbsthass, die eigene Schuld. »Ich war noch … ein paarmal mit ihm dort. Ich kann es nicht erklären, ich hatte keinen Tequila getrunken, aber ich bekam dieses irre Gefühl im Kopf. So als wäre mir schwindlig … und plötzlich war ich in dem Zimmer mit ihnen. Dann erinnere ich mich an nichts mehr.«

Wieder steigt eine Welle der Wut in mir hoch. »Hat Aden oder jemand anderes dir jemals irgendwelche Pillen gegeben? Oder wollte, dass du etwas rauchst? Marihuana, Zigaretten oder so?«

»Nein.«

Ich nehme meine Tasse und trete an die Arbeitsplatte. Ein ungeheurer Zorn wütet in mir, und ich muss mich gemahnen, ihn im Zaum zu halten.

Nachdem ich mir einen zweiten Kaffee eingeschenkt habe, setze ich mich wieder ihr gegenüber hin. »Es ist sehr mutig von dir, heute Nacht hierherzukommen und mir die Wahrheit zu sagen. Du bist wirklich tapfer. Ich danke dir.«

»Ich fühle mich nicht tapfer«, murmelt sie. »Ich fühle mich … schmutzig und … elender, als ich mich je im Leben gefühlt habe.«

»Niemand hat das Recht, dir oder sonst jemandem so etwas

anzutun. So etwas nennt man sexuellen Missbrauch, und es ist gegen das Gesetz.«

Das Mädchen schaut auf den Tisch, schweigt.

»Emily, du hast das Richtige getan«, sage ich. »Jetzt ist es an mir, das Richtige zu tun. Und dafür brauche ich die Namen der Männer, die dir das angetan haben.«

Sie schnappt nach Luft, hebt den Kopf, die Augen vor Panik weit aufgerissen. »Ich weiß nicht, wer ins Zimmer gekommen ist.«

»Bist du sicher?«

»Ich will nicht, dass jemand davon erfährt«, flüstert sie. »Bitte. Ich wollte nicht herkommen, *Datt* hat mich gezwungen. Deshalb hab ich es keinem gesagt. Niemand darf es wissen!«

Ich bin zu wütend, um ihr in die Augen zu sehen, blicke stattdessen auf meine Tasse und trinke einen Schluck, obwohl ich nicht will.

»Chief Burkholder, wenn die Amischgemeinde das erfährt … wird es mein Leben noch schlimmer machen, als es schon ist. Bitte! Ich will einfach so tun, als wäre es nie passiert.«

Als ehemalige Amische verstehe ich das besser, als mir lieb ist. Als Polizistin weiß ich, dass ich sie zum Reden bringen muss, weil sonst die Männer, die ihr das angetan haben, ungeschoren davonkommen. Im Staat Ohio ist sexueller Missbrauch in dem Moment, in dem er der Polizei gemeldet wird, ein offizielles Verbrechen, und das Opfer hat keinen Einfluss mehr auf das weitere Verfahren.

»Warum bist du heute Nacht hergekommen?«, frage ich sie.

»*Datt* hat mich gezwungen.«

»Du bist hergekommen, weil es richtig war.«

»Ich will das alles nur noch vergessen und hinter mir lassen«, sagt sie flehentlich.

Ich denke kurz darüber nach. »Wie hat es dein *Datt* heraus-gefunden?«

Zu langes Schweigen, aber dann: »Ich hatte heute Nacht einen Albtraum, und sie sind von meinem Schreien aufge-wacht. *Mamm* ist in mein Zimmer gekommen, und ich hab ihr gesagt, ich will jetzt zu Gott, und das hat ihr Angst gemacht. Sie hat mich angefleht, ihr zu sagen, was mich bedrückt, und da hab ich's ihr dann gesagt. Sie hat es *Datt* verraten, er ist hin-terher in mein Zimmer gekommen und hat gesagt, dass ich mit Ihnen reden muss.«

Ich denke darüber nach, was wohl in Andy Bylers Kopf vor-gegangen ist, als er von seiner Frau erfahren hat, dass seine Tochter von mehreren Männern vergewaltigt worden ist. Die Amischen sind zwar Pazifisten und demgemäß weder gewalt-tätig noch billigen sie irgendeine Form von Gewalt, aber sie sind auch nur Menschen. Ich denke daran, was mit Aden Karn passiert ist, und frage mich, wie viele Väter wohl eine Grenze überschritten haben, um ihre Kinder zu schützen – und Ge-walt mit Gewalt vergolten haben.

Ich kann diese junge Frau nicht zwingen, etwas zu tun, was sie nicht tun möchte, auch nicht, mir die Namen der Männer zu nennen, die ihr das angetan haben. Selbst wenn ich den Staatsanwalt über das Verbrechen informiere, ohne Namen kann er die Täter nicht strafrechtlich verfolgen lassen. Ich habe weder DNA noch andere Beweise, und wenn Emily nicht kooperiert, habe ich nicht einmal ein Opfer.

»Wenn ich ein Treffen mit dem Staatsanwalt vereinbare, würdest du mit ihm reden?«, frage ich.

»Ich will nie wieder mit irgendwem darüber reden. Ich will das alles einfach vergessen und versuchen, nach vorne zu bli-cken.«

Auch wenn ich mit Emilys Hilfe nicht rechnen kann, bin

ich aufgrund dieser neuen Informationen jetzt sicher, dass die Morde an Aden Karn und Paige Rossberger irgendwie zusammenhängen müssen. Ein weiteres niederschmetterndes Verbindungsstück in einer verheerend langen Kette.

»Emily, als ich dir die Fotos gezeigt und dich gefragt habe, ob du das Auto oder die Frau wiedererkennst, hast du da die Wahrheit gesagt?«

»Natürlich, ich hab sie davor noch nie gesehen.«

»Waren manchmal noch andere Frauen in der Tankstelle, wenn du dort warst?«, frage ich. »Englische oder amische Frauen?«

Sie zieht die Augenbrauen zusammen, als denke sie nach, und schüttelt dann den Kopf. »Andere Frauen hab ich nie gesehen, aber ich war ja nur drei- oder viermal dort. Und ich war nie wach, wenn wir wieder weggefahren sind.«

* * *

Um fünf Uhr morgens sitze ich mit einer leeren Kaffeetasse am Küchentisch. Düstere Gedanken leisten mir Gesellschaft.

»Ich würde dich gern fragen, woran du gerade denkst, bin mir aber nicht sicher, ob ich es wissen will.«

Tomasetti kommt herein, frisch geduscht und angekleidet – natürlich mit Anzug und Krawatte –, und geht schnurstracks zur dampfenden Kaffeekanne.

»Hat dir schon mal jemand gesagt, wie gut du im Anzug aussiehst?« Ich versuche ein Lächeln, gebe aber schnell auf.

»Du solltest mich erst mal in Boxershorts sehen.« Er sieht mich über die Schulter hinweg an. Trotz seines Lächelns weiß ich, dass ihm meine Gemütsverfassung bewusst ist und ihm Sorgen macht. Er kennt mich gut.

Er kommt mit der Kanne und seiner Tasse zum Tisch und

füllt meine auf. »Scheint eine schwierige Unterhaltung gewesen zu sein.«

»Ich weiß nicht einmal, wo ich anfangen soll«, sage ich.

Er stellt die Kanne zurück auf die Warmhalteplatte und setzt sich mir gegenüber an den Tisch. Ich starre weiter auf meine Tasse, denn wenn ich ihn angucke, weiß er sofort, dass ich zu wütend bin, zu … emotional. Beides steht einem Cop niemals gut zu Gesicht.

»Aus Byler hab ich nicht viel rausbekommen«, sagt er. »Ich tappe also im Dunkeln.«

Ich gebe ihm eine Zusammenfassung meines Gesprächs mit Emily. »Sie haben sie unter Drogen gesetzt und vergewaltigt. Nicht nur einmal, sondern mehrmals. Ein siebzehn Jahre altes amisches Mädchen. Und jetzt will sie nur noch, dass niemand etwas davon erfährt.«

Tomasetti blickt weg, murmelt einen Fluch. »Dann hat Karn sie an seine Freunde weitergereicht.«

»Sie war noch unschuldig. Ein Kind, fügsam. Und sie war in ihn verliebt. Er war der erste Junge, der ihr Beachtung geschenkt hatte, sie hat ihm *vertraut*.« Ich muss an all das denken, was er ihr genommen hat und sie nie wieder zurückbekommen wird. Wenn Aden Karn nicht schon tot wäre, würde ich ihn umbringen wollen.

Hör auf damit, Kate …

»Er hat sie auf die denkbar schlimmste Weise betrogen«, sage ich.

»Es wäre wirklich gut, wenn wir die Namen der beteiligten Männer hätten«, sagt er.

»Die wird sie niemals nennen. Sie will vergessen, was dort passiert ist, Tomasetti, ein Teil von mir versteht das gut.« Ich schlage mit der Hand auf den Tisch. »Sie hat keine Kraft mehr.«

262

»Dann ist die Frage wohl, was du jetzt machen willst.«

»Das weiß ich nicht. Verdammt nochmal! Ich muss mir irgendwas einfallen lassen!«

Er starrt mich an, hält meinen Blick, so dass ich nicht weggucken kann. »Ich kenne dich zu gut, um mir Sorgen zu machen, dass du etwas Dummes tust.«

»Wenn es jemals gerechtfertigt wäre, etwas Dummes zu tun …« Ich atme tief durch, um meine innere Anspannung etwas abzubauen. »Bei den ganzen Ermittlungen bin ich immer davon ausgegangen, dass Karn ein mustergültiger amischer junger Mann gewesen ist, der viel zu früh sterben musste. Ich wollte den Mistkerl finden, der dafür verantwortlich ist, und ihn an den Eiern aufhängen.«

»Und dann findest du heraus, dass Aden Karn ein verkommener Drecksack war.«

Einen Moment lang herrscht Stille.

»Diese Entwicklung gibt dem Fall eine interessante neue Dimension«, sagt er langsam. »Zumindest was das Motiv angeht.«

Ich bin so wütend, so fassungslos, dass ich in diese Richtung noch gar nicht gedacht habe. Aber genau das passiert, wenn Cops emotional zu sehr involviert sind. »Jemand, dem Emily Byler offenbar am Herzen lag, hat herausgefunden, dass Karn und seine widerlichen Freunde sie vergewaltigt haben, und hat ihn deswegen umgebracht.«

Ich denke nach, schüttele langsam den Kopf. »Wir müssen herausfinden, ob es noch andere Mädchen oder Frauen gibt, die sich nicht bei der Polizei gemeldet haben.«

»Was ist mit Andy Byler?«

»Er hat erst heute Abend davon erfahren«, sage ich.

»Dann lass uns Rossbergers Bekanntschaften näher unter die Lupe nehmen. Vielleicht gibt es ja doch einen festen

Freund oder männlichen Bekannten. Was ist mit dem Vater? Einer von ihnen hat herausgefunden, was passiert ist, und Rache genommen.«

Wir schweigen beide.

Schließlich hebe ich meine Tasse, sehe ihn über den Rand hinweg an. »Hast du jemals einen Fall gehabt, bei dem du dachtest, das Opfer hat seine Strafe verdient?«

»Karn ist nicht das erste gewissenlose Opfer, dessen Mord du aufzuklären versuchst.«

»Er ist einer der widerwärtigsten.« Ich sehe zu Boden, wobei mein Blick auf Schlammspuren von Emilys Schuhen fällt.

»Ich kenne dich gut genug, um zu wissen, dass du deinen Job machst, egal, ob du das Opfer magst, respektierst oder verabscheust.«

»Ich will keine hartgesottene Polizistin sein, die nichts mehr fühlt. Der alles egal ist und die alle ansieht, als wären sie Verbrecher. Aber dieser Fall, Tomasetti … geht mir an die Nieren.«

»Du bist nicht hartgesotten, Kate, und auch nicht zynisch. Du bist stinksauer, weil es dir nicht egal ist. Das ist ein Unterschied.« Er lächelt schwach. »Zynismus ist außerdem mein Part, vergiss das nicht.«

Als ich nichts erwidere, fügt er hinzu: »Das ist nicht das erste Mal, dass du ein Opfer aufs Podest gehoben hast. Und vergiss nicht: Du kämpfst nicht für sie, weil *sie* sind, wer sie sind. Du kämpfst für sie, weil *du* bist, wer du bist.«

Ich atme ein weiteres Mal tief durch, lasse mehr Dampf ab. »Danke, dass du das gesagt hast.«

Er schiebt seine Hand über den Tisch und nimmt meine. »Du kriegst das hin, ja?«

»Ich denke schon.«

Als er lächelt, fällt ein wenig Gewicht von meinen Schultern, und ich werde wieder daran erinnert, wie sehr er mein Leben bereichert und warum ich ihn so bedingungslos liebe.

»Danke, dass du mit mir geredet und mich davon abgehalten hast, mich von einer Brücke zu stürzen«, sage ich.

»Jeder einigermaßen fähige Barkeeper hätte das auch gekonnt.« Er zuckt mit den Schultern. »Die lösen sowieso die meisten Probleme in der Welt.«

»Wenn du jemals in Rente gehst, wird dich sofort ein Barbesitzer anheuern.«

Einen Moment lang lächeln wir uns an, dann steht er auf, geht um den Tisch herum und zieht mich zu sich hoch. »Zu schade, dass wir heute nicht schwänzen können«, murmelt er.

»Das geht auf keinen Fall.«

Er nimmt mich in den Arm und gibt mir einen Kuss. »Andererseits.« Er blickt zu mir hinab. »Es ist noch nicht mal fünf Uhr dreißig.«

»Das heißt, ich muss mich ranhalten.«

»Oder dass wir eine Stunde Zeit haben, bevor unsere Handys klingeln.«

»Du bist schon angezogen.« Ich rücke seine Krawatte zurecht, schnipse mit dem Zeigefinger gegen den Knoten. »Du trägst heute deinen guten Anzug.«

»Vergiss den Anzug«, sagt er und drückt mich an sich.

23. KAPITEL

Ich sitze vor Vernon Fishers Tankstelle im Explorer mit offenem Fenster, sehe zu, wie die Sonne aufgeht, und lausche dem Ruf eines Kardinals im nahen Ahornbaum. Meine Gedanken kreisen um Aden Karn und Emily Byler – die Masken, die Menschen tragen, und wie sehr sie sich von dem Bild unterscheiden, das sie ihren Mitmenschen präsentieren. Ich habe immer geglaubt, ein gutes Gespür für Menschen mit einer dunklen Seite zu haben, und gebe nur ungern zu, mich bei Karn geirrt zu haben, zumal mich das auch blind gemacht hat für eine ganze Reihe von Möglichkeiten, was ein Motiv angeht.

Das wirft kein gutes Licht auf dich, Kate.

Das Geräusch knirschender Autoreifen auf Schotter reißt mich aus meinen Gedanken. Vernon Fisher bleibt in einem alten Chevy-Pick-up, den ich noch nie gesehen habe, links von mir stehen. Musik dröhnt aus dem offenen Fenster, er hat eine Zigarette im Mund und starrt mich düster an. Er ist sichtlich nicht erfreut, mich so früh am Morgen in seiner Einfahrt zu sehen, eine Tatsache, die mich unverhältnismäßig freudig stimmt.

Grimmig macht er den Motor aus, wirft die Zigarette auf den Boden und steigt aus.

Ich gehe zu ihm hin. »Neues Auto?«

»Hab ich heute Morgen für fünfzehnhundert Mäuse gekauft.«

»Nett.« Ich fahre mit der Hand über den Kotfügel. »Sie sind ein echter Frühaufsteher.«

»War noch gar nicht im Bett, also ...« Er zuckt mit den Schultern. »Geht's um Aden?«

Ich hole die Fotos von Paige Rossberger und dem roten Altima aus der Tasche, falte sie auseinander und zeige ihm das Bild der Frau zuerst. »Haben Sie sie jemals gesehen?«

Er schaut sich die Aufnahme flüchtig an und schüttelt den Kopf. »Wer ist sie?«

Ich halte das Foto des Altima daneben. »Und den Wagen?«

Auch den sieht er sich kaum an. »Nee.«

»Sind Sie sicher? Sie haben ja kaum hingesehen. Lassen Sie sich Zeit, das ist jetzt ein wichtiger Moment für Sie.«

Er kneift die Augen zusammen, nicht sicher, was ich damit meine. Aber die Fotos ignoriert er weiter. »Nichts für ungut, Chief Burkholder, aber ich hab sie mir angesehen. Ich habe Ihre Fragen beantwortet und wäre Ihnen dankbar, wenn ich jetzt ins Haus gehen und eine Runde schlafen könnte.«

Ich höre das Zwitschern des Kardinals, das Knacken des abkühlenden Motors. Die Sonne wärmt meinen Rücken, ich muss an Emily Byler denken, und wieder spüre ich, wie die Wut in mir hochkocht.

»Ich hab gehört, Sie hätten hier in der Tankstelle einige Partys gefeiert«, sage ich wie nebenbei.

»Das ist nicht gesetzeswidrig, soweit ich weiß.«

»Stimmt.« Ich blicke zur Tankstelle, tue, als würde ich die Fassade studieren. »Irgendwie ein interessanter Ort für eine Party. Wie viele hat es denn gegeben?«

Er wirft mir einen perplexen, aber mehr noch verärgerten Blick zu. »Ein paar werden es wohl gewesen sein. Warum interessiert Sie, was wir hier machen?«

»Wir?« Auch ich kann perplex dreinschauen. »Wer noch?«

»Nur ich und ein paar Kumpels. Die haben Sie hier schon getroffen.«

Emilys Stimme dringt aus den Tiefen meines Gedächtnisses zu mir … *Und dann sind sie alle reingekommen.*

»Vielleicht sollte ich mit denen auch mal reden«, sage ich. »Wie heißen die?«

»Ich schätze mal, das müssen Sie schon selbst rausfinden.« Sein Mundwinkel verzieht sich zu einem Lächeln, wie ein Schachspieler, dem soeben klargeworden ist, dass er seinen Gegner schachmatt gesetzt hat. »Die Musik war doch nicht zu laut, oder?« Mr. Unschuldig blickt sich um, womit er mir zeigen will, dass es weit und breit keine Nachbarn gibt.

»Wirklich dumm von mir, so etwas Offensichtliches zu übersehen«, sage ich übertrieben liebenswürdig. »Übrigens – Sie wissen schon, dass das Schutzalter in Ohio sechzehn ist, oder?«

»Ich weiß ehrlich gesagt nicht, warum Sie das erwähnen. Ich hab noch nie junge Mädchen hier gehabt, so 'nen Scheiß mach ich nicht.«

Ich zügele meinen Zorn. »Unsere Gesetze bei Vergewaltigung und sexueller Nötigung decken eine Menge verschiedene Szenarien ab.« Ich zucke mit den Schultern wie eine Lehrerin, die einem Schüler ein kompliziertes Algebra-Problem erklärt, das er nicht wirklich kapiert. »Will sagen, man kann wegen Vergewaltigung angeklagt werden, wenn man eine Person zwingt, Alkohol zu trinken oder Drogen zu nehmen, so dass sie beeinträchtigt und nicht in der Lage ist, sich sexuellen Übergriffen zu widersetzen. Wussten Sie das?«

Plötzlich ist es mit dem Netter-junger-Mann-Getue vorbei. »Ich dachte, es geht um Aden.«

»Geht es auch.«

Er starrt mich an, und jeder Anschein von guter Laune und Großspurigkeit weicht einer deutlichen Nervosität – und kaum verhohlener Wut. Aus dem Augenwinkel sehe ich, wie er die Hände zu Fäusten ballt, ich denke an mein Ansteckmikro und die .38er im Hüftholster – und dass ich nichts lieber täte, als ihm das Licht auszuknipsen.

»Das Gesetz ist wirklich faszinierend«, höre ich mich sagen. »Wussten Sie, dass Vergewaltigung ein Schwerverbrechen ist?«

Er starrt mich an, der Blick stechend, die Nasenflügel gebläht.

»Und«, sage ich betont deutlich, »wussten Sie auch, dass bei einem bestimmten Verhalten Freiheitsstrafen obligatorisch sind, dann zum Beispiel, wenn das Opfer unter Drogen gesetzt worden ist? Und wenn Gewalt und Nötigung ausgeübt wurden, dem Täter eine lebenslange Haftstrafe droht?« Ich schüttele den Kopf. »*Lebenslang.* Können Sie sich das vorstellen?«

»Ich weiß nicht, warum Sie mir das alles erzählen.«

»Ihrem Gesichtsausdruck nach zu urteilen, wissen Sie das sehr genau.«

»Sie haben keinen Grund, so mit mir zu reden.« Er blickt über die Schulter zurück zur Tankstelle. »Ich muss gehen.«

»Tun Sie das. Und ruhen Sie sich aus. Versuchen Sie, so viel Schlaf wie möglich zu kriegen, den werden Sie in den nächsten Tagen, Wochen und Monaten brauchen«, sage ich, hebe die Hand und tippe mit dem Zeigefinger an seine Nasenspitze. »Ich bin hartnäckig, Vernon. Ein falscher Schritt, und ich kriege Sie dran. Haben Sie das verstanden?«

Sichtlich aufgewühlt, zuckt er zurück und sieht mich an, als erwarte er, dass ich handgreiflich werde. Ich zucke mit keiner Wimper.

»Mich so zu berühren ist verboten. Sie dürfen einen Bürger nicht bedrohen«, fährt er mich an. »Nur weil Sie nicht herausfinden, was mit Karn passiert ist, können Sie nicht einfach herkommen und Ihren Frust an mir auslassen.«

»Sie sollten Beschwerde einlegen.«

»Das mach ich vielleicht auch.«

»Oder noch besser, Sie schlagen gleich zu.« Ich zeige auf

seine Hände, die noch immer zu Fäusten geballt sind. »Sehen Sie sich doch an. All das Zähnefletschen, all die aufgestaute Wut, und Sie haben nicht den Arsch in der Hose, um sie rauszulassen.«

»Fick dich.« Er dreht sich um und macht sich auf zur Tankstelle.

Mein Herz schlägt heftig, aber ich bleibe stehen und sehe ihm hinterher. Als er die Bürotür erreicht und den Schlüssel ins Schlüsselloch steckt, rufe ich: »Vernon?«

Er sieht mich über die Schulter hinweg zornig an.

»Nur damit Sie es wissen … die Verjährungsfrist für Vergewaltigung und sexuelle Nötigung ist in unserem Staat fünfundzwanzig Jahre. Machen Sie sich das klar, wenn Sie versuchen zu schlafen.«

Etwas Unverständliches murmelnd, reißt er die Tür auf und verschwindet nach drinnen.

* * *

Während einer Mordermittlung nimmt sich ein Cop niemals frei. Nicht einen Tag, nicht einmal ein paar Stunden. Es gibt zu viel zu tun, zu viel passiert. Und immer die Sorge, es könnte irgendwas Schlimmes vorfallen und man ist nicht sofort zur Stelle. Die Ermittlung beherrscht dein Leben, alles andere tritt in den Hintergrund. Als Tomasetti auf dem Revier aufgetaucht ist und mich gebeten hat, mit ihm einen Ausflug zu machen, hätte ich ihm den Wunsch beinahe abgeschlagen. Aber da war etwas in seinem Gesichtsausdruck, das hat mir gesagt, dass es ihm wichtig ist.

Ich wusste nicht, wohin es geht. Auf der einstündigen Fahrt von Painters Mill nach Cleveland unterhielten wir uns sporadisch über Alltägliches, insgesamt war er aber wortkarg, grüblerisch und nahezu geistesabwesend. Erst jetzt, als wir durch das Tor des Friedhofs fahren, wird mir die Bedeutung seines Vorhabens bewusst.

Ich habe keine Aversion gegen Friedhöfe, für mich sind es friedvolle, besinnliche Orte. Amische Friedhöfe sind funktionell und schlicht. Sie sind Teil der Landschaft, ein ehemaliges Maisfeld oder eine Weide, der Gemeinde von einer Familie vor vielen Jahren gestiftet und in eine Stätte für die Toten umgewandelt. Es sind Orte, an denen man jeden Tag vorbeifährt und an jemanden denkt, der dort begraben liegt. Jemand, den man geliebt oder gekannt oder von dem man gehört hat. Vielleicht vermisst man die Menschen kurz oder verspürt einen alten Schmerz. Wenn genug Zeit vergangen ist, denkt man nicht an ihren Tod, sondern an ihr Leben. Und wenn man Glück hat, fühlt man sich ihnen einen Moment lang nahe. Manchmal fühlt man sich nahe bei Gott.

Der Calvary Cemetery mit den unzähligen jahrhundertealten Eichen, Ahornbäumen und Ulmen hat nichts gemein mit den schlichten amischen Friedhöfen in Holmes County. Es ist ein ehrwürdiger, majestätischer Ort mit über dreihunderttausend Gräbern, zum Teil noch aus dem achtzehnten Jahrhundert.

Tomasetti braucht weder eine Karte noch Hinweisschilder, um zu finden, was er sucht. In den letzten sieben Jahren war er Hunderte Male hier. Als wir langsam die gepflegte Asphaltstraße entlangfahren, vorbei an Dutzenden beeindruckenden Monumenten, an Grabsteinen in jeder Form und Größe und an Bäumen, deren Blätter im Sonnenlicht des Spätnachmittags schimmern wie Kupfer, greift er nach meiner Hand.

Er stoppt den Tahoe in einem ruhigen Teil, wo die sonnenbeschienenen Maserungen der Granitgrabsteine glitzern.

»Es ist schön hier«, sage ich. »Still.«

»Das habe ich lange Zeit nicht bemerkt.« Schließlich sieht er mich an. »In drei Tagen sind wir verheiratet.«

Trotz des Ernstes der Situation muss ich schmunzeln. Ich sehe ihn an, drücke seine Hand. »Wird auch langsam Zeit, findest du nicht?«

»Ist längst überfällig.« Ein Lächeln umspielt seine Mundwinkel, dann sieht er durch die Windschutzscheibe hinaus zu den Gräbern. »Ich fand, dies wäre ein guter Zeitpunkt, um herzukommen. Um dir von ihnen zu erzählen.«

Er lässt meine Hand los und steigt aus, umrundet die Vorderseite des Tahoe, um mir die Tür zu öffnen, aber ich bin bereits ausgestiegen, als er mich erreicht. Wir gehen nebeneinander zu einem hohen, abgeschrägten Grabstein aus schönem blaugrauen Granit auf einem ebenso schönen Fundament. TOMASETTI ist in den Stein eingraviert, links davon ein Herz, rechts betende Hände. Darunter stehen drei Namen. *Nancy-Jean, liebevolle Frau und Mutter, Donna-Marie und Kelly-Ann, geliebte Töchter. John.*

»Eigentlich sollte ich wissen, wie oft du hierherkommst«, sage ich. »Aber ich weiß es nicht.«

Er zuckt mit den Schultern. »Früher war ich ungefähr einmal im Monat hier.« Er zeigt auf eine nahe Bank. »Ganz am Anfang habe ich ein- oder zweimal die Nacht auf der Bank dort verbracht. Inzwischen ist es wahrscheinlich sechs Monate her, dass ich das letzte Mal hier war.«

Die Wunde heilt, denke ich.

Ich nicke, schaue auf den Stein, bin unsicher, was ich sagen soll, und spüre, dass diese Zeit ihm gehört. *Ihnen.* Und ich bin einfach nur … da.

»Kelly wäre jetzt sechzehn, Donna siebzehn.« Er schüttelt den Kopf. »Schwer zu glauben, dass es sieben Jahre her ist. Manchmal kommt es mir vor wie hundert Jahre, und an manchen Tagen … als wäre es gestern passiert und ich bekäme wieder den Anruf.«

Zwei Jahre vor unserer ersten Begegnung waren Tomasettis Frau und Kinder im eigenen Haus von einem Einbrecher brutal ermordet worden. Kurz darauf verließ er die Cleveland Division of Police und fing beim BCI an. Kennengelernt haben wir uns während eines schlimmen Falls in Painters Mill, bei dessen Ermittlungen er beauftragt war, mich zu unterstützen. Obwohl seit dem Verlust seiner Frau und Kinder zwei Jahre vergangen waren, hatte er noch immer mit Problemen zu kämpfen, sowohl persönlichen wie beruflichen – und er war weit davon entfernt, mit dem Leben klarzukommen. Er trank zu viel, mixte verschreibungspflichtige Medikamente mit Alkohol und befand sich auf der Überholspur in Richtung Selbstzerstörung oder Tod – was immer zuerst kommen würde. Und obwohl auch ich angeschlagen war, hatten wir es inmitten dieser Turbulenzen geschafft, eine Beziehung anzufangen.

»Du hast in den letzten Jahren einen weiten Weg zurückgelegt«, sage ich.

»Ich hatte Hilfe.« Er grinst mich an, drückt meine Hand.

Mit Blick auf den Stein, wird er wieder ernst. »Sie waren gute Kinder. Noch … kleine Mädchen. Sie haben Rosa getragen, sind gern geschwommen und haben Schule gespielt. Nancy war ein guter Mensch, eine gute Mutter. Sie war mir eine gute Ehefrau, und ich habe sie geliebt.« Er blickt mich an, und zum ersten Mal seit langem sehe ich seine tiefe Trauer.

»Einmal habe ich sie betrogen«, sagt er nach einer Weile. »Das habe ich dir nie erzählt. Ich … habe mich geschämt. Aber ich habe mit einer Polizistin geschlafen, mit der ich zusammengearbeitet habe, und es hat mich fast meine Ehe gekostet.«

Ich blicke auf den Stein, den eingravierten Namen der Frau, die er geliebt hat. »Hoffentlich musstest du für einige Zeit in der Hundehütte übernachten.«

»O ja.« Er lacht beschämt. »Es hat eine Weile gedauert, aber wir haben wieder zusammengefunden.«

»In meinen Augen bist du einer der loyalsten Menschen, die ich kenne.«

»Nicht immer«, gibt er zu. »Zum Glück lerne ich aus meinen Fehlern.«

Ein unbehagliches Schweigen tritt ein. Ich habe das Gefühl, er kämpft mit sich, um mir noch etwas zu sagen, und ich lasse ihm Zeit dafür.

»Ich habe viel gearbeitet«, sagt er. »Ich habe zu viel getrunken und nicht genug Zeit mit meinen Kindern verbracht. Ich habe sie nicht annähernd so geschätzt, wie sie es verdient hätten.«

»Wir leben unser Leben nicht mit dem Gedanken, dass unsere Liebsten von uns genommen werden«, sage ich.

Er nimmt meine Hand, führt sie zu seinem Mund und drückt einen Kuss auf meine Knöchel. »Ich war kein sehr guter Ehemann. Ich war kein so guter Vater, wie ich es hätte sein sollen.«

»Sagst du.«

»Ich will dich nur warnen.« Er hebt gutmütig die Augenbrauen. »Damit du weißt, worauf du dich einlässt.«

»Ich weiß genau, worauf ich mich einlasse«, sage ich. »Und ich weiß alles über dich, was ich wissen muss.«

Er will etwas sagen, aber ich lege ihm den Finger auf die Lippen. »Trotz all deiner Fehler liebe ich dich.«

Er blinzelt, schaut weg, den Kiefer angespannt, stoisch.

»Ich bin froh, hergekommen zu sein«, sage ich. »Sie kennenzulernen.«

»Und ich bin froh, dass du mitgekommen bist.«

Ich sehe hinunter auf das Grab. »Was hältst du davon, wenn wir in einem Blumenladen Blumen kaufen und aufs Grab stellen, bevor wir zurückfahren?«

Er lächelt nicht, aber seine Augen schauen mich liebevoll an. »Das ist eine schöne Idee.«

Hand in Hand gehen wir zurück zum Tahoe.

* * *

Den Rest des Nachmittags verbringe ich in meinem Büro, lese jedes Stück Papier, jede digitalisierte Akte und jede Info, die ich über die Morde an Paige Rossberger und Aden Karn zusammengetragen habe. Ich studiere die Autopsieberichte und -fotos und nehme jedes Detail unter die Lupe, jedes Wort, suche nach etwas – irgendetwas –, das ich übersehen habe, suche nach etwas, das es einfach nicht gibt. Jede einzelne Befragung lese ich erneut, betrachte zum x-ten Mal die Fotos der Opfer und Tatorte sowie alles, was bislang aus dem Labor zurückgekommen ist.

Da sich alles als komplett fruchtlos erweist, gehe ich zu der Karte, die ich an die Wand gepinnt habe. Mit einem Rotstift umkreise ich die Tatorte, alle anderen relevanten Orte markiere ich blau: Lester und Angela Karns Geschäft, die Byler-Farm, June Rossbergers Haus in Massillon, Aden Karns Haus, den Treffpunkt an der Lutherkirche, die Tankstelle, in der Vernon Fisher wohnt, und selbst das Brass Rail. Ich verbinde die einzelnen Punkte, versuche, die Strecken und ungefähren Zeiten, die es braucht, um sie per Auto, Pferd oder Buggy zurückzulegen, zu errechnen.

Auch das führt zu nichts.

Zurück am Schreibtisch, sehe ich mir noch einmal die Videos an, die ich am Tatort in der Hansbarger Road und an der Brücke, wo Rossbergers Leiche entdeckt wurde, gemacht habe. Und die ganze Zeit über kämpfe ich gegen meine immer größer werdende Frustration an.

Da ist nichts, Kate.

Um sechzehn Uhr klopft es an meine Tür und lenkt mich von meiner fast manischen Fokussierung auf die Ermittlungen ab. Margaret, meine neue Mitarbeiterin in der Telefonzentrale, steht mit dem Headset auf dem Kopf vor meinem Büro. »Sie sehen aus, als könnten Sie eine gute Nachricht gebrauchen«, sagt sie etwas zu fröhlich.

Sie ist über zwanzig Jahre älter als ich, da ich aber dazu erzogen wurde, älteren Menschen gegenüber auch unabhängig von meiner Position als Chief höflich zu sein, schlucke ich die unwirsche Reaktion herunter, die mir auf der Zunge liegt. »Das scheint mir die Untertreibung des Jahres zu sein.«

»Der Anruf kam gerade auf unserer Hotline rein, Chief. Ich denke, das wollen Sie hören.«

Bis jetzt sind gerade mal zwölf Anrufe auf unserer sogenannten Hinweis-Hotline eingegangen: Vier von Witzbolden, einer hatte sich verwählt, ein weiterer hat das UFO, das bei dem alten Drive-in-Theater gesichtet wurde, für die Morde verantwortlich gemacht. Die restlichen Hinweise waren zwar brauchbar, und wir sind ihnen nachgegangen, aber wirklich rausgekommen ist dabei nichts. Da wir kein Budget für eine offizielle Hotline mit spezieller Nummer haben, verwenden wir die Reviernummer mit einer Durchwahl, die die Anrufer automatisch auf einen Anrufbeantworter weiterleitet. Das Gerät weist ihnen eine individuelle Identifikationsnummer zu, um ihre Anonymität zu gewährleisten. Danach werden sie aufgefordert, eine Nachricht zu hinterlassen, und angehalten, wieder anzurufen, wenn sie noch weitere Informationen haben. Später können sie sich unter Nennung der Identifikationsnummer erkundigen, ob sie etwas von der ausgeschriebenen Belohnung bekommen.

»Ich bin ganz Ohr.« Ich lehne mich auf dem Stuhl zurück, aber mein Versuch, enthusiastisch zu wirken, scheitert kläglich.

Sie drückt auf meinem Telefon die Lautsprechertaste, wählt die Nummer, tippt einen vierstelligen Code ein und lässt sich auf den Besucherstuhl sinken.

Der Lautsprecher knistert und rauscht, dann ertönt eine Stimme.

»Ich, äh …« Der männliche Anrufer räuspert sich. »Ich rufe wegen der Aden-Karn-Sache an. Also ich will nicht involviert werden, aber Sie sollten den jungen amischen Typ mit der Tankstelle mal überprüfen. Er heißt, glaube ich, Fisher. Ich will nicht sagen, dass er's war, aber vor zwei Wochen hab ich ihn mit einer Armbrust auf der Hansbarger gesehen. Es kam mir fast so vor, als würde er damit Schießübungen machen oder so. Na ja … mehr hab ich nicht zu sagen.«

Ein langgezogenes Zischen folgt, dann ein Klicken. Der Anrufer hat aufgelegt.

Ich setze mich aufrecht hin, sehe Margaret an. Sie erwidert meinen Blick mit einem selbstgefälligen Grinsen.

»Spielen Sie es noch mal ab«, sage ich.

Diesmal achte ich auf Besonderheiten in der Stimme des Anrufers. Es gibt zwar ein Rauschen in der Leitung und ein leichtes Echo, ein paar Dinge fallen mir trotzdem auf. »Er versucht, seine Stimme zu verstellen«, murmele ich.

Mir gegenüber nickt Margaret. »Klingt so.«

»Noch einmal abspielen.«

Sie drückt auf die Taste.

Diesmal bemerke ich den amisch-englischen Akzent. Es ist nur ein leichter Akzent, aber ich erkenne den ansteigenden Tonfall, der die Vokale weicher macht. »Er ist amisch«, sage ich, »und versucht, es zu verbergen.« Nicht gerade eine weltbewegende Enthüllung, zumal das Opfer amisch war. Vernon Fisher ist amisch, ein Drittel der Einwohner von Painters Mill ist amisch. Dennoch ist es nicht unwichtig.

Ich blicke Margaret an. »Noch mal.«

Diesmal konzentriere ich mich auf die Worte selbst. Was er sagt, an welchen Stellen er zögert oder eventuell lügt. Aber mir fällt nichts dergleichen auf.

»Gibt es irgendeine Möglichkeit, die Nummer des Anrufers herauszufinden?«, frage ich.

»Na ja, wir haben das so eingerichtet, dass sie anonym bleibt. Aber mal sehen, was sich machen lässt.«

»Schicken Sie eine Kopie der Aufnahme auf mein Handy«, sage ich. »Und eine an Tomasetti und Rasmussen. Transkribieren Sie sie, falls wir sie mal schriftlich brauchen.«

»Wird gemacht, Chief.« Sie steht auf.

Ich lasse mir noch einmal den Inhalt des Anrufs durch den Kopf gehen. Der Anrufer behauptet, zwei Wochen, bevor Aden Karn umgebracht worden ist, Vernon Fisher mit einer Armbrust am Tatort gesehen zu haben. Als ich Fisher fragte, ob er eine Armbrust besitzt oder Zugriff auf eine hat, verneinte er das. Ein anonymer Hinweis ist zwar weit entfernt von einem Volltreffer, könnte für einen Durchsuchungsbeschluss aber reichen.

»Rufen Sie Richter Siebenthaler an«, sage ich. »Lassen Sie ihn wissen, dass ich mit einer eidesstattlichen Erklärung für einen Durchsuchungsbeschluss auf dem Weg zu ihm bin.«

Sie ist schon unterwegs Richtung Tür. »Erledige ich sofort, Chief.«

»Margaret?«, sage ich.

Sie bleibt stehen, dreht sich um und sieht mich mit hochgezogenen Augenbrauen an, erwartet noch mehr Aufträge.

Stattdessen lächele ich. »Gute Arbeit.«

Ihre Mundwinkel gehen nach oben. »Danke«, sagt sie und macht sich auf den Weg.

24. KAPITEL

Ich weiß, dass ein anonymer Hinweis kein Anlass zu großer Hoffnung ist, denn meistens führt er zu nichts. Dass ich trotzdem geradezu enthusiastisch bin, beweist das Ausmaß meiner Verzweiflung. Und natürlich meine Abneigung gegenüber Vernon Fisher. Auch Richter Siebenthaler ist kein Freund von anonymen Hinweisen. Nachdem er meine eidesstattliche Erklärung gelesen hatte, reagierte er zunächst ablehnend, willigte am Ende aber ein. Allerdings machte er Beschränkungen, wo und wonach ich suchen dürfte. Eine Aufgabe, die eigentlich nur eine Stunde hätte in Anspruch nehmen sollen, hat mich dadurch zwei Stunden gekostet.

Inzwischen ist es fast neunzehn Uhr, und ich bin im Explorer auf dem Weg zu Vernon Fishers Tankstelle. Officer T. J. Banks sitzt neben mir. Obwohl er die ganze Nacht und auch fast den ganzen Tag über gearbeitet hat, wirkt er frisch und hellwach. »Wir dürfen also das Hauptgebäude, die angrenzende Werkstatt und ein Nebengebäude durchsuchen?«, fragt er, den Beschluss überfliegend.

Ich denke an mein Gespräch mit dem Richter und nicke. »Und wir dürfen nur Dinge konfiszieren, die direkt mit einer Armbrust, mit Armbrust-Zubehör oder mit Accessoires für die Jagd zu tun haben.«

»Wenn wir also ein blutiges Messer finden ... «

»Das könnten wir wahrscheinlich beschlagnahmen und argumentieren, dass es in den Bereich ›Jagd‹ fällt.«

»Eine Schlinge ... «

Ich werfe ihm einen schrägen Blick zu und biege in Richtung Tankstelle ab.

Er grinst, dann wird er ernst. »Glauben Sie, Fisher macht Ärger?«

Einen Durchsuchungsbeschluss zuzustellen gehört zu den gefährlichsten Aufgaben der Polizei. Niemand hat es gern, wenn Polizisten in die Privatsphäre eindringen oder persönliche Sachen durchwühlen. Wenn dann noch eine Flasche Tequila und ein halbes Dutzend alkoholisierter Rowdys ins Spiel kommen, ist das genau die Situation, die eskalieren kann.

»Glock und Tomasetti kommen auch«, sage ich. »Um sicherzustellen, dass sich auch alle benehmen.«

Ich biege in die Zufahrt zur Tankstelle, wo mein Blick auf vier Fahrzeuge fällt, die mit der Schnauze zur Gebäudewand stehen. Die Stammgäste sind also schon da. In sicherer Entfernung parkt bereits Glocks Streifenwagen neben Tomasettis Tahoe. Tomasetti lehnt mit dem Rücken an der Tür seines Wagens, telefoniert und blickt in meine Richtung. Ich halte hinter ihnen und mache den Motor aus. Da das Rolltor der Werkstatt oben und mein Fenster ein Stück offen ist, höre ich das Dröhnen der Hardrockmusik, das aus der Garage kommt.

»Seien Sie vorsichtig«, sage ich zu T. J. und öffne die Tür.

»Verstanden.«

Glock steigt aus seinem Wagen, die Einmalhandschuhe bereits an, und blickt um sich.

Tomasetti schiebt das Handy in seine Tasche und kommt zu mir. »Sieht aus, als wäre die ganze Gang hier«, sagt er.

»Wir haben Glück«, bemerkt Glock und schließt sich uns an.

Da Tomasetti und Glock keine Zeit haben, den Durchsuchungsbeschluss durchzulesen, erkläre ich ihnen auf dem Weg zum Gebäude die Details. »Wir müssen die Durchsuchung auf

Armbrüste und alles, was mit Jagd zu tun hat, beschränken. Wir haben Zutritt zum Hauptgebäude, einschließlich Büro, Hinterzimmer, Toilette und Werkstatt. Und zu dem Nebengebäude dort.« Ich zeige nach rechts, sehe Glock an. »Ich glaube, es wäre am besten, wenn wir alle aus dem Hauptgebäude schaffen, bevor wir mit der Durchsuchung anfangen. Den Besuchern steht es frei zu gehen, wenn sie wollen, aber Fisher muss dableiben. Wenn er lieber dabei sein will, während wir den Durchsuchungsbeschluss umsetzen, kann er das tun.«

»In Ordnung, Chief.«

In dem Moment kommt einer der jungen Männer, die ich zuvor schon hier gesehen habe, unter dem Rolltor hervor und kneift bei unserem Anblick die Augen zusammen, als wären wir Marsianer und gerade mit dem Raumschiff gelandet. In einer Hand hält er eine Zigarette, in der anderen ein Bier.

»Hat jemand die Cops eingeladen?«, ruft er über die Schulter zurück in die Werkstatt.

Ich nicke ihm im Vorbeigehen zu und betrete das Gebäude, wo mein Blick sofort auf Vernon Fisher fällt, der ebenfalls eine Flasche Bier in der Hand hält. Er sieht mich an und kommt auf mich zu. »Dreimal in einer Woche«, sagt er. »Irgendwas muss ich richtig machen.«

Als er vor mir stehen bleibt, halte ich ihm den Durchsuchungsbeschluss hin. »Meine Officer und ich haben die Erlaubnis, Ihre Räumlichkeiten zu durchsuchen. Ich schlage vor, Sie lesen sich das sorgfältig durch.«

Er nimmt den Durchsuchungsbeschluss, als wäre er mit einem tödlichen Gift infiziert. »Darf ich mal fragen, Chief Burkholder, was zum Teufel Sie hier suchen?«

»Steht alles dadrin.« Ich tippe mit dem Zeigefinger auf das Dokument. »Sie können mit uns hierbleiben, wenn Sie wollen, alle anderen müssen das Gebäude verlassen.«

»Falls es Ihnen entgangen ist, wir sind gerade beschäftigt.«
Er klingt leicht amüsiert, aber die Irritation und Verachtung in
seinen Augen sind nicht zu übersehen.

»Gleich wirst du gefilzt, Kumpel!«, ruft einer der Männer.

»Holt den Tequila raus!«

»Leibesvisitation!«, ertönt eine andere Stimme, woraufhin
wildes Gelächter ausbricht.

Fishers Blick huscht hin und her, während er den Durchsuchungsbeschluss studiert, als hielte er sich für schlau genug,
einen Fehler darin zu finden, mit dem er uns wieder wegschi-
cken kann. »Das ist ein Haufen Scheiße.« Er sieht von mir zu
Glock und wieder zu mir, runzelt die Stirn. »Wir sind hier und
kümmern uns um unseren eigenen Kram, und ihr Vollpfos-
ten wollt meine ganzen Sachen durchsuchen? Das ist nicht in
Ordnung.«

»Lesen Sie den Durchsuchungsbeschluss.« Ich sehe T. J. an
und weise mit dem Kopf zum Büro. »Sie fangen am besten dadrin an.«

»Hände weg von Leandra!«, ruft ein Mann und zeigt mit der
Flasche Tequila in der Hand auf die Sexpuppe.

Ich suche Blickkontakt mit Fisher. »Sagen Sie Ihren Freunden, sie sollen gehen, oder wir eskortieren sie hinaus.«

Einen Fluch zischend, schüttelt Fisher den Kopf. »Sie will,
dass ihr rausgeht.«

Soviel ich sehe, sind vier weitere Männer im Raum. Zwei
machen sich jetzt auf zum Tor, einer steht neben dem Eingang
zum Büro und der vierte unter dem Auto auf der Hebebühne.

Ich blicke zu den beiden Männern, die keine Anstalten machen zu gehen. »Das schließt Sie mit ein. Entweder Sie gehen,
oder ich verhafte Sie«, sage ich. »Haben Sie mich verstanden?«

Der eine bedenkt mich mit einer höhnischen Bemerkung,
die ich ignoriere, dann schlurfen beide mit ihrer Bierflasche in

der Hand langsam nach draußen. Als sie durchs Tor sind, geht Glock hinterher, postiert sich aber auf halbem Weg zwischen dem Gebäude und unseren Fahrzeugen, wo er alle im Auge behalten kann.

Fisher bleibt in der Werkstatt nahe dem Tor, hat die Arme verschränkt und starrt mich finster an. Tomasetti steht im Tor und starrt wiederum ihn an.

Ich lasse den Blick durch den Innenraum wandern. Ein an der Wand befestigter Industrieventilator bläst nach Öl riechende Luft durch den Raum. An der Wand gegenüber dem Rolltor befindet sich eine große Werkbank, an einem Holzbrett darüber hängen Werkzeuge aller Art und Größe. An der Wand links von mir stehen zwei fahrbare Werkzeugkästen, und auf dem Boden windet sich zischend die Schlauchrolle eines stattlichen Luftkompressors.

Tomasetti fängt Fishers Blick auf und zeigt zu dem Wagen auf der Hebebühne. »Ist irgendwas in dem Auto, was wir wissen müssten?«

»Mit Ihnen rede ich schon mal gar nicht«, zischt Fisher.

Tomasetti lächelt. »Wenn das so ist, fahren Sie den Wagen runter«, sagt er. »Jetzt.«

Fisher faucht eine Obszönität, geht zu dem kleinen Schaltkasten an der Wand und legt einen Schalter um. Ein Mechanismus klickt, und die Hebebühne beginnt sich zu senken.

Ich streife meine Einmalhandschuhe über und beginne mit dem Stahlregal neben dem Rolltor, um mich von dort aus systematisch durch den ganzen Raum zu arbeiten. Ich gehe die Regalböden von oben nach unten durch, schiebe Liter-Dosen Öl zur Seite, hebe verschiedene Sorten Filter, Kühlflüssigkeit, Getriebeöl und Scheibenwischwasser an. Ich checke alles hinter und unter den Regalen und stelle es an seinen Platz zurück, bevor ich zum nächsten Abschnitt übergehe. Es ist eine mühsame, schmutzige Arbeit. Hin und wieder sehe ich zu T. J. herüber, der das Büro durchsucht und sich gerade den Schreibtisch vorgenommen hat. Tomasetti checkt das Auto, das auf der Hebebühne stand, kontrolliert Handschuhfach, Mittelkonsole und die Bereiche unter und hinter den Sitzen.

Fisher öffnet eine Bierdose, raucht eine Zigarette nach der anderen und läuft unter dem Rolltor auf und ab. Er ist genervt, weiß aber, dass er nichts dagegen tun kann.

Als ich mit den Regalen durch bin, gehe ich zu dem vermutlich neuen, knallroten und teuer aussehenden fahrbaren Werkzeugkasten. Ich ziehe die oberen, flachen Schubladen heraus, blicke auf Schraubenschlüssel, Hämmer, Schlauchverbindungen für den Luftkompressor und Zangen. In den unteren, tieferen Schubladen sind eine Schleifmaschine und ein Bohrer, ein Kästchen mit Bohrern in verschiedenen Größen und Schleifscheiben. Mit der Hand fahre ich unter jeder Schublade und an jeder Seite entlang und will mir als Nächstes den zweiten, älteren Werkzeugkasten vornehmen, als mir einfällt, dass ich die Rückseite noch checken muss. Während ich fast geistesabwesend über die glatte Fläche fahre und dabei über die Schulter zurück zu Tomasetti und Fisher blicke, die sich gerade einen Schlagabtausch liefern, stoße ich mit den Fingern gegen etwas Hartes.

Der Werkzeugkasten ist extrem schwer, aber er hat Rollen, und ich schiebe ihn an einer Seite herum, um die Rückseite ansehen zu können. Ich traue meinen Augen kaum, als ich die Jagdspitzen von zwei Armbrustbolzen entdecke, die mit silbernem Klebeband an der Rückseite des Werkzeugkastens befestigt sind.

Ich starre sie an, kann es kaum glauben. Zu sagen, ich hätte nicht erwartet, etwas derart Belastendes zu finden, wäre eine Untertreibung.

Ich richte mich kerzengerade auf, stehe einen Moment nur da und versuche, mir über die Tragweite meines Funds klarzuwerden. Ich sehe zu Tomasetti, dem meine Veränderung nicht entgangen ist. Selbst Fisher hat aufgehört, auf und ab zu laufen.

Ich neige den Kopf zur Seite, kontaktiere T. J. übers Ansteckmikro. »Zehn-achtundsiebzig.« Brauche Unterstützung. Durch das Glasfenster sehe ich, dass er seine Arbeit unterbricht und in meine Richtung schaut. Ich nicke, und er geht zur Tür.

Ich drehe mich um, will Tomasetti rufen und sehe, dass er bereits auf mich zukommt. Sein Blick huscht von mir zum Werkzeugkasten.

»Was ist?«, fragt Fisher. »Haben Sie 'nen Schraubenschlüssel gefunden?«

Tomasetti geht zum Werkzeugkasten, beugt sich drüber und sieht dahinter. Er ist nicht leicht zu überraschen, aber als er ihn jetzt auf den Rollen von der Wand wegschiebt, staunt er nicht schlecht. Er zieht seine kleine Taschenlampe heraus, da das Licht hier nicht besonders gut ist, und richtet den Lichtstrahl auf die Rückseite des Werzeugkastens.

»Sieh mal einer an«, sagt Tomasetti.

Wortlos hole ich mein Handy aus der Tasche und mache ein halbes Dutzend Fotos von den Bolzen aus verschiedenen Winkeln und Entfernungen. Am Rande bekomme ich mit, dass Tomasetti Nylonhandschuhe aus der Tasche zieht und über seine Finger streift. Inzwischen ist Fisher zu uns getreten und wirft einen Blick auf die Rückseite des Werkzeugkastens. Und seine Augenbrauen schnellen zusammen.

»Sie wollen mich wohl verarschen«, sagt er.

Die Bierflasche in seiner Hand knallt auf den Betonboden, er wirbelt herum und sprintet los.

25. KAPITEL

Fisher stürmt aus der Werkstatt und rennt nach links in Richtung Wald. Glock ist zehn Meter weit weg und sprintet hinter ihm her, aber als einer der anderen Männer zu einem Auto läuft, ändert er die Richtung und schnappt sich stattdessen diesen Mann, der näher an ihm dran ist. Sekunden später bin ich an ihnen vorbei und spurte über den Parkplatz. Fisher ist fünfzehn Meter vor mir, läuft wie eine Gazelle, seine Füße berühren kaum den Boden. Der Schotter knirscht unter meinen Stiefeln, ich höre mein Keuchen, spüre die Anspannung meiner Muskeln. Aus dem Augenwinkel sehe ich Tomasetti hinter mir. Ich weiß nicht, wo T. J. ist, aber in diesem Moment ist mein einziger Gedanken, Fisher aufzuhalten.

Ich bin in der Mitte des Grundstücks, als Fisher im Wald verschwindet. Es gibt keinen Pfad, nur massenhaft Bäume, Gestrüpp und hohes Gras, das er wie ein Panzer durchpflügt.

Mist. Ich drücke auf mein Ansteckmikro. »Zehn-achtzig«, keuche ich meinen Standort. »Zehn-achtundsiebzig«, nehme Verfolgung auf, brauche Unterstützung.

»Stehen bleiben!«, schreie ich Fisher hinterher, da ich keine Chance habe, ihn einzuholen. Er ist jünger als ich und schneller. »Polizei! Stehen bleiben!«

Ich stürme den Wald, Äste schlagen mir ins Gesicht und zerren an meinen Haaren, Unterholz reißt an meiner Kleidung. Ich kämpfe mich durch, schütze die Augen mit den Händen, laufe zwischen zwei dicken Bäumen durch und sehe Fisher zwanzig Meter vor mir, setze zu einem Sprint an.

Ich rufe ihn beim Namen. »Stehen bleiben!«

Auf einmal geht es steil bergauf, um mich werden die Bäume immer dichter, ich kämpfe mich die Steigung hinauf, höre hinter mir Tomasetti. Gleichzeitig höre ich das Knistern meines Ansteckmikros, als Deputys antworten. Ich springe über einen umgefallenen Baumstamm, schlage mich durch Himbeersträucher und Gebüsch, erhasche einen Blick auf Fisher und ändere meinen Kurs. Rennen ist für mich kein Problem, aber die Steigung ist so enorm, dass ich an manchen Stellen die Hände zu Hilfe nehmen muss. Das ganze Gebiet hier ist zerklüftet, voller großer Steine und Windbruch, so dass ich nach wenigen Minuten außer Atem bin und meine Oberschenkel höllisch brennen.

Ein abgestorbener Ast schlägt mir entgegen, bleibt an meiner Bluse hängen und zerreißt sie. Fisher habe ich aus den Augen verloren, laufe aber trotzdem weiter und erreiche die Kuppe des Hügels, wo der Wald weniger dicht ist. Ich blicke mich um, brauche eine Pause, um zu Atem zu kommen. Plötzlich nehme ich vorne links eine Bewegung wahr und laufe wieder los, nicht mehr ganz so schnell, mir geht die Puste aus, und ich muss meine Kräfte einteilen. Jemand ist hinter mir, doch ich habe keine Zeit, mich umzudrehen, zudem geht es steil bergab, und ich laviere mich zwischen Felsen so groß wie Lastwagenreifen hindurch. Wenn ich mich recht erinnere, ist weiter unten ein Bach, aber mein Orientierungssinn funktioniert momentan nicht sehr gut.

Der Boden vor mir fällt steil ab, ich setze die Füße seitlich auf, um nicht zu rutschen, aber ich bin nicht geschickt genug. Mein linker Fuß findet zwar Halt an einem Stein, aber der rutscht weg und ich falle, knalle mit der linken Hüfte auf den Boden, greife nach einem Ast, bekomme ihn aber nicht zu fassen und rolle, einmal, zweimal, verpasse weitere Möglichkeiten, mich festzuhalten. Mist. *Mist.* Kurz bevor ich mich ein drittes Mal um die eigene Achse drehe, bleibe ich mit dem Rücken an einen Baumstamm hängen, rappele mich auf die Knie, sehe mich um und bin schon fast wieder auf den Füßen, als sich unweit von mir etwas bewegt. Zuerst denke ich, Tomasetti hätte mich eingeholt, drehe mich um – und blicke in Fishers Gesicht. Basecap, blaues Hemd. Der Ast kommt aus dem Nichts. Ich höre ein Zischen, als der Ast meine linke Wange streift, die sofort höllisch schmerzt, taumele zurück, schlage mit der Schulter an einen Baumstamm, rutsche im Schlamm aus und lande auf einem Knie. Zuerst will ich die .38er aus dem Holster ziehen, besinne mich aber eines Besseren und lege die Hand an den Schlagstock. Irgendetwas habe ich im Auge, etwas Dunkles, Trübes, das meine Sicht behindert.

Kaum einen Meter entfernt steht Fisher und keucht, das Gesicht rot und schweißüberströmt. »Ich hab nichts gemacht!«, schreit er.

Ich rappele mich auf die Füße, ziehe gleichzeitig den Schlagstock aus dem Gürtel. »Keine Bewegung!«, fauche ich ihn an.

Fluchend schwingt er den Ast erneut, ich drehe mich weg, doch er trifft mich voll an der Schulter. Schmerz durchzuckt meinen Arm, aber ich bin viel zu wütend, um mich darum zu scheren, und stürze mich mit erhobenem Schlagstock auf ihn, lande einen Treffer. Fisher jault auf.

»Ast fallen lassen!«, schreie ich. »Runter auf den Boden! Gesicht nach unten!«

In dem Moment stürmt Tomasetti an mir vorbei und hechtet sich auf ihn, rammt ihm die Schulter in die Brust. Fisher schnappt laut nach Luft, rudert mit den Armen und landet auf dem Rücken.

»Auf den Bauch, Gesicht nach unten und Arme auf den Rücken!«, schreit Tomasetti ihn an.

Fisher dreht sich, doch er hat noch immer den Ast in der Hand und schlägt nach Tomasetti, der das Holz zu fassen kriegt, es ihm aus der Hand reißt und außer Reichweite wirft. Er packt Fishers Arm und dreht ihn um. »Auf den Bauch!«, brüllt er wieder.

Fisher jault auf und bleibt still liegen. »Okay!«, stößt er aus, streckt die freie Hand aus. »Ich geb auf.«

Es ist noch immer etwas in meinem linken Auge, ich blinzele und wische mit der Hand drüber, bemerke das Blut am Handschuh, als ich die Handschellen aus dem Ausrüstungsgürtel ziehe.

Ich gehe neben Tomasetti in die Hocke, packe Fishers Handgelenk und lasse die Handschellen aufschnappen. »Ich hab ihn.«

»Bist du in Ordnung, Chief?«

»Ja.«

Ich weiß nicht, wie schlimm die Verletzung in meinem Gesicht ist, aber sie schmerzt, und ich spüre Blut von meiner Schläfe tropfen. Fisher wehrt sich, als die Handschellen einrasten, aber mehr symbolisch und mit einem Rest Adrenalin im Blut als mit echtem Widerstand.

Als die Handschellen angelegt sind, komme ich aus der Hocke hoch. Wir hieven Fisher auf die Füße, dann stehen wir drei einfach nur einen Moment schnaufend und keuchend da.

»Warum zum Teufel sind Sie weggerannt?«, fragt Tomasetti.

»Ihr Arschlöcher habt mir den Scheiß untergeschoben.« Fisher schüttelt den Kopf und blickt zu Boden. »Diese Schlampe hier hat mir gedroht. Hat gesagt, sie würde mich drankriegen.«

Ich spüre Tomasettis Blick auf mir, aber ich sehe ihn nicht an. Kurz darauf beginnt er, Fisher abzutasten, stülpt die Hosentaschen um. »Haben Sie Waffen bei sich?«, fragt er.

»Ich hab nichts«, murmelt Fisher.

Stirnrunzelnd tastet Tomasetti ihn weiter von oben bis unten ab. »Er ist sauber«, sagt er schließlich.

In dem Moment prescht T. J. zwischen den Bäumen hervor, wird bei unserem Anblick jedoch langsamer und atmet sichtlich erleichtert auf. »Sind Sie okay?«

»Alles gut.«

Er schnauft zwar auch, aber nicht so sehr wie wir, und ich fühle mich ein bisschen … alt. »Das hab ich dreißig Meter von hier gefunden«, sagt er und öffnet die behandschuhte Hand.

Ich gehe zu ihm hin und blicke auf ein zusammengeknülltes Stück Zellophan. Bei genauerem Hinsehen erkenne ich weißes Pulver und Steinchen darin.

Ich sehe Fisher an. »Was ist das?«

Er verzieht das Gesicht. »Gehört mir nicht.«

»In Anbetracht der Bolzen, die wir in Ihrer Werkstatt gefunden haben« – ich blicke demonstrativ auf das Zellophan –, »ist Ihnen sicher klar, dass das hier noch Ihr geringstes Problem ist.«

»Wobei … mit einem Ast auf die Polizeichefin einzuschlagen ist auch nicht ohne«, wirft Tomasetti ein.

Fisher sieht mich an. Sein Gesicht ist immer noch rot und verschwitzt, seine Haare kleben an der Stirn. »Die Bolzen gehören mir nicht. Ich hab keine Ahnung, woher sie kommen und wer sie da hingemacht hat. Aber ich war das nicht.«

»Sie können sich also nicht erklären, wie die Bolzen in *Ihre* Werkstatt an die Rückseite *Ihres* Werkzeugkastens gekommen sind?«, frage ich.

»Nein. Irgendwer muss sie da versteckt haben.«

»Und wer zum Beispiel?«

»Sie zum Beispiel«, stößt er wütend hervor. »Vermutlich haben Sie einen Weg gefunden, Ihre Drohung wahr zu machen.«

»Sie sind verhaftet«, sage ich.

»Weswegen?«, schreit er. »Ich hab doch gesagt, die Bolzen gehören mir nicht.«

»Behaupten Sie.« Ich nicke T. J. zu, der einen »Käfig« auf dem Rücksitz seines Streifenwagens hat. »Nehmen Sie ihn mit?«

»Mit Vergnügen, Chief.« Er kommt zu mir, gibt mir den Beutel mit den Drogen, dann packt er Fisher am Oberarm. »Auf geht's, Kumpel. Passen Sie auf, wo Sie hintreten.«

Ich nehme einen Beweismittelbeutel aus meinem Ausrüstungsgürtel und stecke das Zellophantütchen hinein.

»Vermutlich Koks oder Meth«, sagt Tomasetti. »Ich hab einen Schnelltest im Tahoe.«

»Gut.«

Als die anderen außer Sichtweite sind, zieht er ein Taschentuch aus der Hosentasche und reicht es mir. »Er hat dich mit dem Ast ganz schön erwischt.«

Ich nehme das Taschentuch, drücke es auf die Wunde an der Schläfe, zucke leicht zusammen. »Sag bitte, dass es nicht genäht werden muss.«

»Wahrscheinlich reicht ein Klammerpflaster.« Er blickt hinter sich, um sicherzugehen, dass T. J. außer Sichtweite ist, und streicht mir mit der Hand über die Wange. »Ein Eisbeutel kann auch nicht schaden.«

Ich seufze. »Ich werde doch auf unserer Hochzeit kein blaues Auge haben, oder?«

»Möglich ist es schon.« Sein Mund verzieht sich zu einem Schmunzeln. »Aber blau steht dir.«

Es ist jetzt nicht gerade ein romantischer Moment, trotzdem stehen wir da und lächeln uns mehrere Herzschläge lang einfach nur an. Ich fühle die vertraute Anziehung zwischen uns, und trotz der schlimmen Ereignisse der letzten Woche überkommt mich ein großes Glücksgefühl. In diesem Moment bin ich nicht Kate Burkholder, die Polizeichefin, sondern Kate

Burkholder, die Frau, die bald die Liebe ihres Lebens heiraten wird.

Ich blicke auf die Tüte in meiner Hand, hole mich zurück ins Hier und Jetzt. »Was hältst du von Fisher?«, frage ich.

»Für mich ist er definitiv ein Verdächtiger. Die Bolzen sind vernichtende Beweise.« Er zuckt mit den Schultern. »Mehrere Leute haben gesagt, er stehe auf Emily Byer.«

»Verbrecher sind nicht gerade die hellsten Köpfe.«

»Wir werden mehr wissen, wenn wir ihn verhört haben.«

»Wäre gut, wenn wir die Sache zu Ende bringen könnten«, sage ich.

»Der Polizeichefin bleibt dann vielleicht gerade genug Zeit, um pünktlich zu ihrer Hochzeit zu kommen.« Er legt mir den Arm um die Taille, und wir gehen über den Hügel zurück zur Tankstelle.

* * *

Um zweiundzwanzig Uhr sitze ich schließlich auf einem der vier Plastikstühle des fensterlosen Vernehmungsraums im Holmes County Sheriff's Department und versuche, die Kopfschmerzen zu ignorieren, die meinen Schädel malträtieren. An dem verkratzten, am Boden festgeschraubten Tisch sitzt Tomasetti neben mir, er lehnt sich in seinem Stuhl zurück und scrollt durch die Nachrichten auf seinem Smartphone. Rasmussen hat sich breitbeinig in der Ecke platziert und liest in seinem ledergebundenen Notizbuch. Außer der surrenden Neonröhre hängt an der Decke auch eine Videokamera, die alles aufzeichnet.

»Die Spurensicherung hat beide Bolzen auf Blutspuren untersucht.« Ohne aufzusehen, liest Tomasetti die Nachricht auf seinem Telefon laut vor. »Auf beiden wurde Menschenblut gefunden, eine genauere Analyse steht aber noch aus.«

»War genug Material vorhanden, um DNA zu extrahieren?«, lautet logischerweise meine nächste Frage.

»Die Bolzen wurden ins Labor geschickt«, sagt er. »Das Ergebnis kommt in etwa einer Woche, je nachdem, wie viel sie dort zu tun haben. Ich mache so viel Druck wie möglich.«

»Stimmt garantiert mit dem Opfer überein«, prophezeit Rasmussen.

»Ich hab vorhin ein Foto der Jagdspitzen an Doc Coblentz geschickt«, sage ich. »Laut seiner ersten Einschätzung könnten die Wunden an Karns Leiche von den Bolzen stammen.« Ich denke kurz nach. »Ich bin keine Expertin, aber selbst bei einem oberflächlichen visuellen Vergleich stimmen die Form und Größe der Spitzen mit denen der Wunden überein.«

»Die Forensiker sollten in der Lage sein, das zu bestätigen«, fügt Tomasetti hinzu. »Vielleicht bekommen wir das Ergebnis schon morgen.«

Ich sehe ihn an. »Habt ihr die Durchsuchung von Fishers Räumen beendet?«

»Sind vor kurzem fertig geworden und haben einiges ans Labor geschickt.« Er wischt nach links. »Teppichmesser, Klebeband, Bettlaken vom Hinterzimmer.«

Ich denke an Paige Rossberger. »Plastikfolie?«

Er nickt. »Eine angebrochene Rolle war in der Vorratskammer. Möglich, dass sie identisch ist.«

»Vielleicht stimmen ja die Schnittkanten überein«, sage ich.

»Das sollten wir in den nächsten Tagen erfahren.«

Ein lautes Klopfen, dann geht die Tür auf, und ein Holmes County Sheriff's Deputy bringt Vernon Fisher in den Vernehmungsraum. Fishers Hände sind auf dem Rücken mit Handschellen gefesselt, er trägt einen knittrigen blauen Overall und Flip-Flops und lässt – in krassem Gegensatz zu seiner üblichen Großspurigkeit – den Kopf niedergeschlagen hängen.

Sein Grinsen ist einem verdrossenen Ausdruck gewichen, offensichtlich ist ihm der Ernst seiner Lage inzwischen bewusst geworden. Von meinem Platz aus kann ich den Gestank von Angstschweiß riechen.

Als er aufblickt, zeige ich auf den Stuhl mir gegenüber. »Wie ist Ihr Abend bis jetzt verlaufen, Vernon?«

Er wirft mir einen vernichtenden Blick zu. Ich versuche, ein Lächeln zu unterdrücken, bin aber nicht sicher, ob es mir gelingt.

Der Deputy zieht einen Schlüssel aus seinem Ausrüstungsgürtel, schließt eine Handschelle auf und führt Fisher zum Stuhl. Als er sitzt, befestigt der Deputy die andere Handschelle an einem Ring in der Tischmitte und verlässt den Raum.

Fisher mustert uns drei mit einer Mischung aus Wut und Verzweiflung.

»Wissen Sie, warum Sie hier sind?«, frage ich.

Er starrt mich an. »Ich weiß nur, dass Sie den Falschen haben und versuchen, mir was anzuhängen, was ich nicht getan habe.«

»Dann haben Sie jetzt die Gelegenheit, uns das zu beweisen.« Ich kläre ihn über seine Rechte auf, die Aussage zu verweigern und einen Anwalt hinzuzuziehen. »Haben Sie das verstanden?«

»Hab ich. Alles, was ich Ihnen zu sagen habe, ist: Ich hab die Bolzen noch nie in meinem Leben gesehen.«

Ich lasse mir Zeit, hoffe, dass er keinen Anwalt verlangt, weil das die Befragung sofort beenden würde, und blicke auf meine Notizen. »Vernon, Sie müssen mir erklären, wie die Bolzen hinten an Ihren Werkzeugkasten gekommen sind.«

»Ich habe absolut keine Ahnung.«

»Gehören die Bolzen Ihnen?«

»Nein. Ich benutze keine Jagdspitzen. Habe ich nie gemacht und habe es auch nicht vor.«

»Besitzen Sie eine Armbrust?«

Er zögert, blickt um sich, als suche er eine Tür oder ein Fenster, um zu entkommen. »Okay, also ich hab einen alten Kompositbogen.«

»Als ich Sie schon einmal gefragt habe, ob Sie eine Armbrust besitzen«, sage ich, »haben Sie das verneint.«

»Mir ist klar, dass das einen schlechten Eindruck macht, aber ich hab gedacht, Sie *müssten* das nicht wissen, weil das keine Bedeutung hat. Ich habe nichts Unrechtes getan. Ich war nicht mal in der Nähe des Ortes, an dem Karn umgebracht worden ist.« Er verzieht das Gesicht, blickt hinab auf den Tisch. »Ich weiß, dass Sie mir nicht glauben, aber ich schwöre bei Gott, dass die Bolzen nicht mir gehören.«

Ich höre nicht zum ersten Mal ein leidenschaftliches Dementi; um ehrlich zu sein, ist es auch nicht einmal das zehnte oder hundertste Mal. Alle Verbrecher, die wegen einer Straftat verhaftet werden, behaupten, sie nicht begangen zu haben. Das klingt zwar zynisch, ist aber so.

»Erzählen Sie mir von Ihrem Kompositbogen«, sage ich.

»Den hab ich vor Jahren das letzte Mal benutzt, als ich mit meinem Cousin auf Hirschjagd war. Und da hab ich nicht mal einen Hirsch erwischt.«

»Und wo ist der Kompositbogen jetzt?«, frage ich.

»Ich glaube, bei meinen Eltern und vermutlich eingestaubt. Meine *Mamm* wollte ihn nicht im Haus haben, da hat ihn mein *Datt* in die Scheune gebracht.«

Tomasetti stößt einen Seufzer aus. »Haben Sie Aden Karn ermordet?«, stellt er, der böse Bulle, die alles entscheidende Frage.

Fisher richtet sich im Stuhl auf und zappelt, wie von plötzlicher Unruhe überkommen, mit den Armen und Beinen. Die Handschelle klirrt am Ring in der Tischmitte. »Nein.«

»Wo waren Sie an dem Morgen, als er getötet wurde?«, frage ich.

»Das hab ich Ihnen schon gesagt. Ich war im Bett und hab geschlafen.«

»Mit Leandra«, murmelt Tomasetti.

Fisher wirft ihm einen bösen Blick zu. »Ich war zu Hause, verdammt nochmal.«

Ich stelle ihm ein Dutzend weitere Fragen, die ich alle schon einmal gestellt habe, bleibe auf harmlosem Terrain, damit er lockerer wird. Wie aus der Pistole geschossen, höre ich die gleichen Antworten, kein Zögern, unterstrichen durch einen empörten und entschiedenen Habitus.

»Sie und Karn haben wegen eines Pick-ups gestritten, den Sie ihm abgekauft hatten.«

»Ich war im Recht«, sagt er. »Nachdem Karn umgebracht worden war, kam Wayne und hat mir die sechshundert Dollar wiedergegeben. Fragen Sie ihn.«

»Haben Sie jemals gedroht, Karn umzubringen?«, frage ich.

Er schreckt so heftig zusammen, dass sein Arm an den Handschellen zerrt. »Das ist eine schwachsinnige Frage.«

»Korrigieren Sie mich«, sage ich.

»Das war doch nicht wörtlich gemeint, verdammt nochmal. Ich war sauer. Ich meine wegen des blöden Pick-ups. Er hat mich abgezockt. Das können Sie mir nicht anlasten.«

»Dann beantworten Sie die Frage«, sage ich. »Haben Sie gedroht, ihn umzubringen?«

»Ja, aber das hab ich doch nicht ernst gemeint.«

Ich notiere es auf meinem Block, blättere um. »Erzählen Sie mir von Ihrer Beziehung zu Emily Byler.«

Eine Emotion blitzt in seinen Augen auf, die ich nicht recht deuten kann. »Ich habe keine Beziehung zu ihr. Ich kenne sie ja kaum.«

»Ich habe etwas anderes gehört.«

»Dann haben sie was Falsches gehört.«

»Haben Sie jemals Sex mit ihr gehabt?«

Er rutscht auf dem Stuhl herum. »Nicht, dass ich mich er- innern könnte.« Er besitzt tatsächlich die Frechheit zu stot- tern.

»Heißt das, Sie haben möglicherweise Sex mit ihr gehabt und erinnern sich nicht daran? Meinen Sie das?«

»Ich sage nur … in der Tankstelle geht es manchmal ziem- lich verrückt zu, alle machen Party, und es wird eine Menge getrunken. Die Leute drehen durch, aber niemand wird ver- letzt.«

Was nicht stimmt. »Sie standen auf Emily.«

»Nein, noch nie.«

»Sie haben sich zu ihr hingezogen gefühlt.«

»Nein.«

»Waren Sie eifersüchtig auf Karns Beziehung zu Emily?«

»Nein.«

Ich tippe mit dem Stift auf den Notizblock. »Bislang haben Sie mich bezüglich der Armbrust, der Bolzen und der Dro- hung, Karn zu töten, angelogen. Ich glaube, was Emily Byler betrifft, belügen Sie mich auch.«

»Sie gehörte Aden.« Schnell stellt er seine Aussage klar. »Ich meine, sie war sein Mädchen.«

»Das hat aber keine Rolle gespielt, wenn Sie betrunken wa- ren, oder? Wenn Aden betrunken war?«

Er sieht mich an, als fasse er es nicht, dass ich das gesagt habe – und fragt sich, woher ich das weiß …

»Nein.«

»Sie waren verrückt nach ihr. Und wenn Sie die beiden zu- sammen gesehen haben, waren Sie eifersüchtig. Aden war das einzige Hindernis, um sie zu kriegen.«

»Das ist nicht wahr!«

»Deshalb haben Sie Emily mit Alkohol abgefüllt, deshalb haben Sie Aden betrunken gemacht und alles aus dem Ruder laufen lassen. Um das haben zu können, was Sie wollten.«

Rasmussen Blick gibt mir zu verstehen, dass ihm nicht klar ist, was ich gerade mache und welche Absichten ich verfolge. Und auch er wundert sich, woher ich weiß, was ich weiß. Wie ich eine Verbindung zwischen Emily Byler und dem Mord an Aden Karn herzustellen gedenke.

»Das hat nichts damit zu tun, was Aden passiert ist«, stößt Fisher hervor.

»Sie haben seine Freundin vergewaltigt«, sage ich. »Wie kann das nichts mit Aden zu tun haben?«

Ich sehe noch, wie er die Zähne fletscht, dann fliegt sein Stuhl nach hinten, und er macht einen Satz nach vorn, die Handschelle zerrt am Sicherheitsring, und er schlägt mit der freien Hand nach mir. Ich kann mich gerade noch wegducken und entgehe dem Schlag, der schmerzhaft gewesen wäre.

»Hey!« Rasmussen springt auf.

Tomasetti hat den Tisch schon umrundet, packt Fishers freie Hand und dreht ihm den Arm auf den Rücken. »Hinsetzen, verdammt nochmal!«

Der Sheriff stellt den Stuhl wieder auf, schiebt ihn Fisher in die Knie, und Tomasetti drückt ihn drauf.

»Das ist Schwachsinn!«, brüllt Fisher. »Okay, ein paarmal war es ziemlich verrückt, aber sie war voll dabei. Sie hat nichts gemacht, was sie nicht machen wollte –« Er bricht den Satz ab, als wäre ihm klargeworden, dass er schon zu viel gesagt hat.

»War Paige Rossberger auch voll dabei?«, frage ich.

»Ich kenne sie nicht!«

»War sie auch voll dabei, als Sie ihr die Hände um den Hals gelegt und zugedrückt haben?«, fahre ich ihn an. »War sie voll

298

dabei, als Sie ihr die Plastiktüte über den Kopf gezogen haben und sie keine Luft mehr gekriegt hat?«

»Ich bin ihr nie begegnet, das schwöre ich.«

»Die DNA lügt nicht.«

Schwer atmend, blickt Fisher zu Rasmussen und Tomasetti, als erwarte er, dass sie ihm zu Hilfe kommen. »Sie versuchen, mir einen Haufen Scheiße anzuhängen, von dem ich nichts weiß!«

Ich sehe Tomasetti an. »Wir haben eine Menge Material, womit wir arbeiten können, oder?«

»Der Staatsanwalt wird sich freuen«, sagt er.

»Zu schade, dass Leandra ihm kein Alibi geben kann«, sage ich.

Fisher sieht uns an, als fasse er nicht, was wir da reden. »Ich hab Karn nicht umgebracht!«, schreit er. »Mir ist egal, was Ihnen das Miststück erzählt hat! Sie ist eine verdammte Lügnerin!«

Die Tür geht auf, und ein Deputy kommt herein. »Ist alles in Ordnung?«, fragt er, lässt den Blick durch den Raum schweifen.

»Bringen Sie mich hier raus!«, schreit Fisher. »Ich will meinen Anwalt.«

26. KAPITEL

Tomasetti und ich sind erst spät nach Hause gekommen. Ich stehe an der Arbeitsplatte in der Küche und schenke zwei Gläser Whiskey ein, als er durch die Tür kommt. Über die Schulter sehe ich, wie er sein Jackett an die Garderobe hängt. Dann ist er hinter mir, umarmt mich und drückt mir einen Kuss in den Nacken.

»Du hasst Whiskey«, flüstert er.

»Nach dem heutigen Tag beginne ich wahrscheinlich, ihn zu mögen.«

»Die gute Nachricht ist doch, dass wir unseren Mann vermutlich haben.«

Ich drehe mich um und reiche ihm ein Glas.

Er nimmt es, trinkt einen kleinen Schluck und blickt mich über den Glasrand hinweg mit leicht gerunzelter Stirn an. »Was hältst du davon, wenn ich deiner Platzwunde ein neues Pflaster verpasse?«

Ich nippe am Whiskey, widerstehe dem Drang, mich zu schütteln, als er mir die Kehle hinunterrinnt. »Zuerst einen Mitternachtssnack?«

»Früher hätten wir das Essen ausfallen lassen –«

»Und das Pflaster vergessen –«

»Und einfach die Whiskeyflasche geleert«, sagt er.

»Und dabei auch noch den Fall gelöst.« Ich lächele, obwohl es nur halb im Scherz gemeint war.

Da wir zuvor beide keine Zeit zum Essen hatten, mache ich uns einen Käseteller mit Crackern und Trauben. Tomasetti füllt zwei Gläser mit Eiswasser, dann setzen wir uns an den Küchentisch.

Wir stoßen mit dem Wasser an und beginnen zu essen. Doch ich kann spüren, wie es in unseren Köpfen arbeitet. Tomasetti zögert eigentlich nie, seine Meinung zu sagen, heute Abend wirkt er nachdenklich.

»Du hast Fisher ziemlich hart rangenommen«, sagt er nach einer Weile.

»Er hat's verdient.« Ich trinke noch einen Schluck Whiskey, diesmal dankbar für das Brennen in der Kehle und die angenehme Wirkung auf mein Hirn.

Er hält meinen Blick fest. »Du glaubst nicht, dass er es war.«

»Ich mag Vernon Fisher nicht. Ich glaube, er ist ein Vergewaltiger und ein selbstgefälliges kleines Arschloch.« Ich seufze. »Aber ich glaube nicht, dass er Aden Karn oder Paige Rossberger ermordet hat.«

»Hast du jemand anderes im Blick?«

»Ich wünschte, es wäre so.«

Er überlegt. »Die Armbrustbolzen sind ziemlich belastend, besonders, wenn Karns DNA darauf gefunden wird.«

»Ich weiß, und ich kann das nicht ignorieren. Und will es auch gar nicht. Aber es wäre unglaublich dumm von Fisher, die Bolzen bei sich zu Hause zu verstecken, wenn er sie in den Wald hätte schießen, sie verbrennen oder sogar vergraben können.«

»Du glaubst, jemand hat sie ihm untergeschoben?«

»Ich sage nur, dass das so viel zu einfach war.« Ich blicke auf mein Whiskeyglas, überlege, mir nachzuschenken. »Ganz zu schweigen davon, dass der Fund aufgrund eines anonymen Hinweises erfolgte.«

»Gibt es irgendeine Möglichkeit, Informationen über den Anrufer herauszubekommen?«, fragt er.

»Unsere Telefonanlage ist nicht gerade auf dem neuesten

Stand, was in dem Fall sogar von Vorteil sein könnte. Vielleicht gelingt es festzustellen, woher der Anruf kam. Margaret arbeitet daran. Selbst dann ist ungewiss, ob die Information hilfreich ist.«

»Ich muss dir nicht sagen, dass Rasmussen Fisher vor Gericht bringen will.«

»Angesichts der vielen Beweise gegen Fisher und nach allem, was wir über ihn wissen, scheint mir das richtig.« Ich umschließe mein Glas mit den Händen, schwenke die bernsteinfarbene Flüssigkeit darin. »Trotzdem möchte ich die Ermittlungen noch nicht abschließen. Bin ich deshalb verrückt?«

»Vielleicht so verrückt wie ein schlauer Fuchs. Es hat etwas für sich, wenn eine Polizistin auf ihr Bauchgefühl hört.«

»Das klingt ziemlich zurückhaltend«, sage ich, »was sonst so gar nicht deine Art ist.«

»Ich würde Fisher gern dafür drankriegen, Kate.«

»Glaubst du, er hat Paige Rossberger umgebracht?«

Er denkt einen Moment nach. »Da draußen hängen diese ganzen jungen Männer rum, die jeden Abend trinken, wahrscheinlich Drogen nehmen und auf Krawall gebürstet sind. Laut Emily Byler gerät das Ganze regelmäßig außer Kontrolle. Und eines Abends lassen sie sich eine Prostituierte kommen, es gibt eine Meinungsverschiedenheit, es kommt zum Streit und endet in einer Schlägerei.« Er verzieht das Gesicht. »Es wäre nicht das erste Mal, dass eine Frau in einer verletzlichen Position den Preis dafür zahlt.«

»Ich glaube, jemand hat ihm die Bolzen untergeschoben – und dieser jemand hat nichts dagegen, Fisher dafür grillen zu sehen.«

»Dann solltest du auf dein Bauchgefühl hören. Fisher ist in Gewahrsam, der verschwindet nirgendwohin. Aber Mitleid hab ich mit dem Typ ganz bestimmt nicht.«

»Es fühlt sich einfach ein bisschen zu … passend an.« Ich nehme die Flasche und schenke mir noch zwei Fingerbreit Whiskey ins Glas. »Ich hoffe, ich irre mich, was ja manchmal vorkommt.«

Tomasetti stellt sein Glas ab, nimmt meine beiden Hände in seine und wartet, dass ich ihn ansehe. »Du hast einen guten Instinkt, Kate, folge ihm. Guck dir alles an, rüttel und schüttel es und stell's auf den Kopf. Tu, was du tun musst, denn wenn du nicht zu hundert Prozent überzeugt bist, dass wir den Richtigen haben, wird es ewig an dir nagen.«

»Du kennst mich ziemlich gut.«

»Und nicht nur das – ich *mag* dich auch sehr.« Er steht auf, zieht mich auf die Füße.

Ich lächele ihn an und komme mir vor wie ein Depp, weil mir Tränen in die Augen steigen. »Du bist nicht meiner Meinung und willst trotzdem, dass ich das mache, was ich für richtig halte.«

»Das hat wohl was damit zu tun, dass ich dich echt mag.«

Ich schlinge die Arme um seinen Hals. »Ich mache es dir nicht leicht, oder?«

»Nun ja … «

Ich boxe ihn spielerisch an die Schulter. »In drei Tagen sind wir verheiratet.«

»Du kriegst doch nicht etwa kalte Füße?«

»Keine Chance.« Ich lege den Kopf an seine Schulter, liebe, wie er sich anfühlt, wie er riecht, liebe es, seinen warmen Körper zu spüren, zu wissen, dass wir zusammengehören.

»Du glaubst doch nicht, dass wir es vermasseln, oder?«, flüstere ich.

»Wir kriegen das hin«, sagt er. »Kinderspiel.«

* * *

Es ist schwer, sich auf das eigene Leben zu konzentrieren – selbst auf ein so bedeutendes Ereignis wie die eigene Hochzeit –, wenn andere Menschen ihres verloren haben. Aber für die Lebenden geht es weiter. Nach einer unruhigen Nacht, in der ich versucht habe, meine Bedenken hinsichtlich der Verhaftung von Vernon Fisher zu zerstreuen, erhielt ich am frühen Morgen eine Nachricht des BCI-Labors: Das Klebeband aus Fishers Werkstatt stammt von derselben Rolle, mit der Paige Rossbergers Leiche umwickelt war. Offenbar hatte Fisher sie in einer Nacht voller Drogen und Sex ermordet. Ob noch andere involviert waren, bleibt noch zu klären.

Über das Motiv des Mordes an Karn kann ich nur spekulieren. Hatte Fisher, nachdem die Grenze zum Mord einmal überschritten war, alle Hemmungen verloren? Hatten seine Wut wegen des Pick-ups und die Obsession für Emily Byler dazu geführt, dass er zur Hansbarger Road fuhr und einen Mann tötete, der ihm bei allem, was er wollte, im Weg stand?

Fisher ist zweifellos dringend tatverdächtig. Er hatte ein Motiv, die Mittel und die Gelegenheit. Es gibt eindeutige Indizien und physische Beweise gegen ihn. Das Klebeband, die Bolzen, die in seiner Werkstatt gefunden wurden. In den nächsten Tagen wird das Labor vermutlich feststellen, dass die DNA in Paige Rossbergers Leiche mit der von Fisher übereinstimmt. Was beweisen würde, dass er sie entweder vergewaltigt oder eine sexuelle Beziehung zu ihr hatte. All das zusammen ergibt ein wahres Arsenal an Beweisen, für das jeder Staatsanwalt seinen rechten Arm hergeben würde.

Und warum habe ich trotzdem das Gefühl, falsch zu liegen?

»Weil du in zwei Tagen heiratest und ein totales Nervenbündel bist«, murmele ich und biege in den Weg zur Farm meines Bruders ein.

Sowie ich in die Welt meiner Jugend komme, rückt das Grübeln über den Fall in den Hintergrund. Erinnerungen stürmen auf mich ein, alte Bekannte, die nicht immer fair waren oder leicht zu mögen. Gedanken an meine Kindheit gehen mir durch den Kopf, manche davon schmerzhaft, und nicht zum ersten Mal erfasst mich eine Welle der Nostalgie. Ich muss daran denken, wie es war, ein amisches Mädchen zu sein, unschuldig und sorglos. Mit dem Bewusstsein, ein Teil von etwas zu sein, was größer war als ich selbst, und der Gewissheit, dass meine Familie immer das Fundament meiner Welt sein würde. Damals hat mich der von der Kirchengemeinde gesteckte Rahmen beruhigt. Die Regeln waren für mich nicht da, um sie zu bekämpfen, sondern um sie fraglos zu befolgen.

Im Obstgarten flattern die Blätter der Apfelbäume wie poliertes Kupfer. Ich umrunde eine letzte Kurve, fahre am seitlichen Garten und dem Ahornbaum vorbei, den ich mit meinem *Datt* gepflanzt habe, und bleibe hinter dem Haus meiner Kindheit stehen. Obwohl es noch nicht einmal neun Uhr ist, parken schon vier Buggys auf dem Schotterplatz neben dem Hühnerstall. Eine davon gehört meiner Schwester, und erst in dem Moment wird mir so richtig bewusst, dass die Amischen bereits die Hochzeit vorbereiten. *Meine Hochzeit.*

Heiliger Strohsack.

Auf einmal ergreift mich Panik, und ich frage mich: Wie konnte dieser Tag so schnell kommen? Was natürlich Unsinn ist, denn wir planen – und verschieben – unsere Hochzeit nun schon seit über einem Jahr. Aber woher kommt dann mein Gefühl, so … unvorbereitet zu sein?

Meine Schwester Sarah hat letzte Woche mehrere Telefonnachrichten für mich hinterlassen – natürlich von einer Telefonzelle aus, die hauptsächlich die Amischen benutzen. Doch ich war so sehr mit den Ermittlungen beschäftigt, dass ich keine Zeit gefunden habe, zu ihr zu fahren. Aber heute Morgen und mit der Aussicht auf das Ende der Ermittlungen will ich mein Versäumnis wiedergutmachen.

Ich parke hinter einem Buggy und eile zur Hintertür. Ich bin auf halbem Weg dorthin, als sie aufgeht und mein Bruder Jacob und ein anderer Amischer, den ich nicht kenne, eine lange Holzbank hinausbugsieren, wobei deren Füße über den Betonboden scharren und die Rückenlehne am Türpfosten entlangschrammt.

Ich sprinte die Stufen hinauf, rufe: »Ich hab die Tür«, und halte sie auf. »*Guder mariye*«, sage ich, während sie sich weiter durch die Tür kämpfen.

Beide Männer tragen blaue Arbeitshemden, Hosenträger und breitkrempige Strohhüte. Als Jacob an mir vorbeikommt, das Gesicht rot vor Anstrengung und schweißnass, wirft er mir einen kurzen Blick zu. »*Nau es is veyich zeit.*« Das wird aber auch Zeit. Doch er mildert seine Worte mit einem Grinsen ab.

Ich grinse zurück.

Der andere Mann ist älter, hat einen langen graumelierten Bart und offenbart zwei fehlende Zähne, als er lächelnd sagt: »*Die broodah is die faasnacht kummt hinnerno.*« Dein Bruder ist langsam wie Sirup im Januar.

Jacob knurrt eine gutmütige Erwiderung, und sie laufen weiter in Richtung Scheune. Ich sehe ihnen hinterher, bis sie drinnen verschwinden. Sie schaffen zusätzliche Sitzgelegenheiten für die Feier heran – bei deren Vorbereitung ich sozusagen unentschuldigt fehle und die sie ohne mich begonnen haben. Ich ignoriere das leichte Unbehagen im Bauch und gehe ins Haus, höre die Frauen, bevor ich sie sehe. Das Geplauder weiblicher Stimmen auf *Deitsch*, gemurmelte Scherze, ein gelegentliches Lachen sowie das klappernde Hantieren flinker Hände.

Die Küche bietet ein Bild des kontrollierten Chaos. Meine Schwägerin Irene steht an der Ablage, rollt Teig schnell und effizient, streckt und beugt den Rücken im Rhythmus der Bewegung. Neben ihr drückt meine Schwester Sarah Teig in eine gläserne Backform. Keinen Meter von ihnen entfernt schneidet eine Frau, mit der ich zur Schule gegangen bin, die Äpfel in Schnitze, die eine große, ältere Frau zuvor im Eiltempo geschält hat.

»Wenn du nicht weiter so viel redest«, sagt sie jetzt auf *Deitsch*, »schaffst du es vielleicht, Apfelschnitze zu schneiden, bevor sie braun werden.«

Der freundlichen Schelte folgt vielstimmiges Gelächter.

Ich bin so verblüfft über diese frühe Unterstützung, dass ich einen Moment lang kein Wort herausbringe. Und so stehe ich in der Tür, betrachte die Szene und überlege, wie ich da wohl reinpasse.

An der Wand stapeln sich ein Dutzend Kisten mit Einmachgläsern, ein Weidenkorb mit Äpfeln steht zu Füßen der Frau, die sie schält, und einen Korb voller Sellerie hat jemand vor dem Schrank abgestellt.

Amische Hochzeitstraditionen sind durchdrungen von religiöser wie auch gesellschaftlicher Bedeutung. Selbst in einer so kleinen Stadt wie Painters Mill kommen oft drei- bis vierhundert Gäste zu einer Hochzeit, in meiner Kindheit war ich selbst auf Dutzenden. Als Mädchen ging es mir vor allem um den Kuchen, um Volleyball und das Spielen mit Gleichaltrigen. Als ich älter wurde, haben mich das Mysterium und der Zauber dieses Tages beeindruckt. Und später, als Teenager, war ich sicher, dass ich so etwas nie erleben würde.

Meine Hochzeit wird natürlich so gut wie nichts mit einer typisch amischen Hochzeit gemein haben. Es gibt weder einen Gottesdienst vorher, noch führt Bischof Troyer die Zeremonie durch. Einige Amische werden nicht kommen, weil ich der Kirche nicht mehr angehöre und sie mich nicht als Teil der Gemeinde betrachten. Aber viele Amische werden kommen. Und sie werden bei den Vorbereitungen helfen. Die Männer werden die Möbel beiseiteräumen und im Haus Platz für die wohl hundert oder mehr Gäste schaffen. Die Frauen werden sich um die Details kümmern und das Essen vorbereiten.

»Katie!«

Die Stimme meiner Schwester lässt mich aufschrecken. Sarah sieht mich über die Schulter hinweg an, rollt dabei aber weiter den Teig. Und dann sind alle Blicke auf mich gerichtet, was mich sehr verlegen macht. Denn ich fühle mich fehl am Platz, weil ich heute Morgen Uniform trage und meine .38er im Hüftholster steckt – nie zuvor war es so offensichtlich, dass ich nicht dazugehöre. Ich bin keine von ihnen.

»Ihr habt viel zu tun«, sage ich und wünsche mir sofort, die Worte rückgängig machen zu können.

Sara neigt den Kopf zur Seite. »Wir backen nur Apfelkuchen, sonst nichts.«

»Und wenn Anna sich mit den Schnitzen ein bisschen beeilt, wird der Kuchen vielleicht sogar vor der Hochzeit fertig«, sagt die ältere Frau.

Eine der Frauen kichert, eine andere hüstelt in ihr Taschentuch, und ich bin ziemlich sicher, dass Anna gluckst.

»Darf ich helfen?« Ich erkenne meine eigene Stimme kaum wieder, räuspere mich. »Ich bin ziemlich gut im Schnitzeschneiden.«

»Nicht nötig, Katie«, sagt Sarah.

»*Sitz dich anne un bleib e weil.*« Irene, meine Schwägerin, wischt sich die Hände an der Schürze ab und zieht einen Stuhl unterm Tisch hervor. Setz dich und bleib ein bisschen.

Noch bevor ich ihrem Wunsch nachkommen kann, ist sie

schon bei mir, nimmt meine Hand und führt mich zum Stuhl. »Das ist Lovina«, sagt sie und zeigt auf die große Frau. »Und an Anna erinnerst du dich sicher.« Sie deutet zu der Frau, die die Apfelschnitze schneidet. »Sie helfen mit dem Essen.«

»Sarah macht die meiste Arbeit«, sagt Irene.

»Die Hühner und den Sellerie hat sie schon vor einer ganzen Weile organisiert«, wirft Naomi ein.

»Vergiss nicht all das Eingemachte«, fügt Anna hinzu.

»Der Kuchen wird heute fertig«, sagt Irene entspannt.

Mir wird klar, dass übermorgen die Hochzeit ist, und meine Panik kommt wieder hoch.

Sarah drückt den Teigklumpen ein letztes Mal zusammen, wischt sich die Hände an einem Handtuch ab und grinst mich an. »Ich glaube nicht, dass ich Katie Burkholder jemals sprachlos erlebt habe.«

»Kann man sich wirklich kaum vorstellen.« Irene geht glucksend zu dem mit Propangas betriebenen Kühlschrank, nimmt einen Plastikkrug Tee heraus, holt ein Glas aus dem Schrank, schenkt es voll und stellt es vor mich. »Da ist Minze drin, die hilft bei nervösem Magen.«

Als ich auf den Stuhl sinke, sehe ich, wie sich die Mundwinkel der anderen Frauen heben, und ich merke, dass ich weiche Knie habe.

Sarah schenkt sich auch ein Glas ein, nimmt einen linierten Schreibblock von der Ablage und bringt beides mit zum Tisch. »Dein Kleid ist übrigens fertig, wenn du willst, kannst du es mitnehmen.«

»Danke«, sage ich, »das mache ich.«

»Wenn du einen Moment Zeit hast, würde ich gern mit dir übers Essen reden.«

»Tut mir leid, dass ich mich nicht schon früher gemeldet habe«, sage ich, »der Fall hat mich viel Zeit gekostet …«

Sie tut mein schlechtes Gewissen mit einer Handbewegung ab und lässt sich mit einem Seufzen auf den Stuhl fallen, so als wäre sie schon zu lange auf den Beinen. »Du hast die schlimmen Mordfälle gelöst, jeder redet darüber, und wir beten für alle.«

»Ich war kein bisschen überrascht, dass der Fisher-Junge nicht in die Kirche eingetreten ist«, sagt Anna.

»Der hat Probleme gemacht, seit er zwei Jahre alt ist«, fügt Naomi hinzu.

»Seine *Mamm* ist fix und fertig«, sagt Irene. »Sie ist in Walnut Creek, nach der Hochzeit bringen wir der Familie was zu essen.«

Sarah schreibt mit einem altmodischen Bleistift etwas auf den Block, dann blickt sie mich an. »Es gibt Brathähnchen mit Brotfüllung, Kartoffelpüree, Bratensoße und Sellerie in Rahmsoße. Zum Nachtisch natürlich Kuchen, Apfel und Kirsche.« Sie lächelt mich wissend an. »Die Äpfel sind aus unserem Garten.«

»Das klingt perfekt«, sage ich.

»Die Trauung ist in der Scheune, wie sonst der Gottesdienst, wenn er bei uns stattfindet. Da ist mehr Platz, und es ist kühler, weil wir im Haus ja backen.«

»Ja klar.«

»Der Tisch für die Brautleute steht im Wohnzimmer über Eck. Jacob und William holen ein paar Extratische von oben runter.« Am sogenannten Ecktisch sitzen traditionell die Braut und der Bräutigam während des Essens, zusammen mit den sogenannten Neben-Sitzern, ihren Brautjungfern und Trauzeugen, in diesem Fall meinen Geschwistern und ihren Ehepartnern.

Sie zeigt auf die Kiste mit den Einmachgläsern am Boden. »Für das Essen im Garten stellen wir Tische mit weißen Decken auf. In die Mitte kommen Einmachgläser mit Sellerie-stangen. Oh, fast hätte ich es vergessen, Ella Mae Miller will auch einen Kuchen backen.«

Die Stimme meiner Schwester, die Gespräche und das Klap-pern von Geschirr verschwimmen zu Hintergrundgeräuschen. Ich starre sie über den Tisch hinweg an, erinnere mich, wie nahe wir uns einmal standen, und wünsche mir, dass wir die Kluft zwischen uns überwinden und diese Nähe wiederher-stellen können. Und zum ersten Mal, seit ich mit achtzehn Jahren aus Painters Mill weggegangen bin, fühle ich, dass die-ser kleine Wunsch in Erfüllung gehen könnte.

Ich stehe so schnell auf, dass der Stuhl laut über den Boden kratzt, und auf einmal wird es ganz still im Raum. Kein Ge-schirr klappert mehr, und alle Blicke sind auf mich gerichtet. Ohne jemanden anzusehen, gehe ich aus der Küche ins Wohn-zimmer, wo der Tisch für das Brautpaar bereits aufgestellt ist. Der einzige Schmuck darauf ist ein Einmachglas mit Sellerie-stangen, deren Blätter noch frisch sind, so als hätte es jemand nur hingestellt, um zu sehen, wie es wirkt.

Eine Welle von Gefühlen erfasst mich, ich schließe die Au-gen, um die Tränen darin wegzusperren, und ärgere mich im Stillen, dass ich sie überhaupt habe hochkommen lassen. Ich muss irgendetwas machen und gehe zum Tisch, nehme das Glas, stelle es wieder hin. Ich senke den Kopf, stütze beide Hände auf die Tischplatte und beuge mich vor, spüre, wie die ersten peinlichen Tränen durch die Wimpern sickern.

»Katie?«

Hinter mir erklingt zaghaft die Stimme meiner Schwester. Sie hat mich ertappt, ich kann die Tränen, die ich vor ihr ver-heimlichen wollte, weder verbergen noch aufhalten, hebe den Kopf, wische sie weg und drehe mich zu ihr um.

»Alles in Ordnung?«, fragt sie mit sanfter Stimme.

Sie sieht besorgt aus, und ein wenig verwirrt.

»Mir geht's gut«, sage ich, muss auflachen, denn es stimmt nicht, und das wissen wir beide. Ich wische mir wieder über die Augen.

»Dir gefällt nicht, was wir gemacht haben?« Sie lächelt verunsichert. »Wir können es ändern, so wie du es magst. Das Essen, den Tisch – «

»Das ist es nicht«, unterbreche ich sie. »Es ist … « Ich lasse den Satz in der Luft hängen, was dumm ist, aber ich weiß nicht, wie ich ihn beenden soll – ob ich das überhaupt kann.

»Du bist nervös, oder?«

Jetzt muss ich wirklich lachen. »Sarah, ich lebe seit zwei Jahren mit ihm zusammen.«

»Oh … na ja.« Sie senkt den Blick, dann sieht sie mich wieder an. »Was ist es dann?«

»Es ist … das alles«, stammele ich, zeige auf den Tisch, zur Küche, in der die Frauen verstummt sind. »Ich bin … überwältigt. Ich habe das nicht erwartet. Und ich bin dankbar.«

Sie blinzelt. »Oh.«

»Ich habe nicht erwartet … so viel zu fühlen.«

»Aber es sind gute Gefühle, ja?«

Ich nicke. »Ich bin seit fast zwanzig Jahren nicht mehr amisch und auch keine besonders gute Schwester oder Schwägerin. Ich bin nicht sicher, ob ich verdiene, was ihr hier für mich tut. Und trotzdem seid ihr alle hier und richtet eine Hochzeit aus, die manche missbilligen und die einigen egal ist. Das bedeutet mir etwas.«

»Ach so.« Sie kommt zu mir, nimmt meine Hand und lächelt. »Du weißt doch, wie wir Amischen sind, wenn es um Hochzeiten geht. Gib uns einen Grund, zusammenzukommen und zu essen, und schon sind wir alle da.« Sie tätschelt meine Hand. »Jetzt komm zurück in die Küche, trink deinen Eistee, und ich mache die Kuchen fertig. Als Nächstes kommt der Sellerie dran, und für den werden wir wohl den ganzen Nachmittag brauchen.«

27. KAPITEL

Es ist nach siebzehn Uhr und ich bin auf dem Revier in meinem winzigen Büro, sehe mir ein letztes Mal die unzähligen Papiere, Berichte, Fotos und Videos der Morde an Karn und Rossberger an. Sheriff Rasmussen hat beide Fälle bereits an den Staatsanwalt von Holmes County übergeben, der Vernon Fisher wahrscheinlich des zweifachen Mordes aus niederen Beweggründen anklagen wird. Ich sollte zufrieden sein: Fisher ist hinter Gittern. Wenn er von einer Jury verurteilt wird, verbringt er den Rest seines Lebens im Gefängnis.

Trotz der kleinen Stimme in meinem Kopf, die mir sagt, dass ich meine Arbeit gemacht und der Gesellschaft einen guten Dienst erwiesen habe, dass ich die Sache auf sich beruhen lassen und heiraten sollte, liegt mir der Fall wie ein Stein im Magen.

Ich hätte schon vor Stunden nach Hause gehen sollen, muss noch tausend Dinge für die Hochzeit erledigen – und sitze noch immer hier. Mir ist nicht wohl zumute, denn ich bin kurz davor, zwei Fälle abzuschließen, die für mich noch nicht geklärt und im Ergebnis … *falsch* sind.

»Chief?«

Jodie steht in der Tür zu meinem Büro. »Doc Coblentz ist auf Leitung zwei. Sind Sie noch zu sprechen?«

»Für den Doc immer.« Ich drücke auf das blinkende Licht meines Telefons. »Hi, Doc.«

»Ich hatte nicht erwartet, Sie um die Zeit noch im Revier anzutreffen«, sagt er. »Heiraten Sie nicht demnächst?«

»Übermorgen«, sage ich. »Was gibt's?«

»Ich hab den Bericht des Rechtsmediziners vom BCI-Labor erhalten.«

Da ich gerade dabei bin, meinen Laptop runterzufahren, höre ich nur halb zu. »DNA?«

»Kommt noch.« Er hält inne. »Erinnern Sie sich, dass ich Ihnen von der öligen Substanz erzählt habe, die wir in und um die Schnittwunden an Aden Karns Leiche gefunden haben?«

»Ja«, sage ich, klappe den Laptop zu und schenke ihm meine volle Aufmerksamkeit. »Inzwischen habe ich herausgefunden, dass manche Jäger und Armbrust-Enthusiasten ihre Bolzen mit Wachs oder Öl einschmieren. Laut einer Theorie wird so die Genauigkeit verbessert und die Fluggeschwindigkeit der Bolzen erhöht.«

»Das ist bestimmt richtig, Kate. Und ich weiß nicht, ob das Ergebnis der Laboruntersuchung für den Fall überhaupt relevant ist, aber ich wollte Sie wenigstens wissen lassen, dass es einige interessante Details über die besagte Substanz gibt.«

»Inwiefern interessant?«

»Also es ist nicht die Art Wachs oder Öl, die normalerweise für solche Bolzen benutzt wird. Es ist vielmehr ein Gemisch aus Wasser, Glyzerin, Propylen, Glykol, Cellulosegummi und Tetrahydroxypropyl – «

»Doc, ich verstehe nur Bahnhof. Was ist das?«

»Ein Gleitgel.«

Ich bin nicht prüde, doch einen Moment lang bin ich so verblüfft, dass mir die Worte fehlen. »Für Sex?«

»Genau. Auf Wasserbasis und geeignet für Kondome aus Latex und Polyurethan.«

»Scheint mir eher ungewöhnlich für den Gebrauch bei Armbrustbolzen.« Noch während ich das sage, macht es Klick in meinem Kopf.

»Vielleicht ist das unwichtig für Ihren Fall«, sagt er, »aber Sie sollten es wenigstens wissen. Es steht auch im Abschlussbericht.«

»Danke, dass Sie angerufen haben.« Ich will gerade auflegen, als er noch etwas sagt.

»Chief?«

»Doc?«

Kurzes Zögern, dann: »Ich sehe Sie auf der Hochzeit.«

Mein Herz hüpft in meiner Brust, und ich spüre, wie ein breites, dümmliches Lächeln mein Gesicht überzieht. »Bis übermorgen.«

Noch immer lächelnd lege ich auf, nehme mir die Akte noch einmal vor. Beim Durchblättern – *wirklich ein allerletztes Mal* – habe ich die Worte von Doc Coblentz im Ohr.

… Gleitgel.

Auf Wasserbasis.

Geeignet für Kondome aus Latex und Polyurethan.

Irgendwann im Verlauf der Ermittlungen war mir Gleitgel untergekommen. Entweder habe ich welches gesehen, oder jemand hat es erwähnt, aber in welchem Zusammenhang?

Mit der Frage im Hinterkopf überfliege ich die Dutzende Berichte und anderen Schriftstücke, die ich schon hundertmal gelesen habe. Ich öffne den Unterordner mit den Fotos vom Tatort, von der Autopsie, von Aden Karns Leiche. Auf dem letzten Foto im Ordner ist der Inhalt der Schachtel zu sehen, die ich in Karns Schlafzimmerschrank gefunden hatte. Darin liegt Sex-Spielzeug – und eine Tube Gleitgel. Irgendetwas rastet ein, als mein Hirn die Verbindung herstellt. Damals, als ich die Schachtel entdeckt hatte, hielt ich es für etwas Persönliches, das mit dem Fall nichts zu tun hätte. Jetzt bin ich mir da nicht mehr so sicher.

Ein Gleitgel zu besitzen ist nicht ungewöhnlich. Menschen

sind sexuelle Wesen. Aber so ein Gel am Opfer eines Mordes und an den beiden tödlichen Bolzen zu finden, ist dann doch ein zu großer Zufall. Ich denke über die Beziehung von Karn und Fisher nach und versuche, mir vorzustellen, wie Fisher in den Besitz des Gleitgels gekommen sein könnte. Selbst wenn er das irgendwie geschafft hatte, wie kam es dann zurück in Karns Schlafzimmerschrank?

Wahrscheinlich haben einige der jungen Männer, die in der Tankstelle rumhingen, Frauen mitgebracht und dort Sex gehabt. Ich denke an Emily Byler und Paige Rossberger, und mir wird klar, dass es wahrscheinlich noch eine ganze Menge andere Frauen gab, deren Namen ich niemals erfahren werde. Und nicht zu vergessen die Sexpuppe. Hatte Karn die Schachtel mit Sexspielzeug und dem Gleitgel zu einer Sexnacht mit in die Tankstelle genommen? Wurde die Tube rumgereicht? Hatte Fisher sie gefunden und behalten, weil er dachte, das Gel eigne sich gut für die Bolzen? Wenn es so war, wie kam es dann wieder zurück in Karns Schlafzimmerschrank? Ich lande immer wieder bei den gleichen Fragen.

Natürlich ist es möglich, dass nicht nur eine, sondern mehrere Tuben Gleitgel die Runde gemacht haben. Aber als wir die Tankstelle durchsucht hatten, wurde kein Gleitgel gefunden. Jedenfalls hat es niemand erwähnt, aber es war auch nicht speziell danach gesucht worden. Deshalb scheint es mir sinnvoll, einen weiteren Durchsuchungsbeschluss für die Tankstelle zu erwirken und noch mal genauer nachzuschauen. Doch während ich hier sitze und in Gedanken alle Möglichkeiten durchspiele, sollte ich vielleicht besser zu Karns Wohnung fahren und die Tube aus der Schachtel holen, wenn auch nur, um sie auf Fingerabdrücke checken zu lassen.

»Jodie?«, rufe ich.

Meine Mitarbeiterin erscheint in der Bürotür. »Ja, Chief?«

»Wer hat heute Abend Dienst?«

»Mona.«

»Rufen Sie sie an und sagen Sie ihr, dass wir uns vor Wayne Grabers Haus treffen.«

»Jetzt gleich?«

»Ja.«

Jodie verharrt mit besorgtem Gesicht an der Tür. »Ich hoffe, ich trete Ihnen nicht zu nahe, Chief, aber sollten Sie nicht nach Hause gehen? Ich meine, Sie heiraten doch … oder?«

Ich lächele. »Ich mache einen kurzen Stopp auf dem Heimweg. Sagen Sie Mona, es dauert nur wenige Minuten.«

»Verstanden.« Sie wischt sich theatralisch über die Stirn, tut, als wäre sie total erleichtert. »Wir sehen uns auf der Hochzeit, Chief.«

* * *

Auf dem Weg zu Wayne Grabers Haus rufe ich Rasmussen an und gebe ihm eine Zusammenfassung meines Gesprächs mit Doc Coblentz.

»Sex-Gleitmittel?«, sagt er. »Im Ernst?«

»Ich kann noch nicht sagen, ob es dieselbe Tube ist. Aber wenn Fisher das Gleitmittel aus Karns Schrank für die Bolzen benutzt hat, mit denen Karn getötet wurde, müssten seine Fingerabdrücke darauf sein«, sage ich.

»Selbst wenn er es für die Bolzen benutzt hat, wie ist es dann zurück in Karns Schrank gekommen?«

»Ich weiß es nicht, Mike. Das hab ich noch nicht herausgefunden.« Ich überlege kurz. »Vielleicht wurde die Tube während einer Sexnacht in der Tankstelle von den Männern rumgereicht. Nachdem Fisher dann Karn getötet hatte, fuhr er zu Karn nach Hause und legte sie zurück in die Schachtel, weil er davon ausging, dass das kein Problem werden würde.«

318

»Und warum hat er sie nicht einfach weggeworfen?« Rasmussen stößt einen Seufzer aus. »Hören Sie, Kate, ich weiß, dass Sie noch nicht völlig überzeugt sind, dass Fisher der Täter ist, aber – «

»Wenn wir seine Fingerabdrücke auf der Tube finden, bin ich das.« Ich halte inne. »Tun Sie mir einen Gefallen?«

»Da Sie in zwei Tagen heiraten … «

Ich lächele. »Können Sie einen Deputy zur Tankstelle schicken und checken lassen, ob sich da eine Tube Gleitmittel befindet? Können Sie dafür sorgen, dass das mit dem Datum des Durchsuchungsbeschlusses passt?«

»Geht klar.« Er räuspert sich. »Wir sehen uns auf der Hochzeit.«

* * *

Die späte Nachmittagssonne schimmert wie Goldstaub auf dem Maisfeld, als ich in die Einfahrt des Hauses biege, in dem Karn gewohnt hatte. Wayne Grabers Muscle-Car parkt ein Stück vor dem Garagenvordach. Monas Wagen ist nirgends zu sehen, sie ist also noch nicht eingetroffen.

Während ich aus dem Explorer steige, drücke ich aufs Ansteckmikro. »Zehn-dreiundzwanzig«, lasse ich Jodie wissen, dass ich am Zielort angekommen bin.

»Verstanden, Chief.«

»Mona«, sage ich. »Was ist Ihre VAZ?« Ich frage nach Ihrer voraussichtlichen Ankunftszeit.

»Bin auf dem Hogpath«, sagt sie. »VAZ acht Minuten.«

»Verstanden.« Ich erreiche die Eingangstür und klopfe. Eine schwarze Katze kommt um eine Mülltonne herum angelaufen und reibt sich an meinem Bein. Als ich in die Hocke gehe, um sie zu streicheln, geht die Tür auf. Ich schaue hoch und sehe Wayne Graber darin stehen.

»Kitty Bell scheint Sie schon um den Finger gewickelt zu haben«, sagt er zur Begrüßung.

Ich komme aus der Hocke hoch. »Ein nettes Tier.«

»Besonders, wenn sie glaubt, es gibt gleich was zu fressen.« Er beugt sich vor, nimmt die Katze auf den Arm und streichelt ihr Genick. »He, Kleine.« Er hat noch immer seine Arbeitskleidung an – Flanellhemd, Hose, abgestoßene Stiefel –, eine Cap auf dem Kopf und in der Hand ein Budweiser.

»Ich hab das von Vernon Fisher gehört«, sagt er. »Ist echt schwer zu glauben.«

»Morgen wird Anklage gegen ihn erhoben.«

»Man kennt die Leute vermutlich nie wirklich, oder?«

»Das ist wohl manchmal so.«

Er schiebt die Cap zurück. »Wie kann ich Ihnen helfen?«

»Ich gehe einigen Informationen nach, die ich vom Leichenbeschauer bekommen habe«, sage ich so vage wie möglich, »und würde gern noch einmal einen Blick in Adens Zimmer werfen, wenn Sie einverstanden sind.«

»Wonach suchen Sie?«

»Da war eine Schachtel«, sage ich. »Auf dem Regal. Es dauert nur eine Minute.«

»Oh …« Er blickt zur Katze, streicht ihr mit zwei Fingern übers Genick.

Aber er macht keine Anstalten, mich hineinzubitten. »Ich kann mit einem Durchsuchungsbeschluss wiederkommen, wenn Ihnen das lieber ist. Kein Problem«, füge ich hinzu.

»Schon gut, sparen Sie sich die Mühe. Ich war seitdem nicht mehr in dem Zimmer. Müsste die Sachen für seine *Mamm* und seinen *Datt* zusammenpacken und schieb's vor mir her.« Die Katze auf dem Arm, drückt er die Tür auf und geht hinein. »Kommen Sie. Nehmen Sie mit, was Sie brauchen, ich lasse Sie einfach machen.«

320

Ich folge ihm ins Wohnzimmer. Im Fernseher läuft eine Sitcom aus den 1990er Jahren, auf einem altmodischen Couchtisch stehen ein Burger und Pommes. »Tut mir leid, dass ich Sie beim Essen störe«, sage ich und gehe weiter in Richtung Flur. »Ich beeile mich.«

»Kein Problem.« Er bleibt mitten im Wohnzimmer stehen. »Chief Burkholder?«

Ich drehe mich zu ihm um, hebe die Augenbrauen.

»Ich wollte nur sagen …« Er sucht nach Worten, wirkt unentschlossen, setzt die Katze auf den Boden und schiebt die Hände in die Hosentaschen. »Ich wusste, dass Vernon ein Arschloch ist, aber das … ich hätte ihn nie für fähig gehalten, jemanden umzubringen.«

Ich starre ihn einen Moment lang an, überrascht, wie unbeholfen er dasteht und den Blickkontakt meidet, und nicke. »Ich glaube, viele Leute waren überrascht, aber so ist das manchmal.«

Er blickt zum Fernseher, sagt nichts mehr, also gehe ich weiter den Flur entlang zum Zimmer. In Gedanken bin ich bereits bei der Schachtel auf dem Regal, frage mich, wie ich überhaupt drankommen soll und ob es sich an diesem Punkt überhaupt lohnt, noch etwas zu beschlagnahmen.

Ich stoße die Tür zu Karns Zimmer auf. Drinnen ist es ziemlich düster, also knipse ich das Licht an. Die Birne scheint kaputt zu sein, und ich gehe zum Fenster, ziehe die Gardine auf. Ein Blick nach draußen sagt mir, dass Mona noch immer nicht eingetroffen ist. Vom Wohnzimmer dringen Lachen und Stimmen aus dem Fernseher an mein Ohr. Da es hier keinen Stuhl gibt, auf den ich mich stellen kann, öffne ich den Schrank, nehme einen Drahtkleiderbügel von der Kleiderstange und biege ihn so zurecht, dass ich die Schachtel auf dem Regalboden zu mir hinziehen kann.

»Komm schon«, murmele ich.

Als ich die Schachtel sehen kann, stelle ich mich auf die Zehenspitzen und will sie gerade zu mir herunterziehen, als ich Schritte höre und mich umdrehe. Graber steht hinter mir, das Gesicht wutverzerrt und die geballte Faust erhoben. Ich lasse den Drahtbügel fallen, hebe die Hände, ducke mich nach rechts weg, aber ich bin nicht schnell genug, und seine Faust trifft mich voll auf die Nase, ich knalle rückwärts gegen die Wand und lande auf meinem Steißbein.

Im Drehen greife ich nach meiner .38er, löse mit dem Daumen den Sicherungsriemen. Doch bevor ich die Waffe aus dem Holster ziehen kann, bekomme ich einen zweiten Schlag auf den Scheitel. Es ist, als ob mir ein Pfosten in den Kopf gerammt würde, ich habe Sterne vor den Augen, nehme aber verschwommen wahr, dass Graber sich auf mich stürzt. Ich bin am Boden mit dem Rücken an der Wand, habe nur den Bruchteil einer Sekunde, um zu reagieren. Ich winkle beide Beine an und trete ihm mit voller Wucht gegen die Knie.

Er brüllt einen Fluch, stolpert rückwärts. Ich ziehe die .38er, bringe sie hoch, doch meine Lage ist ungünstig und ich stoße mit dem Ellbogen an die Wand, verfehle mein Ziel. »Stopp!«, schreie ich. »*Stopp!*«

Den Finger am Abzug, drücke ich in dem Moment ab, als er gegen meine Hand tritt. Die Kugel reißt ein Loch in die Zimmerdecke, doch ich halte die Waffe fest, drehe mich nach rechts, um in eine bessere Schussposition zu kommen.

»*Stopp!*«, schreie ich wieder.

Der nächste Schlag fühlt sich an wie eine Lokomotive, die meine Stirn rammt. Mein Kopf schleudert nach hinten, mir wird dunkel vor Augen. Vage nehme ich wahr, dass Graber mir die Waffe aus der Hand tritt, ich höre, wie sie auf den Boden kracht. Dann beugt er sich zu mir herunter, reißt mir das Ansteckmikro vom Kragen meiner Jacke und wirft es beiseite.

»Warum zum Teufel sind Sie zurückgekommen?«, brüllt er. »Warum konnten Sie verdammt nochmal nicht einfach Ruhe geben? Karn ist tot. Sie haben Fisher. *Warum also?*«

Ich blinzele, versuche, klar zu denken.

Er blickt aus dem Fenster, ist aufgewühlt, Panik zeichnet sich in seinen Gesichtszügen ab. Er scheint nicht zu wissen, was er jetzt machen soll. In diesem Moment sehe ich den Tragegurt über seiner Schulter und die Armbrust an seiner Seite. Beim Anblick dieser komplexen, tödlichen Waffe überkommt mich eine unbändige Angst.

»Sie hätten nicht zurückkommen sollen!«, schreit er. »Wir waren doch fertig! Scheiße!«

Ich starre ihn an, kann wieder klarer sehen, checke meinen Zustand. Verletzt bin ich nicht, aber ich bin noch benommen. Meine .38er liegt unter dem Bett, aber ich zwinge mich, nicht hinzusehen. Aus dem Augenwinkel entdecke ich nicht weit von mir entfernt das Ansteckmikro.

»Wayne, Sie sind kein Tatverdächtiger«, sage ich. »Machen Sie keine Dummheiten.«

»Sie sind schuld«, faucht er. »Was soll ich jetzt machen?«

»Beruhigen Sie sich«, sage ich. »Es ist nicht zu spät, alles wieder in Ordnung zu bringen.«

»Klappe halten!« Speichel fliegt aus seinem Mund. »Ich muss nachdenken!«

Mein Verstand funktioniert jetzt wieder, ich sehe Wayne an, versuche, mich in seine Lage zu versetzen. »Ich weiß, was Karn für einer war«, sage ich.

Die Wirkung meiner Worte ist offensichtlich, sie treffen ihn wie eine unsichtbare Faust, heftig genug, um ihn zu verblüffen. »Was haben Sie da gesagt?«

323

»Ich weiß, dass er Frauen sexuell missbraucht hat. Ich weiß, was er getan hat.«

Wayne sieht mich an, blinzelt, traut seinen Augen und Ohren nicht. »Alle haben ihn für einen Heiligen gehalten«, sagt er. »Für den netten Jungen von nebenan. Für einen verdammten Mister Perfekt. Sie hatten keine Ahnung, wie er war, wenn er sein wahres Gesicht gezeigt hat.«

Meine Augen haben sich an das düstere Licht gewöhnt, ich erkenne die Umrisse meiner Waffe unterm Bett, bin aber nicht sicher, ob ich von hieraus drankomme. Graber steht zwischen mir und dem Ansteckmikro.

»Ich weiß, dass er Menschen weh getan hat«, sage ich ruhig.

»Weh getan?« Er stößt ein grauenvolles Lachen aus. »Er hat ihnen nicht nur *weh getan*. Er …« Seine Stimme versagt. »Der Typ war ein Monster. Mit ihm hat was nicht gestimmt, ein Teil seines Hirns war einfach … weg.«

Halt ihn am Reden, Kate. Gewinn Zeit, Mona ist auf dem Weg.

»Erzählen Sie mir, was er gemacht hat«, sage ich.

»Er ist auf Beutezug gegangen, hat Frauen in Bars aufgerissen oder ein bescheuertes Mädchen, das Party machen wollte. Er hat sie mit raus zur Tankstelle genommen, hat sie betrunken oder high oder beides gemacht, und wenn sie dann bewusstlos waren … Mich hat das krank gemacht.« Er spuckt die Worte aus, als wären sie Rasierklingen. »Er hat's mit Emily gemacht, der süßen, unschuldigen Em. Können Sie das fassen?«

»Waren Sie dabei?«, frage ich.

»Beim ersten Mal hab ich sie abends nach Hause gebracht. Sie war … in einem furchtbaren Zustand.« Er unterdrückt ein Schluchzen, kämpft mit den Tränen. »Die haben sich alle nacheinander über sie hergemacht.«

»Wer noch?«

»Die Dreckskerle in der Tankstelle. Für die war es ein Spiel. Eine Frau finden, sie abfüllen und dann nacheinander bumsen. Das sind alles Tiere.«

»Was war mit Paige Rossberger?«, frage ich.

Grabers Gesicht verdüstert sich. »Karn hatte sie schon öfter mitgebracht. Hat ihr hundert Dollar für Sex gegeben. Ich denke, sie hat ihm vertraut.« Er verzieht den Mund. »Sie hat gern gefeiert, also hat er sie in die Tankstelle mitgenommen und high gemacht. Alle ... haben sie genommen. Nachdem die anderen gegangen waren ...« Seine Worte verlieren sich, und einen Moment lang sieht er aus, als müsste er sich übergeben. »Sie ... lag einfach nur da, bewusstlos auf der alten Matratze. Karn ist zu ihr hingegangen und hat angefangen, an ihr rumzumachen. Sie ist zu sich gekommen und hat ihn beschimpft, da ist er wütend geworden, hat eine Plastiktüte genommen und ... sie ihr über den Kopf gezogen. Als sie nach ihm geschlagen und getreten hat, hat er sie an Händen und Füßen gefesselt und ihr immer wieder die Tüte über den Kopf gestülpt. *Für ihn war das ein Spiel.* Aber sie ist ausgeflippt vor Angst und hat geschrien, und da hat er ihr den Mund zugeklebt.«

Tränen laufen ihm über die Wangen, doch er scheint es nicht zu bemerken. »Ich wusste, dass er diesmal zu weit gehen würde, ich hab ihm gesagt, er soll aufhören, aber er wollte nicht auf mich hören. Es war ... als würde ihm das einen Kick geben. Er konnte einfach nicht aufhören. Und dann ist sie blau geworden und hat sich nicht mehr bewegt ...«

Während er redet, lausche ich mit halbem Ohr, ob Monas Streifenwagen kommt, lasse meinen Blick zur Pistole schweifen. Wenn ich es schaffe, meinen Arm blitzschnell unters Bett zu schiebe und sie zu greifen, kann ich ihn vielleicht ausschalten, bevor er die Armbrust auf mich richten kann ...

»Karn hat das Böse in den Menschen zum Vorschein gebracht.« Der Klang seiner Stimme wird sanfter, tiefer. »Er hat es geliebt, wenn die anderen mitgemacht haben. Er hat versucht, mich dazu zu bringen …« Er schüttelt den Kopf. »Und wer nicht mitgemacht hat, hat zugesehen. Wenn es erst mal im Kopf war, dann …« Er verzieht das Gesicht. »Er hat es hingekriegt, dass man es wollte, dass man Lust bekam.«

Er starrt mich an, und in dem Moment weiß ich, dass auch er sich schuldig gemacht hat. Denn schließlich war er dabei. Wie sonst hätte er erzählen können, was passiert ist?

Stell Fragen, halt ihn am Reden …

»Sie haben ihn gestoppt«, sage ich.

»Ja, das habe ich wohl.«

»Wayne, warum sind Sie nicht zur Polizei gegangen?«

»Alle waren gegen mich«, sagt er. »Alle. Fisher und der ganze Rest. Sie wollten der Polizei sagen, *ich* hätte sie umgebracht.«

»Und da haben Sie die Sache selbst in die Hand genommen«, sage ich.

»Ich wusste, dass er niemals aufhören würde. Es hat ihm viel zu gut gefallen. Aber ich konnte damit nicht umgehen. Er hätte mich mit in den Abgrund gerissen.«

Plötzlich ändert sich sein Gesichtsausdruck, als würde ihm bewusst, dass ich keine Verbündete bin und ihm immer noch nicht klar ist, was er mit mir machen soll. Er weiß, dass er zu weit gegangen ist, dass es kein Zurück mehr gibt.

Ich höre nicht auf zu reden. »Sie kannten seinen Tagesablauf. Sie haben in der Hansbarger Road auf ihn gewartet. Und Sie haben ihn gestoppt.«

»Dazu werde ich nichts sagen.«

»Er war ein Mörder«, sage ich sanft. »Sie hatten einen Grund für das, was Sie getan haben.«

»Jedenfalls gehe ich nicht dafür ins Gefängnis.« Er zeigt mit

326

dem Daumen zur Tür. »Jeder dieser Typen, der sich an der Nutte vergangen hat, wird vor Gericht aussagen, ich hätte sie getötet. Ihr Wort gegen meins.«

»Wenn Sie sich als Zeuge zur Verfügung stellen, wird der Staatsanwalt mit Ihnen zusammenarbeiten, Wayne. Es ist noch nicht zu spät dafür.«

»Verarschen Sie mich nicht.« Er greift nach der Armbrust, kommt näher. »Ich weiß, dass ich erledigt bin. Das Beste, was ich machen kann, ist rennen, so schnell ich kann. Dank Ihnen.«

Er beugt sich über mich, und von einem plötzlichen Energieschub erfasst, boxe ich ihm mit der Faust in den Schritt. Ein kehliger Laut entkommt seinem Mund, er fasst sich zwischen die Beine, sinkt auf die Knie, und ich trete ihn mit dem rechten Fuß von mir weg.

Er taumelt zur Seite, ich schiebe mich mit ausgestrecktem Arm über den Boden zu der Stelle unterm Bett, wo meine Pistole liegt, doch bevor ich sie greifen kann, packt er mich am Hosenbund und zieht mich zurück. Ich drehe mich, hole zum Schlag aus und treffe ihn so fest auf den Mund, dass die Haut über meinen Knöcheln aufplatzt. Sein Gesicht ist rot, die Wangen sind blutig und schweißnass, ein Speichelfaden hängt ihm aus dem Mund. Und aus seinen Augen trifft mich ein mörderischer Blick.

»Du Miststück!«

Ich rappele mich auf die Füße, taumele in Richtung Ansteckmikro.

Graber kommt hinter mir her, greift nach mir, ich vergesse das Mikro und hechte zur Tür hinaus, schlage sie zu. Kein Schloss. *Mist.* Ich renne den Flur hinunter ins Wohnzimmer, werfe einen Blick durchs Fenster. *Wo bleibt Mona nur?* Schwere Schritte hinter mir.

Ich haste zur Vordertür, drehe am Knauf, aber die Tür ist abgeschlossen. Entsetzt blicke ich auf das Sicherheitsschloss, und kurz überlege ich, mich durchs Fenster zu stürzen und zum Explorer zu rennen. Aber ich weiß nicht, ob Graber sich meine Waffe geholt hat, und es bleibt keine Zeit zu überlegen.

Ich laufe nach links in die Küche, renne zur Hintertür, reiße sie auf und stürme über die Veranda, springe die Stufen in einem Satz hinunter und bin im Garten. Rechts ist ein Nebengebäude, links ein Pool und geradeaus ein Maisfeld.

»Du verfluchtes Miststück!«, dröhnt Grabers Stimme nur wenige Meter hinter mir.

Ich sprinte ich über den Hof und weiter ins Maisfeld, um mich herum ein Meer aus gelben Stängeln. Ich renne ein ganzes Stück geradeaus, wende mich dann nach rechts und pflüge mich quer durch die Reihen und laufe immer weiter. Ich muss einen großen Bogen schlagen, um zum Explorer, dem Autofunk und der Schrotflinte zu kommen. Und um Mona vor ihm zu warnen, damit sie weiß, dass er bewaffnet ist.

Der Mais ist fast zwei Meter hoch, was die Sicht sehr erschwert, und die Blätter an den Stängeln schlagen mir ins Gesicht. Ich werfe einen Blick hinter mich, aber Graber ist nirgends zu sehen, versuche, Laufgeräusche zu hören, aber das Blut, das durch meine Adern strömt, dröhnt wie ein Düsentriebwerk in meinen Ohren. Ich durchschneide zwei weitere Reihen Mais, dann laufe ich nach links weiter.

»Du weißt, dass ich schneller bin als du!«, dröhnt es plötzlich hinter mir.

Trotz des Schweißes, der meinen Rücken hinunterläuft, bekomme ich Gänsehaut an den Armen. Er klingt durchgeknallt, außer Kontrolle.

Ich habe Mühe, beim Laufen die Orientierung nicht zu verlieren, konzentriere mich darauf, Distanz zwischen mich und

Graber zu bringen, und entferne mich gleichzeitig immer weiter vom Explorer. Meine Hoffnung ist, einen Bogen um ihn zu machen und hinter ihn zu gelangen.

Ich lege einen Zahn zu, pflüge durch ein weiteres Dutzend Reihen, bleibe stehen und lausche. Ganz in der Nähe höre ich einen Stängel knacken. Graber ist in guter körperlicher Verfassung, er ist jünger und schneller und kann mich vermutlich überholen. Ich brauche mein Funkgerät und eine Waffe.

Ich verlangsame mein Tempo, ändere die Richtung, schlage den Weg zurück zum Haus und zum Explorer ein. Mein Versuch, leise zu sein, wird vom Knacken der trockenen Stängel vereitelt. Ich laufe quer durch zwei weitere Reihen und sehe vor mir den Schornstein des Hauses, die Krone des Baums im Garten. Noch etwa fünfzig Meter, ich habe es fast geschafft.

Über das Klopfen meines Herzens hinweg höre ich Autoreifen auf Schotter knirschen. Das ist Mona, denke ich, und Erleichterung durchströmt mich. Ich steigere mein Tempo, mein Blick schweift nach rechts und links. Ich bin ziemlich sicher, dass Graber hinter mir ist und mehrere Reihen weiter weg. Das Haus liegt geradeaus vor mir.

Zwischen zwei Stängeln bleibe ich stehen und lausche, höre nichts. Ich blicke über die Schulter zurück, und Adrenalin explodiert in meiner Brust. Er steht da, die Armbrust auf mich gerichtet.

»Da bist du ja«, sagt er.

Ich höre das Surren der Armbrust, als er sie abfeuert.

28. KAPITEL

Die Welt bleibt stehen. Grauen packt mich, ich stoße einen Schrei aus, als ich herumwirbele. Jaulend wie eine Gitarrensaite fliegt der Bolzen auf mich zu und streift meine linke Schulter, wo der Schmerz explodiert. Ich sprinte los, von Adrenalin getrieben, rudere mit den Armen.

»*Mona!*«, schreie ich. »Graber! Er ist bewaffnet!«

Ich hoffe, dass sie mich hört.

Ich stürze mich in die Maisreihe zu meiner Linken, renne weiter in halsbrecherischem Tempo. Ohne mich umzudrehen, weiß ich, dass Graber den nächsten Bolzen einspannt. Eine Armbrust ist nicht so schnell schussbereit wie ein Gewehr, aber immer noch schneller, als ich mich entfernen und Deckung finden kann.

Aus dem Augenwinkel sehe ich Blut an meinem Oberarm. Er tut weh, aber ich fühle den Schmerz kaum. Ein Stängel knackt hinter mir, ich habe keine Zeit, mich umzudrehen, und renne einfach weiter, bin viel zu schnell. Bloß nicht stolpern, denke ich, bloß nicht hinfallen!

»Er ist bewaffnet!«, schreie ich.

Ich stürze aus dem Maisfeld in den Garten, renne so schnell ich kann, höre Graber viel zu dicht hinter mir und laufe zickzack, damit er mich nicht so leicht treffen kann. Aber es gelingt mir nicht wirklich gut, und ich komme mir vor wie die perfekte Zielscheibe. Panik steigt in mir hoch.

Ich höre das Surren des Bolzens, der links an mir vorbei in die Hauswand trifft, renne weiter, bete, dass Graber die Armbrust erst wieder schussbereit hat, wenn ich um die Ecke des Hauses gebogen bin.

»Mona!«, schreie ich. »Wayne Graber! Er ist bewaffnet!«

Zosch!

Ich erreiche die Ecke, biege nach links, habe nur wenige Sekunden Deckung, und renne weiter zur Vorderseite des Hauses, wo ich Monas Streifenwagen sehe. Sie steht unter dem Vordach nahe der Eingangstür, spricht in ihr Ansteckmikro, sieht aber in meine Richtung.

»Graber ist bewaffnet!«, schreie ich. »Hinter mir!«

Ich fahre mit der Hand in die Hosentasche, drücke darin auf den Türöffner am Autoschlüssel, habe nur noch den Explorer vor Augen, die Schrotflinte, und die zwei Sekunden, die mir bleiben, um sie in die Finger zu kriegen.

Zosch!

Ein brennender Schmerz wie von einem Brandeisen bohrt sich in meine Seite, ich taumele, werde es nicht zum Auto schaffen, aber Mona, meine einzige Hoffnung, ist bewaffnet. Ich schwenke nach links Richtung Vordach, sie kommt auf mich zugelaufen, die Hand auf der Waffe im Holster und den Blick auf einen Punkt hinter mir fixiert.

»Armbrust!«, schreie ich. »Er schießt!«

Wie in Zeitlupe sehe ich, dass sie ihre .38er zieht, dass sie die Lippen bewegt, aber ihre Stimme kann ich nicht hören. Ich blicke nach links und sehe, wie Graber mit wutverzerrtem Gesicht einen weiteren Bolzen in die Armbrust spannt. Ein Raubtier, das im Begriff ist, sich auf seine Beute zu stürzen.

Mona hebt ihre Waffe. »Halt!«, schreit sie. »Stopp!«

Zosch!

Der Bolzen zischt an mir vorbei. Graber greift zum nächsten.

»Er lädt nach.«

Mona hat Schussstellung eingenommen, Füße schulterbreit auseinander, Finger am Abzug und den Blick aufs Ziel gerichtet. Ab diesem Moment scheinen tausend Jahre zu vergehen.

Sie ist wie erstarrt, wird mir klar.

Fluchend sprinte ich zu ihr. »Runter auf den Boden!«

Mit einem Hechtsprung stürze ich mich auf sie, schlinge die Arme um ihre Hüfte und reiße sie mit nach unten, hieve mich blitzschnell auf die Knie. Graber ist keine zehn Meter entfernt, und wir haben keinerlei Deckung.

Ich reiße Mona die .38er aus der Hand, richte sie auf Graber und schieße blind drauflos. *Peng. Peng. Peng. Peng.*

Grabers Knie knicken ein, er sackt in sich zusammen, seine Armbrust knallt neben ihm auf den Boden. Die Hände auf den Bauch gedrückt, jault er wie ein in Panik geratener Kater.

Ich rappele mich hoch, nehme vage wahr, dass Mona auch aufsteht. »Funkmeldung!«, rufe ich.

»Es sind Schüsse gefallen!« Mit erstickter Stimme nennt sie die Adresse. »Es wird geschossen! Zehn-neununddreißig!« Höchste Alarmstufe. »Zehn-zweiundfünfzig!« Es wird ein Krankenwagen gebraucht.

Sie verstummt, als ich mich Graber nähere. Er liegt auf dem Rücken, Beine ausgestreckt, die Fersen in den Schotter gestemmt und die Hände auf den Bauch gepresst. Blut sickert zwischen seinen Fingern hindurch. Sirenen ertönen in der Ferne, und als ich die Armbrust außer Reichweite kicke, zittern mir Hände und Beine. Grabers Hemd und Schenkel sind voller Blut, ein Anblick, der mich entsetzt, denn das hätte nicht passieren dürfen.

Er hat die Augen geöffnet, sieht mich an; sein Mund bewegt sich, aber es kommt kein Wort heraus.

»Bleiben Sie still liegen«, höre ich mich sagen.

Stöhnend hebt er ein Bein, beugt das Knie und zieht die Ferse durch den Schotter. »Du verdammte … hast auf mich geschossen.«

»Nicht sprechen.« Ich knie nieder und ziehe die Handschellen aus meiner Gürteltasche. »Der Krankenwagen ist unterwegs.«

»Chief?«

Ich blicke über die Schulter und sehe Mona kommen. Sie ist bleich und zittert. »Sind Sie okay?«

»Ja.« Ich lege Graber eine Handschelle an. »Helfen Sie mir.«

Er stöhnt, als wir ihn auf die Seite drehen und ich die andere Handschelle anlege.

»Ähm … Chief.« Mona zeigt auf meine Uniformbluse. »Sie bluten wie verrückt.«

Die große Menge Blut auf meiner Bluse entsetzt mich, und jetzt spüre ich auch den Schmerz in meiner Seite und das Brennen am Arm. »Hat mich wohl zweimal erwischt«, sage ich verunsichert, und ein Zittern durchfährt mich.

»Sie sollten sich besser hinlegen«, sagt sie.

»Alles gut.« Als sie mich weiterhin besorgt ansieht, füge ich hinzu: »Ich bin okay.«

Sie neigt den Kopf zum Ansteckmikro. »Zehn-siebenund-siebzig für zehn-zweiundfünfzig?« Sie fragt nach der Ankunftszeit des Notarztes.

»Zwei Minuten«, meldet die Stimme der Telefonistin.

»Ich hole meinen Verbandskasten.« Sie dreht sich um, läuft zum Streifenwagen und öffnet den Kofferraum.

Ich blicke auf Graber. Er starrt mich schwer atmend an, das Gesicht bleich und die Stirn schweißnass. Ich weiß nicht, wie oft ich geschossen habe und wie oft er getroffen wurde, aber sein Hemd ist blutgetränkt.

»Krankenwagen ist unterwegs«, sage ich.

333

Er hebt den Kopf, verzieht das Gesicht und blickt um sich. »Ich bin kein Mörder«, krächzt er.

Ich sage nichts.

»Karn hätte nicht aufgehört«, flüstert er. »Er hätte es wieder getan. Und mich mit in den Abgrund gerissen. Ich musste das machen. Es war der einzige Weg, ihn davon abzuhalten, noch mehr Unheil anzurichten.«

»Erzählen Sie das dem Richter«, sage ich.

Er schließt die Augen.

***

Es ist nach ein Uhr morgens, ich sitze in einem Vernehmungsraum des Holmes County Sheriff's Departments und kämpfe dagegen an, die Szene auf Wayne Grabers Grundstück immer wieder zu durchleben. Nach den Ereignissen und weil ich gezwungen war, mit Monas Waffe zu schießen, waren wir voneinander getrennt und in zwei unterschiedliche Streifenwagen gesetzt worden, dann zuerst vom Chief Deputy des Sheriff's Department und später von einem Agenten des Ohio Bureau auf Criminal Investigation befragt worden. Monas Waffe wurde zur Beweissicherung eingezogen. Ich habe meine offizielle Aussage gemacht und zwei Stunden lang eine Frage nach der anderen beantwortet. Erst als der Agent das frische Blut bemerkt hat, das durch meine Bluse gesickert ist, hat er angeboten, mich ins Pomerene Hospital zu fahren, wo ich mehrere Stunden in der Notaufnahme gewartet habe, bis meine zwei Schussverletzungen behandelt worden sind. Die Wunde an meinem Arm wurde mit einem Klammerpflaster versorgt, die an meinen Rippen musste mit sieben Stichen genäht werden. Ich habe Glück gehabt, dass der Bolzen den Knochen nur gestreift hat, einen Zentimeter weiter links oder rechts, und ich hätte die Nacht im OP verbracht.

Wayne Graber wurde mit zwei Schusswunden ins Pomerene Hospital eingeliefert. Sein Zustand ist kritisch, aber er wird – zu meiner Erleichterung – überleben. Das Holmes County Sheriff's Department übernimmt die Ermittlungen in den Fällen Aden Karn und Paige Rossberger, das BCI wird die Untersuchung des kritischen Vorfalls unter Beteiligung von zwei Polizistinnen durchführen. Mona und ich sind bis zum Abschluss der Untersuchung bei vollen Bezügen vom Dienst freigestellt.

Es ist nicht das erste Mal, dass ich im Dienst meine Schusswaffe benutzt habe, weshalb ich die Vorschriften gut kenne. Ich weiß, was in den nächsten Tagen und Wochen auf mich zukommen wird. Das hilft allerdings wenig gegen die emotionale Belastung durch die Tatsache, dass ich auf jemanden geschossen habe und von meiner Position als Chief suspendiert worden bin, wenn auch nur vorübergehend. Obwohl Graber eine direkte Bedrohung darstellte und mich und Mona vermutlich getötet hätte, frage ich mich trotzdem, ob es nicht einen anderen Weg gegeben hätte, ihn aufzuhalten. Ob ich etwas anderes hätte tun können.

Sheriff Mike Rasmussen sitzt düster dreinschauend mir gegenüber, ein Special Agent vom Ohio Bureau of Criminal Investigation hat am Kopfende des Tisches Platz genommen und trommelt mit den Fingern auf den Tisch. Tomasetti nimmt wegen Befangenheit aufgrund unserer Beziehung und der bevorstehenden Heirat an der Vernehmung nicht teil und wird auch nicht länger in den Fall involviert sein. Ich habe seit heute Morgen nicht mehr mit ihm gesprochen und vermisse seine beruhigende Präsenz bei alldem sehr.

Mona sitzt neben mir, einen Stift in der Hand und den Blick auf den Bericht vor sich geheftet, als wünschte sie, jedes Wort darin zurücknehmen zu können. Trotz ihrer kämpferischen

Miene und standhaften Haltung wirkt sie beunruhigt, erschöpft und zutiefst demoralisiert.

»Ich glaube, mehr können wir heute Nacht nicht mehr tun, Chief Burkholder.« Der Special Agent sieht von mir zu Mona. »Officer Kurtz.«

Sie reicht ihm den Bericht.

Er nimmt ihn wortlos entgegen, sammelt alle seine Unterlagen zusammen, legt sie in eine Ledermappe und steht auf. »Ich melde mich.«

Er nickt Rasmussen zu und geht.

In dem nachfolgenden schier endlosen Schweigen ist nur das Surren der Deckenlampe zu hören. Mona scheint die Tischplatte zu studieren, ich stelle mit Blick auf mein Smartphone fest, dass Tomasetti sechsmal angerufen hat, und lege es wieder beiseite.

Rasmussen schenkt mir ein müdes Lächeln. »Er ist draußen im Flur, falls Sie sich das fragen.«

Trotz der Anstrengungen der letzten Stunden gelingt mir ein Lächeln. »Das habe ich mir fast gedacht.«

Er räuspert sich, sieht von mir zu Mona und wieder zu mir. »Ich glaube, wir alle sind ziemlich erledigt. Was wir heute Nacht nicht geschafft haben, können wir ja morgen früh angehen, wenn Sie damit einverstanden sind.«

»Klar.«

Der Sheriff erhebt sich, legt kurz die Hand auf meine Schulter und geht, lässt die Tür hinter sich offen stehen. Ohne mich anzusehen, nimmt Mona ihr Handy, steckt es in die Gürteltasche und steht auf.

Ich erhebe mich ebenfalls, wobei ich leicht zusammenzucke, weil die Nähte ziepen. »Mona!«

Sie sieht mich an, hebt die Augenbrauen.

»Das wird schon wieder«, sage ich.

Unfähig, mir länger in die Augen zu sehen, schaut sie auf die Tischplatte und schüttelt den Kopf. »Ich wüsste nicht, wie. Ich hab's vermasselt.«

Ich werfe einen Blick durch die Tür, wo Tomasetti steht und mich ansieht. Ich bedeute ihm mit den Augen, dass ich einen Moment mit Mona brauche, und er nickt, versteht.

Ich schließe die Tür, gehe zurück zum Tisch und lasse mich wieder auf meinem Stuhl nieder. »Setzen Sie sich.«

Sie wirkt verunsichert, aber sie zieht den Stuhl hervor und lässt sich darauf sinken.

»Wollen Sie darüber reden?«, frage ich.

»Sie meinen über den riesigen Elefanten, der hier mit im Raum ist?« Sie schüttelt den Kopf. »Ich glaube, es führt kein Weg dran vorbei.«

Ich warte, sehe, wie sie mit dem kämpft, was sie zu sagen hat.

»Ich war wie gelähmt.« Sie senkt den Blick, zwingt sich aber, mich wieder anzusehen. »Ich habe Graber kommen sehen, seine Armbrust, ich wusste, was ich tun muss. Und dann … konnte ich es nicht. Es war … als wäre die Zeit stehengeblieben. Für mich. Dabei ist er immer näher gekommen, aber ich konnte mich nicht bewegen. Obwohl ich wusste, dass er gleich –« Sie bricht ab, stößt einen Laut aus, kämpft gegen die Gefühle an. »Wegen mir wären Sie fast gestorben.«

»Und doch sitze ich hier«, sage ich.

»Das haben Sie nicht mir zu verdanken.«

Ich habe noch nicht entschieden, wie ich mit der Situation umgehen soll, hatte noch keine Zeit zu überlegen, wie ich reagieren soll. Als Chief muss ich sicher sein, dass sie ihren Job machen kann. Es liegt in meiner Verantwortung, ihr die notwendigen Mittel und Wege aufzuzeigen und ihr zu helfen, ihr Selbstvertrauen wiederzugewinnen. Auch auf persönlicher Ebene möchte ich sie unterstützen.

»Es war eine beängstigende Situation«, sage ich. »Alles ging schnell, es war viel auf einmal. Und dann das ganze Adrenalin.«

»Chief, ich war wie gelähmt. Nach all dem Training hätte ich mit der Situation zurechtkommen müssen.«

»Vielleicht«, sage ich. »Vielleicht hätten Sie imstande sein müssen, Ihre Pflicht als Polizistin zu erfüllen.« Die Worte schmerzen, ich weiß, trotzdem müssen sie gesagt werden. »Aber ich halte es ebenfalls für wichtig, dass Sie verstehen, dass Sie heute Nachmittag mit der schwierigsten Entscheidung konfrontiert waren, die ein Cop jemals treffen muss. Sie mussten in nur zwei Sekunden die Entscheidung treffen, eine tödliche Waffe einzusetzen. Sie hatten Angst und Sie haben nicht gerade viel Erfahrung auf dem Buckel.«

»Untern Strich bleibt, dass ich die falsche Entscheidung getroffen habe und Sie wegen mir fast gestorben wären.«

»Mona, ich werde nicht abstreiten, dass Sie einen Fehler gemacht haben, und seine Tragweite auch nicht kleinreden.«

»Ich hab das Gefühl, das einzig Richtige, was ich machen kann, ist, den Dienst zu quittieren.« Tränen schimmern in ihren Augen. »Vielleicht bin ich nicht geeignet, Polizistin zu sein.«

»Hören Sie, ich werde Sie nicht mit Samthandschuhen anfassen. Heute haben Sie einen Fehler gemacht. Sie sind nicht die Erste bei der Polizei, die handlungsunfähig gewesen ist, und sicher auch nicht die Letzte. Das ist nicht das Ende Ihrer beruflichen Laufbahn.«

»Wie soll mir denn jetzt noch jemand vertrauen?«, sagt sie. »*Ich* würde mir selber nicht vertrauen.«

Ich nicke, lasse die Aussage einen Moment so stehen. »Wann haben Sie das letzte Mal geschlafen?«, frage ich.

»Ich weiß es nicht.« Missmutig reibt sie sich die Augen. »Ich verstehe nicht, was das damit zu tun hat –«

»Sie sind seit vierundzwanzig Stunden im Dienst. Sie sind erschöpft.«

Seufzend lässt sie den Kopf hängen.

»Damit will ich einfach nur sagen, dass es gerade nicht die beste Zeit ist, eine wichtige berufliche Entscheidung zu treffen. Wir sind beide für ein paar Tage beurlaubt, und wenn wir ausgeruht und zurück im Dienst sind, reden wir darüber. Wenn Sie entscheiden, weiterhin als Streifenpolizistin arbeiten zu wollen – was ich hoffe –, konzentrieren wir uns auf Ihre Ausbildung, und Sie arbeiten ein paar Wochen lang mit einem zweiten Officer zusammen. Wir tun, was nötig ist, und sehen, wie es läuft.«

Sie schluckt, sieht etwas weniger elend aus. »Okay.«

»Sie sind eine gute Polizistin, Mona. Ich glaube, Sie haben das Potenzial, eine noch bessere zu werden. Und ich denke, Sie haben eine vielversprechende Zukunft bei der Polizei von Painters Mill vor sich.« Ich lege die Hand auf ihre Schulter und drücke sie sanft. »Mehr sage ich jetzt nicht. Es war ein langer Tag, ruhen wir uns ein wenig aus und sprechen darüber, wenn wir wieder zurück bei der Arbeit sind.«

* * *

Tomasetti wartet im Flur, lässt kurz seinen Blick über mich gleiten und heftet ihn dann auf mein Gesicht. Obwohl ich am liebsten losrennen und ihm die Arme um den Hals schlingen würde, gehe ich langsam auf ihn zu, denn ein Deputy steht in der Nähe. Ich schenke ihm aber das schönste Lächeln, das ich in dem Moment zustande bringe.

»Du hast es wirklich drauf, einen Mann zu Tode zu erschrecken«, sagt er.

»Jemand muss dich ja auf Trab halten.«

Als sein Blick auf den Blutfleck an meiner Uniformbluse fällt, stöhnt er auf. »Kate – «

Ich unterbreche ihn, bevor er weiterreden kann. »Mir geht's gut.«

Er sieht hinter mich zum Vernehmungsraum, fragt: »Mona?«

»Sie kriegt das hin.«

»Das war mal wieder knapp.« Er ist kein Mann, der seine Gefühle offen zeigt, aber ich höre ein Zittern, als er ausatmet. »Was soll ich nur mit dir machen?«

Ich lächele ihn an. »Tomasetti, wenn ich es nicht besser wüsste, könnte ich fast denken, du bist in die Polizeichefin verliebt.«

»Zweifellos.« Er blickt den Flur hinunter, wo zwei Deputys sich unterhalten. »Echt lästig, dass hier so viele Leute sind«, sagt er leise.

»Was vielleicht daran liegt, dass wir im Eingangsbereich vom Holmes County Sheriff's Department stehen.«

»Was hältst du davon, wenn wir das ändern?« Er greift in seine Tasche und holt den Autoschlüssel heraus. »Brauchst du eine Mitfahrgelegenheit nach Hause?«

»Agent Tomasetti, da sage ich nicht nein.«

Als wir auf dem Weg zu seinem Tahoe den Parkplatz überqueren, nieselt es aus einem diesigen schwarzen Himmel. Er öffnet die Beifahrertür, hält mich jedoch fest, bevor ich einsteigen kann, und drückt mich mit dem Rücken sanft an den Wagen, presst seinen Körper an mich und umfasst mit beiden Händen mein Gesicht.

»Du hast mir höllische Angst eingejagt«, sagt er.

»Das tut mir leid, ich hab versucht, dich anzurufen – «

Er bringt mich mit einem leidenschaftlichen Kuss zum Schweigen. Und wie von selbst schlingen sich meine Arme um seinen Hals, und ich lege alles, was ich habe, in den Kuss, in den Moment, und mein Herz quillt über vor Liebe für ihn.

Er löst seine Lippen von meinen, lehnte sich zurück und sieht mich an, als hätte ich etwas getan, was ihn mit Bewunderung und zugleich Angst erfüllt. »Wenn es nicht zu viel verlangt ist, könntest du bitte darauf verzichten, dich erschießen zu lassen?«

»Ich werde mein Möglichstes tun. Versprochen, ich streng mich an.«

»Wenn es dir recht ist, würde ich dich nämlich gern noch eine Weile um mich haben.«

Ich ziehe ihn wieder an mich, liebe, wie er sich anfühlt, die Wärme und Stärke seines Körpers, und streiche ihm über die Wange, den Mund. »Und wie lange genau?«

»Mehrere Leben lang.« Er grinst. »Fürs Erste.«

»Klingt wie ein guter Plan.«

Ohne den Blick von mir zu lassen, tritt er zur Seite, damit ich einsteigen kann. »Fahren wir nach Hause.«

29. KAPITEL

Polizistinnen und Polizisten sind während der Beurlaubung aufgrund eines Schusswechsels, an dem sie beteiligt waren, in einer ausgesprochen schwierigen Situation. Sie dürfen für eine gewisse Zeit – normalerweise Tage, aber manchmal auch Wochen – nicht ihrer Arbeit nachgehen, die einen Großteil ihres Lebens ausmacht. Es gibt keine Interaktion mit Kollegen, die im Grunde genommen wie Familie sind; sie haben zu viel Zeit, darüber nachzudenken, was passiert ist, und jeden einzelnen furchtbaren Moment noch einmal zu durchleben. Das Schlimmste aber ist, dass sie im Nachhinein jede Entscheidung, jede Aktion immer wieder hinterfragen.

Ich finde das Verfahren richtig und bin davon überzeugt, dass alle kritischen Vorfälle von einer externen, unabhängigen Behörde genauestens untersucht werden müssen. Doch das macht es für mich keineswegs leichter.

Es dämmert, als ich mit dem Drahtkorb in der Hand zum Hühnerstall auf unserer Farm gehe, um Eier einzusammeln. Vier unserer Hennen sind noch in ihren Boxen, der Rest pickt auf dem Boden herum. Ich kann sehen, dass sie über Nacht mindestens fünf Eier gelegt haben.

»Ihr Mädels wart richtig fleißig«, sage ich.

Die Hennen gackern verärgert, als ich sie durch die Tür in den Garten scheuche, damit sie dort für den Rest des Tages frei herumlaufen können. Und natürlich auch, damit ich die Eier einsammeln kann, ohne von ihnen in die Hand gepickt zu werden.

Ich denke an die Hochzeit morgen früh und versuche, mir keine Sorgen zu machen wegen all der Dinge, die ich nicht geschafft habe. Ein wenig denke ich auch an Mona und überlege gerade, sie anzurufen, als in der Gesäßtasche mein Handy vibriert. Ich stelle den Korb ab, ziehe es heraus und blicke aufs Display. Die Nummer sagt mir nichts, aber ich nehme den Anruf an, melde mich mit »Burkholder«.

»Ich habe darüber nachgedacht, was Sie gesagt haben.«

Es dauert einen Moment, bis ich die Stimme von Mandi Yoder erkenne. Es ist die junge Frau, die laut Jimmie Baines, dem Barkeeper des Brass Rail Saloons, von Aden Karn auf dem Parkplatz der Bar vergewaltigt worden ist.

»Und zu welchem Ergebnis sind Sie gekommen?«, frage ich.

»Ich bin bereit zu reden.«

Es entsteht eine Pause, und ich habe den Eindruck, sie wünschte, nicht angerufen zu haben. Dass sie noch immer zögert, ihre Geschichte zu erzählen. Ich möchte sie dazu ermutigen, darf sie aber nicht zu sehr drängen, weil sie sonst auflegt und die Chance vertan ist.

»Ich höre Ihnen zu«, sage ich einen Moment später.

»Aden Karn war ein schlechter Kerl«, sagt sie.

Um mich herum wird es still. Alle meine Sinne sind auf die Stimme am anderen Ende fokussiert. »Erzählen Sie mir, was passiert ist.«

Es herrscht ein so langes Schweigen, dass ich schon befürchte, sie hätte aufgelegt. Doch dann flüstert sie: »Ich war in der Tankstelle. Karn hatte mich an einem Abend dorthin mitgenommen. Es waren noch andere Typen da. Wir … es war ein Albtraum.«

Ich halte das Telefon dicht ans Ohr und schließe die Augen angesichts des Glücksgefühls, das mich überkommt, als das letzte Puzzleteil seinen Platz findet. Das Teil, das sämtliche

343

losen Enden miteinander verknüpft und sicherstellt, dass alle Schuldigen zur Rechenschaft gezogen werden.

»Können Sie mir ein paar Namen nennen?«

»Alle.«

Ich atme tief ein und langsam aus. »Sind Sie gewillt, Sheriff Rasmussen zu erzählen, was passiert ist?«

»Ich hatte gehofft, mit Ihnen reden zu können …«

»Ich bin zurzeit vom Dienst freigestellt«, sage ich.

»Ähm, keine Ahnung«, sagt sie schnell. »Vielleicht sollte ich einfach –«

»Mandi, Mike Rassmussen ist ein guter Mann. Er ist ehrlich und gerecht.«

»Werden Sie dabei sein?«

»Wenn ich kann.« Ich warte eine Sekunde. »Ich werde alles vorbereiten. Passt es Ihnen heute Nachmittag?«

Ein Seufzer, dann: »Okay.«

»Ich danke Ihnen.«

Wortlos legt sie auf.

30. KAPITEL

Meine *Mamm* kannte eine Menge Redensarten. Einer ihrer Lieblingssprüche drehte sich um Hochzeiten: *En die ehe kann sei gmacht in Himmel avvah mann is verantwortlich fa da hochzich,* was so viel heißt wie: Eine Ehe mag im Himmel geschlossen werden, aber für die Hochzeit sind die Menschen verantwortlich. Als Kind war mir die Bedeutung der Redensart ein Rätsel, doch nie zuvor habe ich sie besser verstanden und wertgeschätzt als heute Morgen.

Ich sitze auf dem Beifahrersitz des Tahoe und versuche, ruhig zu bleiben, während Tomasetti den Schotterweg hinauf zum Haus meiner Kindheit und Jugend fährt. Er trägt einen schönen schwarzen Anzug, ein weißes Hemd und eine schmale schwarze Krawatte, ist angemessen schlicht gekleidet. Ich trage das Kleid, das meine Großmutter geschneidert hat. Nach den Änderungen und einem bisschen Hin und Her muss ich zugeben, dass es perfekt ist. Schwarze Schuhe mit flachen Absätzen. Nicht amisch, aber auch nicht ganz englisch. So wie ich selbst.

»Die Amischen sind in Scharen gekommen«, murmelt Tomasetti.

Beim Anblick der Dutzenden von schwarzen Buggys, die in ordentlichen Reihen auf der von Jacob zum Parken geöffneten Koppel stehen, flattern mir die Nerven. Auf derselben Koppel haben die Buggys schon in meiner Kindheit gestanden, wenn der Gottesdienst auf unserer Farm stattgefunden hat. Aber es parken auch mehrere Autos beim Haus auf dem Schotterplatz:

Glocks Streifenwagen, Doc Coblentz' Escalade, ein SUV des Holmes County Sheriff's Departments sowie drei weitere von meinen Mitarbeiterinnen in der Telefonzentrale. Als ich dann auch Monas Ford Escape entdecke, huscht ein aus tiefstem Herzen kommendes Lächeln über mein Gesicht.

»Das wird für die meisten Anwesenden vermutlich eine der unkonventionellsten Hochzeiten sein, an der sie jemals teilgenommen haben werden«, sage ich.

»Und genau das erwarten sie auch«, sagt Tomasetti.

Zwar wird heute Morgen keine Predigt gehalten, doch einige Amische werden wohl ein paar Kirchenlieder singen. Die Trauung selbst wird nur etwa fünf Minuten dauern und von einem mennonitischen Prediger zelebriert. Das Mittagessen und das anschließende gesellige Beisammensein dürften jedoch mehrere Stunden dauern. Währenddessen werden sich zwei amische, etwa zwölf oder dreizehn Jahre alte Jungen um die Buggy-Pferde kümmern, sie werden sie abschirren, zu einer der unteren Koppeln führen und sie mit Heu und Wasser versorgen.

Als wir um die letzte Kurve biegen, stelle ich fest, dass die Farm meiner Kindheit sich verwandelt hat. Auf dem Rasen neben dem Haus wurden Dutzende Tische und Stühle aufgestellt – Picknicktische, Arbeitstische, Kartentische sowie Stühle in allen Formen und Größen. Vage erinnere ich mich, meiner Schwester gesagt zu haben, dass ich den Empfang bei gutem Wetter gern im Freien stattfinden lassen würde. Und sie hat mir den Wunsch wirklich erfüllt – auf amische Weise. Im Moment verteilt eine Frau in einem blauen Kleid Schalen mit Sellerie auf den Tischen, eine weitere trägt ein Tablett mit Kuchen auf das Nachspeisenbuffet. Zwei weitere Frauen bauen einen Getränkestand auf – mit einer Kühlbox für Wasser, Plastikgläsern, Kaffee und mehreren Krügen Eistee. Es ist

346

ein beeindruckendes Durcheinander, bei dem jeder zu wissen scheint, was er zu tun hat. Und wieder bin ich an die Worte meiner *Mamm* erinnert: Eine Ehe mag im Himmel geschlossen werden, aber für die Hochzeit sind die Menschen verantwortlich.

Bei den meisten Vorbereitungen war ich nicht dabei, weil ich so vollkommen von den Morden an Karn und Rossberger absorbiert war. Und nicht zum ersten Mal wird mir jetzt wieder bewusst, welche enorme Anstrengung und Arbeit in das alles hier gesteckt worden ist. Die Bedeutung, die das hat, raubt mir den Atem und macht mir das Sprechen schwer. »Das ist zweifellos eine der wenigen Hochzeiten in der Menschheitsgeschichte, bei deren Vorbereitung die Braut so gut wie nicht geholfen hat«, höre ich mich sagen.

»Du warst mit zwei Morden beschäftigt«, murmelt Tomasetti.

Wir haben über die beiden Fälle kaum gesprochen. Gestern wurde Wayne Graber offiziell des Mordes an Aden Karn, des versuchten Mordes an einer Polizeibeamtin sowie der schweren Körperverletzung angeklagt. Mandi Yoder war tatsächlich erschienen und hatte einer Befragung durch Sheriff Rasmussen zugestimmt. Dank ihrer bahnbrechenden Aussage hat Vernon Fisher jetzt mit einer Reihe weiterer Anklagen zu rechnen. Vier der anderen Männer, die sich regelmäßig in der inzwischen berüchtigten Tankstelle aufgehalten haben, sind verhaftet worden.

Ich habe etwa eine Stunde mit Emily und ihrer Mutter verbracht. In der Hoffnung, dass die so schmerzliche Wahrheit den Heilungsprozess befördert, habe ich ihnen, soviel ich konnte, über Karn erzählt. Ich glaube zwar nicht, dass Emily jemals ihre eigene Geschichte erzählen wird, aber sie kann jederzeit zu mir kommen, sollte sie ihre Meinung ändern.

»Sieht aus, als erwarte uns eine Riesenparty.« Tomasettis Stimme reißt mich aus meinen Gedanken.

Das Scheunentor steht weit offen und gibt den Blick frei auf mehrere Bank- und Stuhlreihen, auf umherlaufende Männer und Frauen, die sich darum kümmern, dass alles genau dort ist, wo es hingehört. Und wieder habe ich das amische Mädchen vor Augen, das ich einmal gewesen bin – das auf einer dieser Bänke gesessen, sich wie eine Außenstehende gefühlt hat und davon überzeugt gewesen ist, niemals der Liebe zu begegnen. Die Gefühle, die mich bei diesem Gedanken überkommen, sind so heftig, dass ich mir die Hand auf die Brust legen muss, um mein Herz zu beruhigen.

»Die Amischen wissen, wie man eine Hochzeit ausrichtet«, bringe ich schließlich hervor.

Tomasetti parkt neben einem roten Chrysler PT-Cruiser und zieht eine Augenbraue hoch.

»Pastor Tom«, sage ich.

»Ich hätte ihn wahrscheinlich besser mal vorher kennenlernen sollen«, sagt er.

»Wir werden einfach improvisieren.«

»Darin sind wir ja glücklicherweise geübt.«

Als er mit zugekniffenen Augen in die Ferne starrt, folge ich seinem Blick und werde von einem wahren Beben an Gefühlen erfasst, denn Bischof Troyer humpelt mit Hilfe seines Gehgestells zur Scheune.

»Ich fasse es nicht«, murmelt Tomasetti. »Der alte Mann hat es tatsächlich hierher geschafft.«

Ich muss die Tränen wegblinzeln, traue meinen Augen kaum. »Ich hoffe, er weiß, wie viel uns das bedeutet.«

»Vielleicht habe wir ja Gelegenheit, es ihm zu sagen.« Er stellt den Motor aus. »Bist du bereit?«

Mein Puls rast, mein Nacken ist heiß, und meine Hände

sind feucht, doch ich widerstehe dem Drang, sie am Rock meines Kleides trocken zu reiben.

Lächelnd nimmt er meine Hand, wischt mit dem Daumen der anderen eine Träne von meiner Wange. »Wenn ich es nicht besser wüsste, Chief Burkholder, würde ich glauben, du wärst nervös.«

»Ein totales Nervenbündel trifft es wohl eher.«

»Sagt die Frau, die einen durchgeknallten Kerl mit Armbrust bezwungen hat.«

»Und was ist mit dir?«, frage ich.

»Ob ich nervös bin?« Er lässt sich Zeit, reckt sich und richtet die Krawatte vor dem Rückspiegel. »Einzig und allein wegen der Krawatte. Findest du wirklich, sie passt zum Hemd?«

Mein schallendes Lachen wirkt wie Medizin gegen meine Nervosität. »Jedenfalls ist sie genau richtig für eine fast amische Hochzeit«, sage ich.

»Wenn das so ist.« Er nimmt meine Hand, fährt mit seinen Lippen über die Knöchel. »Wir schaffen das, ja?«

»Mit links«, flüstere ich.

Durch das Fenster beobachtet er zwei amische Männer, die eine Bank in die Scheune tragen. »Was hältst du davon, wenn wir alle von ihren Qualen erlösen und den Bund der Ehe schließen?«

»Die Idee könnte von mir sein«, flüstere ich.

Er beugt sich zu mir, küsst mich, dann steigen wir aus dem Auto und machen uns auf den Weg zur Scheune.

DANK

Wie immer bin ich meiner Verlagsfamilie von Minotaur Books zu großem Dank verpflichtet. In erster Linie gilt dieser Dank meinem Lektor, Charles Spicer, der zufällig auch der beste Lektor auf der ganzen Welt ist. Darüber hinaus danke ich meiner wunderbaren Agentin, Nancy Yost – ich weiß dich und deine Freundschaft mehr zu schätzen, als du dir vorstellen kannst.

Auch allen anderen Mitarbeiterinnen und Mitarbeitern meines Teams von Minotaur Books schulde ich ein herzliches Danke für die Unterstützung und hervorragende Arbeit, die sie für mich leisten: Jennifer Enderlin, Andrew Martin, Sally Richardson, Sarah Melnyk, Sarah Grill, Hannah Pierdolla, Kerry Nordling, Paul Hochman, Allison Ziegler, Kelley Ragland, David Baldeosingh Rotstein, Marta Fleming, Martin Quinn, Joseph Brosnan und Lisa Davis. Vielen Dank euch allen!

Linda Castillo
Die Zahlen der Toten
Der erste Fall für Kate Burkholder
Band 18440

Ein Geheimnis, das dunkler nicht sein könnte

Die verstümmelte Leiche einer jungen Frau liegt auf einem schneebedeckten Feld. Ihr Mörder hat sie regelrecht abgeschlachtet und ihr eine römische Zahl in den Bauch geritzt. Polizeichefin Kate Burkholder muss einen Mörder finden, der grausamer nicht sein könnte.

»Nervenaufreibend ... so atmosphärisch,
man könnte schwören, dass man den Schnee unter
den Füßen knirschen hört.«
Alex Kava

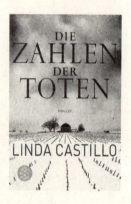

Das gesamte Programm gibt es unter
www.fischerverlage.de